KB101462

Palabras
Envenenadas

Original title: PALABRAS ENVENENADAS
This work was the 2010 young-adult edebé award winner
This work was originally published in Spain by edebé, 2010(www.edebe.com)

Palabras
Envenenadas

마이테 카란사 장편소설
권미선 옮김

을로을로

차례

1부

미드 〈프렌즈〉를 즐겼던 소녀

1부

미드 〈프렌즈〉를 즐겼던 소녀

나의 열아홉 번째 생일은 다른 여느 생일과 똑같다.

한 살 더 먹는다는 것은 알고 있다. 당연히 알고 있다. 하지만 축하해야 할 365일이 그 이전 해의 365일과 전혀 다를 바 없기 때문에 매한가지다. 그러니까, 없어도 그만이다. 그럼에도 불구하고, 나는 긍정적인 면을 찾아보려고 노력했고, 최소한 선물이라도 받을 수 있으니 나이를 먹는다는 게 나쁘지만은 않다는 결론에 이른다. 그렇지만 그리움과 추억, 행복해질 수 있다는 기대감이 동반되는 생일초는 생략했다. 부질없는 짓이다. 나의 삶은 폭죽을 터트릴 만하지 않기에, 그 날짜에 특별한 의미를 부여하고 싶지는 않다. 나는 일어나서 운동하고, 샤워하고, 아침 먹고, 공부하고, 점심 먹고, 잠깐 텔레비전 보고, 웃는 얼굴로 갑작스러운 방문을 기다리는 일상 속으로 피신한다. 내가 가진 최소한의 것에 만족하기 때문에 어렵지는 않다.

일주일 전, 그가 나에게 갖고 싶은 게, 특별히 바라는 게 있냐고 물었다. 옷이나 구두, 아이팟 등 내가 바라는 건 뭐든지 사 줄 거라는 걸 안다. 하지만 나는 돈으로 살 수 있는 것은 전혀 바라지 않는다. 그에게 바닷가로 데려가 달라고 청했다. 바위 위에서 바다로 몸을 내던져, 두 눈을 크게 뜨고 물속으로 풍덩 뛰어 들어가 숨이 찰 때까지 자유형으로 헤엄치다가, 파도에 흔들리며 물거품 위에 가만히 떠 있는 게 나의 꿈이다.

가벼워지고 싶다. 미꾸라지처럼 요리조리 빠져나가 수평선 너머로 사라지고 싶다. 내 육신이 밋밋하게 펼쳐진 푸른색 위에 살짝 튄 작은 점인 것처럼.

나중에. 그는 이렇게 말한 후 〈프렌즈〉 시즌 9를 선물했다.

나는 또 헛물을 켰다.

1

살바도르
로사노

로사노 형사가 호흡을 가다듬으며 몰리나 부부의 아파트 문 앞에 서 있다. 그는 7년 전 아들의 결혼식 때 개시한 회색 양복을 입고, 붉은 광택이 도는 실크 넥타이를 맸다. 약간 머쓱해하며, 마지막 순간에는 넥타이가 지나치게 요란한 게 아닌가 하고 생각한다. 그는 늘 옷 때문에 애를 먹는다.

로사노는 초인종을 누르려고 팔을 들어 올리다 양손에 땀이 흠뻑 밴 것을 깨닫는다. 괜히 쓸데없이 남의 집을 찾아가는 건 좋아하지 않지만 꼭 그래야만 했다. 예의상 한 방문이다. 이런 제스처라도 취하지 않으면, 괜히 일만 벌여 놓고 그만둔 것을 두고두고 후회하며 불면증으로 그 대가를 치를 것 같았다. 그는 가쁘게 숨을 몰아쉬며, 바지 주머니에서 찾아낸 휴지로 손등을 닦아 낸다. 몸무게가 불어서인지 나이가 들어서인지, 3층까지 걸어 올라오느라 애먹었다. 하지만 그는 확실한 걸 좋아하는 사람이라, 상황이 아무리 곤혹스럽다 해도, 몰리나 부부에게만큼은 직접 설명해 주고 싶었다. 그들이 제삼자나 전화를 통해 아는 것은 원치 않았다. 따지고 보면 전화는 차가운 도구이다.

그래서 그는 심문을 앞둔 사람처럼 목을 가다듬고 힘차게 벨을 누른다. 문이 열리기를 기다리며, 자신이 그 사건에 책임을 느끼고 있다고, 어느 날 느닷없이 그들의 뒤통수를 내리쳐, 그들에게서 살고 싶은 마음을 앗아 간 그 끔찍한 악몽에 책임감을 느끼고 있다고 혼잣말을 한다. 이제 몰리나 부부에게는 살고 싶은 마음이 거의 없다. 그들은 이제 날짜도 세지 않는, 다 죽어 가는 사람들이다. 그런데도 그는 가끔 그들의 그윽한 눈빛 속에서 조그마한 단서에도 불길을 댕길 수 있는 희망의 불꽃을 감지한다. 그들은 기적을, 시신을 기다리고 있다.

아무도 문을 열지 않는다. 어쩌면 아무도 없을지도 모른다. 그는 다시 벨을 누른다. 그리고 이번에는 초인종이 요란하게 울릴 때까지 한참을 가만히 있는다.

그는 건너편에서 무슨 소리라도 들리지 않을까 귀를 곤두세우며, 오늘은 몰리나 부부를 만나지 못하겠군, 하고 생각한다. 모든 게 정적에 잠겨 있다. 아무도 없는 게 분명해. 그냥 돌아가야겠어. 그는 버려진 가방과 시신도 없이 문서함에 보관된 사건 파일, 잊힌 사건 번호, 쓸데없는 서류들과 쓸모없는 흔적들, 부질없는 증언들로 뒤범벅이 된 파일 안에서 환하게 웃고 있는 여자아이의 누렇게 빛바랜 사진을 머릿속으로 그려 본다. 아무런 단서도 없다.

그런데 그때 누군가 망설이며, 현관문 안전 고리 뒤로 문을 빠끔히 연다. 안에서부터, 삭막한 현관의 어둠 속에서부터, 누구냐고 묻는 목소리가 들려온다. 누리아 솔리스의 목소리다.

몰리나 부부는 바르셀로나, 엔산체 구역의 아파트에서 살고 있다. 밝은 색상과 동양풍으로 소박하게 꾸민, 지나치게 화려하지도 요란하지도 않은 정갈한 아파트이다. 예전에는 쾌적한 공간이었을 테지만 조금씩 퀴퀴한 공간으로 변했다. 벽에는 군데군데 페인트가 벗겨졌고, 가구에는 먼지가 잔뜩 쌓였고, 2년 전에 망가진 식당의 블라인드는 여전히 수리하지 않은 채 그대로이다. 부엌은 부엌으로서 기능만 할 뿐, 무방비 상태로 방치되어 냉기마저 감돈다. 수프나 스튜 냄새는 전혀 나지 않는다. 4년 전에 죽은 후 명맥상 목숨만 유지하고 있는 좀비들이 사는 집을 찾아온 게 아닌가 하는 생각이 가끔 든다.

쌍둥이 사내아이들은 말이 없고 신중한 편이며, 사람들을 피해 다닌다. 그 나이에 걸맞지 않은 행동이다. 키가 훤칠하고 여윈 체구에 수줍음이 많은 쌍둥이는 이제 열다섯 살이 되었다. 바르바라가 실종되었을 당시의 나이지만 그 아이들은 존재하지도 않는 사람들처럼 행동한다. 손님이 있을 때면 시선을 피해 조용히 다니며 손짓으로 말한다. 그들은 부모의 고통을 방해하지 않도록 교육받았다. 그렇게 불우한 유년 시절을 보낸 것이다.

누리아 솔리스는 늘 똑같은 질문으로 그를 맞이한다. 찾았나요? 아니라는 대답만큼이나 황망한 대답도 없지만 이제는 그 질문도 더는 하지 못할 것이다. 작별 인사를 하러 왔습니다. 누리아는 그의 말을 알아듣지 못한 듯 한참 동안 아무 반응도 보이지 않는다. 그에게 들어오라고 권하지도 않는다. 현관문 안전 고리는 풀어 주었지만, 따귀라도 세차게 얻어맞은 듯 그대로 문 앞에 얼어붙어 있다. 작별 인사라니요? 그녀가 믿기지 않는 듯 되묻는다. 로사노 형사는 들어오라는 초대를 받지 않았는데도, 등 뒤로 가만히 문을 닫으며 안으로 들어간다. 남편분은 계신가요?

누리아는 마흔세 살이며 간호사다. 처음 봤을 때 그녀는 서른아홉 살로 꽤 미인이었다. 이제는 나이에 비해 흰머리가 많고, 옷도 아무렇게나 입는다. 숨도 마지못해 쉬는 것 같다. 아니요, 아직 퇴근하지 않았는데요, 일하고 계세요. 그녀가 대답한다. 당연하지. 로사노는 혼자 생각한다. 오전에는 일하는 게 당연하지. 나처럼 말이야. 로사노는 지금 자신의 의무를 다하고 있다. 그런데 그의 경우는 안타깝게도 오늘이 마지막이다.

그럼, 괜찮으시다면 사모님께 설명드리지요. 그러고는 앉아서, 자기가 손님인데도 마치 자기 집이라도 되는 듯 그녀에게도 앉으라고 권한다. 누리아는 고분고분히 앉아서 그의 얘기를 듣는다. 아니 듣는 시늉만 하는지도 모른다. 그녀는 유일한 질문에 대한 대답을 이미 들었고, 일단 그 대답을 들은 후에는 아무 소리도 들리지 않는다. 그냥 말들이 흘러나와 사라지도록 내버려 둘 뿐이다.

내일이면 제가 예순다섯이 됩니다. 마지막 날까지 기다려 봤는데, 결국 정년 퇴임을 하고 마는군요. 로사노는 돌리지 않고 바로 말한다. 빨리 말할수록 좋아, 그래야 오해가 없어. 그는 생각한다. 누리아가 초점 없는 눈과 무표정한 얼굴로 바라보고 있었기 때문에, 로사노는 그녀가 자기의 간단한 설명을 이해했는지 가늠할 수가 없다. 로사노는 페페 몰리나와 얘기하는 게 더 나을 뻔했다고 확신한다. 그 말씀은 이제 더 이상 그 아이를 찾지 않을 거라는 뜻인가요? 누리아가 천천히 묻는다. 아니요, 아닙니다. 로사노가 서둘러 말을 바로잡는다. 이제 그 사건은 제 후임자가 맡을 겁니다. 제 후임자가 수사를 책임지고, 가족분들께 직접 연락할 겁니다.

누리아는 순간 안심한 듯하더니 곧 불안해한다. 누군데

요? 로사노 형사는 가급적 확신에 차서 말하려고 하지만, 자기 목소리마저 거짓말하는 것처럼 들린다. 수레다 형사라고, 열의가 아주 강하고 제대로 준비된 젊은이입니다. 수레다 형사가 저보다 더 많은 성과를 올릴 거라 확신합니다. 로사노는 후임자가 노련하다고 말해 주고 싶지만 거짓말을 하고 싶지는 않다. 이제 막 서른한 살이 된 미래가 창창한 수레다 형사는 열의는 있지만 노련함은 없다.

누리아가 당혹스러워하며 침묵을 지킨다. 어쩌면 그녀는 그가 설명하지 않은 부분들을 의심하고 있는지도 모른다. 누리아는 주눅 든 여자다. 남편이 옆에 있으면 입도 뻥끗하지 못하고, 남편이 하자는 대로 모두 내버려 둔다. 남편은 아내만큼 망가지지는 않았다. 물론 처음 몇 달 동안 보여 주었던 열의는 사라졌다. 남편은 바르바라를 찾는 일에 너무 집착한 나머지, 경찰 업무에까지 개입할 정도였다. 하지만 이제는 마음을 가라앉히고 딸의 실종을 받아들인다.

몰리나 부부는 전혀 다른 성품을 지녔다. 아내가 위엄을 잃은 채 고통스러워했다면 남편은 위엄 있게 아픔을 견뎌냈다. 누리아를 보면 비를 잔뜩 맞은 병아리가 연상된다. 그녀는 고개를 끄덕이며 자기만의 생각 속으로 빠져든다. 먼 곳에 있는 듯, 공허하고 무관심한 표정이다. 이제 그녀에게는 아무것도 중요하지 않다. 고맙다는 인사조차 생략했다. 딸과 자기 삶에 대한 애착을 잃어버리기 전에 누리아를 만났더라면 좋았을 거라는 생각이 든다. 불확실한 상황에 그녀의 뇌는 말라비틀어졌다.

누리아는 아무 말 없이, 의자에 앉아 불안해하며 몸을 뒤척인다. 뭔가 불안한 게 확실하다. 남편하고 얘기해 봐야겠어요. 그녀가 느닷없이 말문을 연다. 남편은 제정신이지. 로사노 형사도 인정한다. 그 역시 같은 생각을 하고 있었지만, 그녀에게 말하나 남편에게 말하나 매한가지라고 덧붙이는 건 실례일 것 같았다. 하지만 누리아는 어느새 일어나, 옆 테이블에 놓인 휴대전화를 들고 번호를 눌렀다.

페페? 그녀가 간절히 외친다. 남편 말을 들으면서 누리아는 얼굴 표정이 바뀐다. 아니, 미안해요, 일하고 있는 거 잘 알아요. 하지만 로사노 형사님이 오셨어요. 그녀는 몸을 떨며 몇 초 동안 가만히 있다가, 머뭇거리며 다시 말을 잇는다. 뭔가가 없어서 막연하게 허전한 것처럼 머뭇거린다. 아니요. 바르바라에 대한 새로운 소식은 없어요. 그녀가 설명한다. 하지만 형사님이 당신에게 작별 인사를 하고 싶어 하세요. 내일 정년 퇴임하신대요. 알았어요. 그녀는 로사노 형사에 대해 한참 설명한 후 말을 맺는다. 표정이 훨씬 편안해졌다. 그녀 혼자서는 절대 풀 수 없는 문제에 남편이 답을 줬을 수도 있다. 누리아가 눈빛을 반짝이며 전화기를 내려놓는다. 느닷없이 떠맡은 무거운 짐을 내려

놓으며 한결 안도하는 표정이다. 누리아는 남편이 직접 그를 만나러 갈 거라고 설명한다. 로사노 형사는 페페가 그러리라는 것을, 그가 결단력이 있고 일정이 바쁜 남자라는 것을 잘 안다.

그녀의 남편은 보석 판매상이다. 그는 고객들을 다룰 줄 알고, 시간을 잘 쪼개서 사용할 줄도 안다. 끊임없이 출장을 다니는 와중에도, 없는 시간을 쪼개 아내와 아이들과 같이 있어 주고, 가족들을 돌보려고 애쓴다. 심지어 바르바라를 지나치게 많이 떠오르게 한다며 개를 처분하려고 했을 때도 그가 알아서 해결했다. 페페는 에너지가 넘치는 활기찬 남자로, 딸을 위해 시위할 때는 늘 플래카드를 들고 지칠 줄 모르며 맨 앞줄에서 진두지휘했다.

로사노 형사가 몸을 일으킨다. 계속 그곳에 있을 이유가 없다. 이미 하고 싶은 말은 다 했다. 게다가 누리아는 예의범절에 대한 기본조차 잊었는지, 커피 한잔 내놓지 않았다. 곤혹스러운 순간은 이미 지나갔어. 그가 긴장을 풀며 혼잣말을 한다. 그들은 아무 말 없이 현관문까지 걸어간다. 그런데 갑자기, 문을 열기 직전에 누리아가 발걸음을 멈추며 형사 쪽으로 몸을 돌리더니, 그를 가만히 껴안는다. 로사노 형사는 어떻게 해야 할지를 몰라 양팔을 엉거주춤 늘어뜨린 채 어색해한다. 잠시 후 로사노 형사 역시 감정이 격해져, 뜨거운 인간애로 그녀를 보호하듯 꼭 감싸안는다. 누리아는 어린 소녀처럼 연약하다. 부서진 소녀다. 그들은 밋밋한 작별 인사를 나누다가 하나가 되어, 그렇게 포옹한 채 서 있다.

고마워요. 누리아가 나지막하게 중얼거린다. 그러고는 그의 가슴에 따듯한 온기를 남기며 그에게서 떨어진다. 실패했다는 좌절감을 말끔히 녹여 준 훈훈한 온기다. 경찰로서는 웬만해서 듣기 어렵지만 늘 기다리고 있는 '고맙다'는 인사에 그가 간단히 화답한다. 작별 인사를 하기 위해 집까지 찾아간 수고를 누리아가 이해해 준 것이다. 누리아는 로사노 역시 바르바라를 포기하기 힘들어한다는 것을, 열의는 있지만 아무 배려도 없이 바르바라에 대한 기억에 흠집을 낼 다른 사람들에게 그 사건을 넘겨 주고 싶어 하지 않는다는 것을 알고 있다.

살짝 열린 문 틈새로, 누리아가 눈물을 글썽이며 로사노 형사에게 미소를 머금는다. 잠시 로사노 형사는, 옛날에는 누리아의 미소 역시 자기가 수없이 보고 또 본 사진 속 바르바라의 미소처럼 찬란하고 생생했을 거라고 미뤄 짐작한다.

2

누리아
솔리스

누리아가 구천을 헤매는 영혼처럼 아파트 안을 서성거리며 돌아다닌다. 형사의 방문으로 괴로운 것이다. 아니야, 애써 변명을 할 필요는 없어. 그녀가 혼잣말을 한다. 그녀는 오래전부터 고통과 더불어 살았지만, 가끔 그 고통이 너무 아파 살갗을 도려내는 칼처럼 빠저리게 느껴질 때도 많다. 지금처럼 숨을 탁탁 막으며, 딸의 방문을 열어 보라고 그녀를 부추기기도 한다.

바르바라의 방은 4년 전 그대로이다. 그 집에서는 성전처럼, 유일하게 규칙적으로 청소하는 곳이다. 누리아는 책장의 먼지를 털고, 바닥을 쓸고, 책상 위를 걸레로 닦는다. 전에는 그녀 혼자 그 방에 들어가 술을 마셨다. 누리아, 토레스10 브랜디, 바르바라의 샤워코롱 냄새. 그녀는 딸의 사진과 책들, 딸이 어릴 때 가지고 놀던 장난감들에 에워싸여 있다가, 서둘러 그곳을 뛰쳐나온다. 그러면 몇 주가 지나서야 다시 고개를 치켜들 수 있다.

당신은 조절을 못 해. 페페는 그녀에게 자주 말했다. 누리아는 처음에는 그 말을 부인했지만 결국에는 인정했다. 자기 동정이라는 파괴적인 소용돌이에 자신을 송두리째 떠맡겼다는 것이다. 그런 확실한 분석은 정신과 의사가 내렸다. 그리고 의사는 그녀에게 약을 처방해 주었다. 일어나기 위한 약, 걸어 다니기 위한 약, 잠들기 위한 약, 살기 위한 약. 약은 지나치게 많았으며, 그 약들이 그녀에게서 분노를 앗아 가고, 외침을 잠재운다는 의심이 들었다. 하지만 그녀의 고통을 제거해 주기도 했다. 그녀는 중탕한 듯 미지근하게 살아갔다. 하지만 누리아가 고의적으로 약 먹는 걸 거르기라도 하면 페페가 야단치며 억지로라도 약을 먹였다. 당신은 환자야, 그 사실을 받아들여.

이제 누리아는 약과 더불어 산다. 헛되이 슬픔을 달래주는 술도 잊었고, 이제는 그렇게 자주 자살을 생각하지도 않는다.

하지만 잘 지내는 것은 아니다.

결코 잘 지낼 수는 없을 것이다.

누리아는 의무감을 무거운 돌처럼 질질 끌고 다닌다. 그녀는 6개월 휴직 끝에 다시 직장으로 돌아갔다. 간호사로, 클리니코 병원에서 야간 근무를 서고 있다. 당신은 그 직장을 놓쳐서는 안 돼. 페페가 그녀에게 충고했다. 집에서 가깝지, 일을 해야 잊어버려. 그녀에게는 상관없다. 그렇게 그녀는 똑딱거리는 자명종 소리와 페페의 코 고는 소리를 들으며 어두운 시간들과 끝도 없이 힘겹게 싸우거나, 불면증에 시달리지 않아도 되었다. 그녀는 거의 잠을 자지 않는다. 날이 환하게 밝아서야 집으로 돌아오면, 쌍둥이들이 먹을 아침 식사를 준비한 후 아이들을 깨워 학교에 보낸다. 그러고 나서 그녀는 침대로 들어가 휴식을 취하는 시늉을 하지만 신경은 끌 수가 없다. 그녀는 몸을 뒤척이며 눈을 감았다가도 금세 다시 뜬다. 쿵쾅거리며 말을 듣지 않는 심장이 제멋대로 날뛴다.

야간에는 병원에 일이 많지 않다. 그녀는 산부인과로 배정되었고, 그녀를 격려하는 이해심 많은 동료들이 농담도 건네고, 케이크와 샴페인으로 생일도 축하해 주고, 슬픔을 쫓아 주려고 그녀를 어머니처럼 꼭 껴안아 주기도 한다. 포옹은 그녀에게 많은 힘을 실어 준다. 가끔 동료들과 함께 있으면 누리아는 자기가 예전처럼 강하고, 실리적이고, 결단력 있는 여자로 돌아간 느낌이다. 시골에 가서 살겠다는 꿈과 밴을 타고 세계 일주를 하겠다는 꿈, 아니면 바르바라가 태어나면서 그만둔 의학 공부를 마치겠다는 꿈을 잡아당기며 실패를 인내심 있게 풀어 나갔더라면 뭐라도 되었을 여자다. 누리아는 야심 찬 계획들을 세웠지만 아이들을 가지면서 그 계획들과 멀어져 갔다. 그러다가 딸의 실종이라는 어마어마한 일을 겪으면서 그 계획들은 자취도 없이 사라졌다. 예전에는 수간호사가 될 만한 책임감과 권위도 있었고, 고과 점수도 아주 높았다.

어렸을 때는 산을 타고, 암벽등반을 하고, 알프스산맥의 스키 코스를 내려올 정도로 담력이 셌으며, 그 덕분에 꽤 활기가 넘치는 소녀였다. 그런데 지금은 그 모든 것이 희미한 추억일 뿐이며, 옛날에 찍은 사진들을 보면 완전히 딴사람이다. 그 시절 누리아는 환하게 웃는 씩씩한 여학생으로, 페페를 사랑하는 소녀였다. 그런데 지금은 사진도 찍지 않는다. 이제 누리아는 목표를 바라보는 여인의 모습은 생각하고 싶지도 않다. 일을 해야 시간이 빨리 가고, 가끔은 바르바라를 잊을 수도 있다. 사람의 목숨을 구하기 위해 정신없이 일하다 보면, 한순간 자신의 슬픔을 잊을 때도 있다.

누리아는 가슴을 도려내고, 자궁을 들어내고, 나팔관과 난소를 수술하는 여자들을 보았고, 젊은 여자들이 죽어 가는 것도 보았다. 그리고 그런 순간에는, 자신의 고통과 같은, 아니면 그에 못지않은 고통들이 있다는 것을 깨닫는다. 하지만 그런 위안은 얼마 가지 못한다. 뒤돌아서 집에 돌아오면 땅이 다시 그녀의 발밑으로 꺼져 내린다. 불확실과 더불어 사는 것보다 더 끔찍한 일은 없기에 서글퍼진다. 산 사람들은 죽은 사람들을 땅에 묻고 서글피 운다. 그러고는 기념일마다 꽃을 들고 무덤을 찾아간다. 하지만 누리아는 딸이 살았는지 죽었는지조차 모른다. 딸의 죽음을 슬퍼하며 장례를 치러야 할지, 아니면 희망의 불꽃을 계속 피워야 할지, 갈피를 잡지 못한다. 이래야 할지 저래야 할지, 계속 자신을 망설이게 만드는 그런 의심이 그녀를 야금야금 갉아먹는다.

물론 누리아는 자존심이 강해, 다른 사람들의 동정은 일절 용납하지 않는다. 그녀는 동정이 끔찍하게 싫어, 가게 쪽으로는 발길도 내딛지 않는다. 병원과 집만 오갈 뿐이다. 바르바라가 12년 동안 다녔던 쌍둥이들의 학교에는 한 번도 찾아가지 않았다. 그녀는 아무하고도 말하고 싶어 하지 않는다. 특히 딸들과 함께 다니는 엄마들은 꼴도 보기 싫어한다. 그녀는 딱 한 번 페페와 쇼핑 나갔다가 집착에 사로잡혀 사방에서 엄마와 딸을 보았다. 엄마와 딸이 구두를 고르거나, 귀걸이를 구경하거나, 셔츠를 입어 보거나, 고기를 사기 위해 줄을 서서 웃고 있었다. 가슴에 칼이 내리꽂히는 기분이었다. 나는 그러지 못해! 앞으로도 못 해, 나는 절대 그러지 못할 거야! 바르바라가 없단 말이야! 누리아는 차 안에서 격렬한 신경 발작을 일으키고 대성통곡을 하며 서글퍼했다. 그러다가 결국 페페에게 뺨을 한 대 얻어맞고 나서야 울음을 멈췄다. 그때 누리아는 다시는 쇼핑하러 오지 않겠다고 다짐했다.

페페가 그 짐을 덜어 주었다. 그가 일주일에 한 번 시장을 보고, 개를 데리고 산책을 나가고, 복잡한 일을 알아서 처리해 주었다. 처음에 누리아는 아파트를 여기저기 킁킁거리고 돌아다니며 빈방 앞에서 슬프게 짖어 대는 바르바라의 개가 계속 거슬렸다. 제발, 개 좀 어디로 치워 줘요. 그녀가 절망하며 남편에게 애원했다. 그래서 페페는 개를 차에 실어 몬트세니의 별장에 데려다 놓았다. 누리아는 더 이상 생각할 필요가 없어져 남편이 정말 고마웠다. 그렇게 그녀는 생각하고, 결정을 내리고, 선택하는 습관을 잃어 갔다. 다른 사람들이 시키는 대로 했으며, 그걸로 충분했다. 그녀는 스스로 결정을 내리지 못했고, 그 사실을 인정한다.

하지만 동생 엘리자베스는 아직도 그런 그녀를 이해하지 못한다. 언니가 예전엔 이렇지 않았다는 걸 모르겠어? 동생이 그녀에게 말했다. 제발 반응 좀 해. 소리 지르고, 벽을 내리치란 말이야. 뭐라도 하란 말이야. 엘리자베스는 어린애 같아. 누리아는 가끔 생각한다. 동생은 언니의 예전 모습에 집착해 변화를 받아들이지 못한다. 게다가 동생은 언니가 결혼해 엄마가 되었다는 사실도 받아들이지 못한다. 그것은 포기를, 어른이 되어 포기했다는 것을 의미하기 때문이다. 동생은 언니가 절대 지치는 법 없이 언덕을 뛰어다니는 미친 염소 같을 거라고 믿었다. 어둠을 무서워하지 않고, 자기에게 노래를 불러 주고, 밤이면 손을 꼭 잡아 주던 늘 한결같은 언니를 동생은 원했는지도 모른다. 동생은 언니의 나른함을 내버려 두지 못한다. 언니는 자주적이어야 해. 엘리자베스는 주장한다. 왜 자주적이어야 하지? 누리아는 자신에게 되묻는다. 아무 바람도 없는데 왜 자주적이어야 하지? 활기찬 사람들은 내켜 하지 않는 다른 사람들을 이해하지 못한다. 그들을 오히려 귀찮게만 할 뿐이다. 제부 이냐키는 요트를 타고 바다로 나가자며 3년째 계속 그녀를 초대했다. 바다에 나가면 기분이 한결 좋아질 거예요, 바람을 쐬고 해수욕을 하면 활력을 되찾을 거예요. 바스코(스페인 북부의 자치 지역: 옮긴이) 사람인 이냐키는 활동적이며, 바다 없이는 못 사는 사람이다. 하지만 누리아는 다른 수많은 것들과 마찬가지로 아무 관심이 없다. 처형에게는 휴가가 필요합니다. 이냐키는 통화할 때마다 늘 그 얘기를 꺼낸다. 휴가는 뭐 하려고? 그녀에게는 그날이 그날이라는 게, 안 보이나?

무슨 일이 일어나든 모두 형벌과도 같다. 그녀는 영원히 고통받는 끔찍한 벌을 받고 있다. 딸이 살았는지 죽었는지만 알 수 있다면, 가끔 그녀를 숨 막히게 하는 가슴에 맺힌

응어리가 사라질 것만 같다. 대체 바르바라는 어디에 있는 거지? 살았을까? 죽었을까? 딸을 어떻게 기억해야 할까? 산 사람으로? 죽은 사람으로?

꾸준히 찾아오는 악몽처럼 바르바라의 시신이 그녀를 찾아오는 날들이 있다. 딸이 초콜릿과 바닐라 아이스크림을 코끝에 잔뜩 묻힌 채 환하게 웃는 꿈을 꾸는 날들도 있다. 하지만 대부분은 자기 혼자 고통받고 있다는 생각이 들었고, 그럴 때면 무력감이 그녀를 짓이겨 놓았다.

어렸을 때 바르바라는 누리아만의 아기였다. 내 아가, 딸아이가 엄지를 빨며 자는 동안 누리아는 그런 딸아이의 귀에 대고 나지막하게 속삭였다. 그들 모녀는 어디든 늘 함께 다녔다. 나한테는 늘 민트 껌이 찰싹 달라붙어 있어. 누리아가 친구들에게 농담하기도 했다. 보세요, 내 이름은 바르바라예요. 민트 껌이 아니라고요. 나는 딸기 같은 소녀라고요. 바르바라는 기분 나빠하며 항의했다. 바르바라는 활기차고, 영민하며, 똑똑한 아이였다. 바르바라는 그런 수식어구와 함께 자랐다. 바르바라는 꽤 일찍부터 말을 시작했으며, 혀 짧은 소리로 보는 대로 전부 옹알거리고 다녔다. 가끔 엘리베이터나 병원에서 바르바라 때문에 망신스러운 적도 있었다. 엄마, 봐 봐, 이 아줌마 머리 염색했어. 그리고……. 그게 뭐, 엄마도 염색했는데. 응, 하지만 이 아줌마는 염색이 이상해. 이 아줌마 머리카락은 뿌리가 보이는데, 엄마는 아니거든.

저녁 식사 도중, 터져 나오는 웃음을 간신히 참으며 나누는 즐거운 에피소드는 쌍둥이가 태어나면서 더욱 늘어났다. 쌍둥이가 태어나 동생들을 보여 주려고 병원에 데려갔을 때 바르바라는 네 살이었다. 누리아는 감격스러워하며 딸에게 동생들을 보여 주었다. 보렴, 얼마나 예쁜 장난감들이니! 그런데 바르바라는 동생들을 신중하게 살펴보더니, 동생들에게 몇 마디 인사말을 건넨 후 옷장 문을 열고는 꽤 심각한 표정으로 말했다. 자, 이제는 장난감들을 집어넣어요. 내일 다시 잠깐 갖고 놀게요.

바르바라의 어린 시절을 꼭 붙잡아 두었더라면! 하지만 누리아가 쌍둥이들 때문에 손발이 묶여, 지친 몸을 이끌며 고개도 들지 못한 채 온몸이 천근만근 힘들게 지내는 동안 그 시간은 너무나도 빨리 흘러갔다. 그러는 동안 바르바라는 페페와 한편이 되었다. 페페가 딸을 간지럼 태우고, 목욕도 시키고, 공원에도 데려갔다. 그들 부녀는 서로를 너무나도 잘 이해하는 사이라 중간에 끼어들고 싶지가 않을 정도였다. 누리아가 간신히 정신을 차릴 수 있게 되었을 때 바르바라는 어느덧 여자로 보였고, 페페는 조금씩 반항하는 딸의 모습에 싫은 내색을 하기 시작했다. 어느덧 열두 살이 된 키가 훤칠하고 당당한 바르바라는 그 누구 앞에서도 절대 주눅 든 모습을 보이지 않았다. 그리고 페페는 그런 딸의 모습을 용납하지 못했다. 반면에 누리아는 그런 모습을 재미있어했다.

자식 교육에 대한 부부 사이의 불협화음은 점차 심해졌다. 아빠는 딸의 도발적인 행동을 고쳐 주려고 했지만 엄마는 내버려 두는 편이었다. 누리아는 어느 선까지 딸의 행동을 용납해야 할지, 그 한계를 제대로 알지 못했다. 누리아는 안 된다고 얘기할 줄도, 심각하게 화를 낼 줄도 몰랐다. 자기 자신도 모르는 사이에 콧바람이 흘러나왔고, 오히려 용기가 가상하다며 딸을 칭찬했다. 누리아는 사춘기의 위험을 예측하지 못했다. 열두 살 바르바라는 세상에 무서운 것이 없었다. 누리아가 보기에는 괜찮았지만, 좀 더 멀리 내다보는 페페는 아내와 의견이 달랐다.

내년 여름에는 바르바라를 빌바오에 보내지 않을 거야. 어느 해인가 바르바라가 북쪽에서 돌아오자마자 페페가 단호하게 말했다. 그때 가장 격렬한 충돌이 있었다. 이 모든 일이 시작되기 전, 그들이 가장 살벌하게 일으킨 충돌이었다. 바르바라는 항상 7월 한 달을 이모 부부와 함께 지냈다. 그들은 바르바라를 데리고 바닷가에 가서 항해를 나가기도 하고, 잠수도 하고, 서핑을 하기도 했다. 훨씬 젊고 이해 폭이 넓은 이냐키와 엘리자베스는 바르바라가 밤 늦게 잠자리에 들어도 내버려 두었다. 그들은 누드족이기도 했으며 비교적 자유로운 삶을 살았다. 페페는 그들을 용납하지 못했지만, 훨씬 관대한 누리아는 페페에게 그들을 이해시키려고 노력했다. 싸우고 또 싸웠지만 페페는 절대 뜻을 굽히지 않았고, 결국 바르바라는 북쪽에서 방학을 보내지 못하게 되었다.

누리아는 난해하고 불길했던 그때의 사건을 여러 번 곰곰이 되짚어 보았다. 또한 그녀는 엘리자베스가 한때 자기를 이해시키려고 했던 그 일을 잊고 싶었다. 엘리자베스는 고의가 아니었을 테지만, 여하튼 그때 그 일은 자매간의 싸움의 발단이 되었다. 누리아는 동생과 일절 말도 하지 않고, 전화 통화도 거부하며 두 달 동안 화를 냈다. 하지만 그때 그 일은 절대, 그 누구에게도 발설하지 않았다. 누리아는 너무나도 마음이 아파, 로사노 형사에게도 그 일은 얘기하지 않았다. 괜히 집안일에 형사까지 끌어들이고 싶지 않았다. 그리고 집안의 치부를 밖으로 끌어내 보이고 싶지도 않았다. 더러운 빨래는 집 안에서 빨아야 한다고 할머니가 지혜롭게 말한 적이 있었다. 누리아는 언짢은 동생의 말은 한쪽으로 제쳐 두었다. 누리아는 그 말을 전혀 믿지 못했거나, 아니면 흠잡을 데 없이 완벽한 제부의 이미지에 금이 가, 아무리 노력해도 누리아가 이전에 갖고 있던 정직하고 솔직한 그의 이미지를 되찾지 못했을 수도 있다.

왜 침묵을 지켰을까?

두려움 때문이었다. 페페가 그녀 가족과 영원히 인연을 끊을까 봐 두려워서였다. 누리아는 언짢은 마음은 혼자 삭히고 고개를 돌리기로 마음먹었다. 그런데 그게 늘 그녀가 빠지는 함정이었다. 그녀는 충돌을 막으려고 입을 다물고 감상주의라는 함정으로 빠져들었다. 너무 엄격한 규율의 잣대를 들이미는 페페에게 놀라서 닭똥 같은 눈물을 짜는 바르바라를 보면 마음이 약해졌다. 아빠한테는 말하지 마라, 제발, 부탁이야. 아빠가 화낼 거야. 학교 성적표, 친구들과 어울려 놀러 다니는 일, 요란한 옷을 숨기기 시작하면서 모녀 사이에는 묘한 공범 의식이 싹텄다. 처음에는 별로 대수롭지 않은 일들이었다. 세월과 함께 점차 덩치가 비대해진 작은 거짓말들이었다. 바르바라처럼.

열다섯 살이 되자 바르바라는 엄마의 알리바이에 도움을 받아 이중생활을 시작했다. 그러자 비밀들은 점점 감추기 힘들어졌다. 딸의 침대 위에서, 보란 듯이 떡하니 놓여 있는 피임약을 발견했을 때, 누리아는 성과 성병에 대해 바르바라와 여자 대 여자로 얘기했다. 그러고는 좀 더 안전한 예방책을 취하겠다는 약속을 딸에게서 받아 냈다. 바르바라는 엄마 말을 듣기는 했지만, 같이 산부인과에 가자고 했을 때는 갖가지 핑계를 댔다. 다른 엄마라면 이런 상황에서 어떻게 행동했을까? 누리아는 자기 자신에게 되물었다.

누리아의 경우에는 도덕보다 실리를 우선시했다. 어쩌면 도덕은 신경 쓸 것 없어. 누리아는 가끔 생각했다. 조심해. 그날 누리아는 거듭 강조했다. 그러고는 누구와 언제, 어떻게 했는지는 묻지 않았다. 누리아는 딸이 엑스쿠르시오니스타 클럽에 다니는 마르틴 보라스와 친하다는 것은 알고 있었다. 그들은 서로 통화하고 만났으며, 또 가끔 마르틴이 오토바이를 타고 딸을 데려다주러 올 때면 창문 너머로 그들을 감시하기도 했다. 누리아가 보기에 마르틴은 바르바라에 비해 나이가 지나치게 많았다. 그는 뺀질뺀질하고 뻔뻔한 인상에 금발이었다. 누리아는 무엇보다 신중함이 우선이라고 생각해 많은 것은 알아내지 못했다. 아니면 두려움이 앞섰던 것일 수도 있다. 바르바라는 누리아가 물으면 더 막무가내로 나왔다. 그리고 페페는 그런 일에는 이성을 잃었기 때문에, 아예 아무 말도 하지 않는 게 나았다. 누리아는 두 사람 사이에서 두려웠다. 그랬다.

누리아는 두려웠고, 페페에게 모든 사실을 숨기다 보니, 딸의 빗나간 행동을 더 부추긴 셈이 되었다. 누리아가 보기에는 딸의 나이에 있을 수 있는 일들이었다. 어쩌면 열다섯 살 여자아이에게는 적합하지 않을 수도 있겠지만, 바르바라는 훨씬 조숙해 보였고, 세월도 많이 변했다. 너무 빡빡하게 굴 필요는 없어. 누리아는 딸의 거울을 바라보며 생각에 잠겼다. 첫 경험의 나이나 여자들의 자유에 깐깐

한 딱지를 붙일 필요는 없었다. 순결은 이미 옛날 얘기다. 의사, 교수 들도 신문에서 그렇게 말했고, 그녀 역시 사랑에 빠져 새로운 경험을 하는 건 나쁘지 않다고 보았다. 어쩌면 그녀가 향수에 빠졌거나, 어리석어서 그랬을 수도 있다. 하지만 인생은 짧고, 바르바라가 그 인생을 살 권리가 있다는 데는 확고한 확신이 있었다.

누리아는 그랬으면 하는 바람과 교육을 혼동했다. 아이들은 너무 오냐오냐하고 다 받아 주면 안 됩니다. 심리 상담사가 누리아의 잘못을 지적하며 나무랐다. 아직 제대로 형성되지 않은 아이들의 판단을 믿어서는 안 됩니다. 부모가 한계를 정해 줘야 합니다.

그런데 누리아는 한계를 정할 줄 몰랐다.

4년이 지난 지금, 누리아는 딸을 마르틴의 품으로 밀어 넣은 자신이, 딸이 밤에 여자 친구 집에서 공부하고 있다고 남편에게 거짓말을 한 자신이, 딸이 밤에 데이트하거나 놀러 나간 것을 몰래 덮어 준 자신이 원망스럽다. 누리아는 시간을 되돌리고 싶었다. 모든 것이 예전으로 돌아갈 수만 있다면. 어떤 예전? 페페와 사랑에 빠졌을 때로? 처음에 그들은 진심으로 서로를 사랑했다. 처음 만났을 때로? 서둘러서 결혼했을 때로? 바르바라가 태어났을 때로? 누리아는 과거로 돌아가 엄격하게, 책임감과 결단력을 갖고 바르바라를 교육시킬 수 있는 두 번째 기회를 갖고 싶었다.

하지만 그건 환상이다.

바르바라는 절대 돌아오지 않을 것이다. 그리고 누리아는 자기가 던지는 그 모든 질문의 답을 결코 찾아내지 못할 것이다.

3

바르바라
몰리나

나는 갑작스러운 충동이 일어 그의 휴대전화를 숨겼다. 본능이었다. 그가 깜빡하고 휴대전화를 침대 위에 놔둔 것을 보고는, 시치미를 떼고 아무 일도 없다는 듯 계속 지껄여 댔다. 심장이 마구 요동쳤다. 그가 심장 소리를 듣지 못한 게 신기할 따름이다. 쿵쾅쿵쾅. 요란한 소리를 내며 가슴이 터지는 줄 알았다. 하지만 나는 꿈쩍도 하지 않았다. 이제 곧 그는 휴대전화가 어디에 있냐고 물을 것이다. 그는 계속 물을 테고, 그러면 나는 휴대전화를 찾는 척 일어나서는 손에 들고 말할 것이다. 여기 있었네! 떨어졌나 봐요!

그런데 그가 너무 피곤해하며 서둘러 나갔기 때문에 굳이 연극할 필요가 없었다. 나 급해. 그가 말했다. 평소처럼 더러운 빨랫감과 쓰레기를 챙겨서 나가지 않은 걸 보면 그 말이 사실일 수도 있다.

문이 닫힌 후 나는 허겁지겁 음식을 한 입씩 맛보지도 않았고, 옷을 들춰 보지도 않았고, 책들의 제목을 보지도 않았고, 내가 부탁한 헤어무스를 그가 기억하고 가져왔는지 확인하지도 않았다. 나는 도무지 믿기지 않아 허겁지겁 휴대전화로 달려갔다. 혹 그가 갑자기 돌아온다면? 그런 생각이 불현듯 들었다. 그래서 자동차 엔진 소리가 멀어져 갈 때까지 잔뜩 겁에 질린 채 얼른 방석 아래에 휴대전화를 숨겨 두었다. 그리고 나서 심호흡을 하며 방석을 들고는, 휴대전화를 물끄러미 바라보며 멍하니 있었다. 양손이 부들부들 떨려 감히 만져 보지도 못했다. 일곱 살 때 산타클로스가 바비 인형을 가져다주었을 때처럼. 라디오와 카메라가 달린 검은색 노키아 모델이다. 그리고 켜져 있다. 하지만, 하지만……. 나는 양손으로 휴대전화를 잡고 잔뜩 긴장한 채 일어나, 가슴이 콩알만 해져서 사방을 돌아다녔다. 감히 숨도 쉴 수가 없었다, 통화 가능 지역을 알리는 눈금이 얼른 나타나길 기다리며. 지금. 어쩌면 여기. 두어 번 기대했다. 하지만 모두 헛수고였다. 아니야, 도무지 믿을 수 없어! 통화 가능 지역이 아니라니!

그리고 그 순간 나는 전화를 걸 수 없다는 사실을 깨달았다.

이럴 수가! 이럴 수가! 어떻게 이럴 수가!

내가 그렇게 소리를 질렀는지, 아니면 생각만 했는지는 모르겠다. 아무도 내 목소리를 들을 수 없기 때문에 별 상관없다. 나는 창문도 없는 15제곱미터 크기의 지하실에 갇혀 있다. 허허벌판에 있는 시골집의 땅을 파서 만든 곳이다. 돌로 벽을 쌓아 만든 옛 포도주 저장 창고로, 코르크로 방음장치가 되어 있으며, 온도가 항상 15도로 유지되게 공사해 놓았다. 포도주 보관을 위해서는 이상적일 수도 있지만 지금은 나의 무덤과 다름없다. 근처에는 아무도 살지 않는다. 나는 증인도, 흔적도 없이 사라져 버렸다. 나는 땅속으로 꺼졌으며, 내가 살아 있다는 것은 아무도 모른다.

이 무덤 밖 세상이 4년 동안 나 없이도 잘 돌아가고 있다는 생각을 받아들이기가 결코 쉽지 않았다. 처음에는 목이 쉴 때까지 소리를 질러 댔고, 목이 아프면 주먹을 쥐고 한 번, 두 번, 수도 없이 벽을 두들겨 댔다. 손마디에서 피가 흐를 때까지 내 몸을 학대했고, 양손은 시커멓게 부어올라 딱지가 앉았다. 아픔은 참을 만했고, 눈물이 마를 때까지 울었다. 그런데도, 아무도 나를 이 구멍에서 꺼내 주지 않았고, 희망을 단칼에 내리치는 형장의 칼처럼 하루, 이틀, 세월만 참혹하게 흘러갔다.

혼자라는 사실을 받아들여야 하는 게 가장 힘들었다. 하지만 지금은 내 이름조차 기억하는 사람이 아무도 없으리라는 것을 잘 안다. 바르바라? 성이 뭐지? 혐오스러울 정도로 이기적인 세상은 눈곱만큼의 배려도 없이 나를 이 쓰레기통에 처박았다.

어쩌면 이렇게 속수무책인 게 차라리 낫다며 나 자신을 위로한다. 결국 나는 아무한테도 전화를 걸지 못할 테니. 식구들한테? 생각만 해도 양다리가 후들거리며 눈앞이 뿌예진다. 침조차 삼킬 수가 없다. 입이 바짝 말랐으며, 퉁퉁 부어오른 큼지막한 혀가, 공기도 흐를 수 없을 정도로 지나치게 커다란 혀가 자꾸 거치적거린다.

안 돼, 식구들한테는 안 돼. 나는 혼자 계속 되뇐다. 이곳을 나간다고 해도 나는 식구들의 얼굴을 볼 자신이 없다. 식구들을 꼭 끌어안고 입을 맞출 자신이 없다. 그들을 사랑한다고 말할 용기가 없을 것 같다. 그는 식구들이 나를 절대 용서하지 않을 거라고, 그들 옆에서 나를 쫓아낼 거라고, 그동안 있었던 모든 일을 알게 되면 차라리 내가 죽기를 바랄 거라고 귀에 못이 박이도록 말했다. 이제 나에게는 가족이 없고, 앞으로도 영원히 없을 것이다. 내가 어떤 인간이고, 무슨 짓을 저질렀는지 식구들이 알게 된다면 나를 부끄럽게 여길 것이고, 그런 내게서 등을 돌릴 것이다.

나는 통증이 가슴을 옥죄어 오는 것을 느끼며 조금씩 숨을 내뱉어 본다. 갈비뼈 사이사이를 바늘로 아프게 찌르는 듯한 고통이 간헐적이면서도 강렬하다. 도망칠 수도 있다는 가능성을 점칠 때마다 통증이 느껴졌다. 어느 날인가 땅굴을 파다가, 그의 발소리를 듣고는 입구를 감추려고 얼른 베개를 올려놓았을 때. 또 열쇠가 들어 있는 그의 바지주머니와 나 사이의 거리를 가늠하다가 그가 방심한 순간 얼른 열쇠를 집어 들었을 때. 그 두 번 모두 바늘에 찔린 듯 가슴에 격렬한 고통이 느껴졌다. 그리고 한눈에 표시가 났다. 나는 새하얗게 질렸고, 다크서클이 눈 밑까지 내려왔다. 설마 나를 골탕 먹이려는 건 아니겠지? 그러면 나는 더 새하얗게 질렸고, 그는 자기 말이 맞다는 것을 눈치챘다. 그는 내게서 눈길도 떼지 않고 한참을 노려보다가, 결국 방석을 들어 올리거나, 아니면 열쇠를 쥔 내 손을 비틀었다. 이런 멍청한 것! 나를 묶기 전에 그는 말했다. 네가 또 다시 모든 걸 망쳐 놓았어!

전화도 걸 수 없다면 대체 뭐하려고 그 빌어먹을 휴대전화를 숨겨 놓은 거야? 나는 멍청해도 보통 멍청한 게 아니다. 그렇다. 그에게는 아무것도 숨길 수가 없다. 그는 기분 나쁜 인간이다. 어떻게 가능한지는 모르겠지만 그는 모든 것을 꿰뚫고, 모든 것을 예지하고, 모든 것을 추측한다. 내 생각을 엑스레이로 투시하는 것 같다. 경찰이 너를 찾아내면 어떤 일이 벌어질지 알고 싶니? 도망칠 궁리만 골똘히 하던 어느 날, 그가 물었다. 너는 경찰을 몰라. 텔레비전에 나오는 경찰들 같지 않아. 아주 빌어먹을 인간 말종들이지. 아마 너를 죄인 다루듯이 할 거다. 조사한답시고 홀딱 벗길 거야. 의사들은 장갑과 마스크를 끼고, 네가 에이즈라도 걸린 듯 오만상을 찌푸리며 손가락으로 네 몸 여기저기를 쑤셔 대겠지. 그건 말 안 해도 다 아는 사실이야. 그들은 피를 뽑고, 컵에 오줌을 받아 오게 하고, 너를 홀딱 벗겨 사진을 찍은 다음 벽에다가 쭉 걸어 놓을 거야. 모든 사람이 네 사진을 감상할 수 있게 말이야. 그러고 나서 그들은 너를 심문하겠지. 너는 이쑤시개를 씰룩거리는 배불뚝이 형사 앞에 앉아, 살면서 감추고 싶은 부끄러운 부분들까지 전부 까발리도록 강요당할 거다. 그건 전부 녹음될 테고, 보좌관 컴퓨터에 기록되겠지. 그리고 몇 시간 후면, 네가 한 말은 이 사람, 저 사람에게 알려질 테고, 그럼 경찰서 형사들은 네가 양동이에 어떻게 똥을 쌌는지 낄낄거리며 읽으면서 우스워 죽으려고 할 거다. 그러고 나면 선정적인 언론이 네 사진으로 1면을 도배할 테고, 긴장감이 감도는 기나긴 재판이 너를 기다리겠지. 언론 매체의 입김이 상당히 큰 재판이 되겠지. 그리고 네 말은 한마디도 믿지 않을 판사 앞에서 증언대에 오를 거다. 너같이 더러운 창녀의 말을 누가 믿을 거라고 생각하니? 사람들은 네가 제정신이 아니라는 것을 눈치챌 테고, 검사는 네가 한 거짓말들을 열거하며 입에 거품을 물 거야.

나에게 겁을 주려고 하는 말이라는 것은 잘 안다. 하지만 그의 말에 어느 정도 일리가 있다는 것도 안다. 나는 늘 경찰과 검사가 좋게 보이지 않았다. 그들은 엄격하고 무신경한 사람들이다. 나는 심호흡을 크게 한 후 마음의 짐을 내려놓기로 했다. 차라리 그게 낫다. 통화 가능 지역이 아니라서, 전화를 걸지 못하는 게 차라리 나을 수도 있다. 나는 선정적인 뉴스거리는 되고 싶지 않다. 내 사진이 신문에 실려, 모든 사람들이 길거리에서 나를 보고 손가락질하며 위선 가득한 웃음을 던지고, 슈퍼마켓 계산대 앞에 줄을 서면 몇 분 후 사람들이 나를 보고 쑤군대라고 이곳에서 나가고 싶지는 않다. 나는 동정도, 비웃음도 사고 싶지 않다. 사람들 입에 오르내리고 싶지도 않고, 젊은 남자들의 야한 꿈이나 늙은 남자들의 음탕한 상상 속에 등장하고 싶지도 않다. 사진 한 장 찍겠다고 지붕 위까지 쫓아와 창문에 매달리고 쥐새끼처럼 욕실로 숨어드는 파파라치를 피해 다니며 평생 살고 싶지도 않다. 왜 여기로는 파파라치들이 들어오지 않는 거지? 왜 지옥까지 내려와 나를 구해줄 용기는 없는 거지?

아니야. 나는 나갈 준비가 되어 있지 않아. 나는 중얼거린다. 사람들은 내가 잘못했다고, 이제는 어린아이가 아니라고, 손가락이나 빨 나이가 아니라고 말할 거야. 그런 일을 당해도 싸지, 엄마들이 소리를 질러 댈 거야. 혼자서 화를 자초한 거야, 무책임한 애야, 위험한 아이야. 아니, 나는 순진하지 않다. 나는 단 한 번도 순진한 적이 없었다. 내가 그를 좋아했고, 그를 자극했고, 그가 좋았다. 그런데 지금은 나 자신을 통제할 수가 없다. 나는 이성을 잃었고, 모든 것을 그르쳤다. 내가 자유를 가지고 뭘 할 수 있단 말인가? 늘 그랬듯이 좌충우돌할 뿐이다. 나는 저 밖에 있는 세상이 두렵다. 나는 어둠 속에서 숨어 사는 법을 배웠고, 이제 강렬한 햇빛을 견디지 못할 것이다. 게다가 나는 열아홉 살이 되었는데, 아직도 그 사실이 믿어지지 않는다. 나는 나 자신을 잃었다. 이제는 열아홉 살짜리 여자아이들이 어떤지도 모른다. 어떤 말투로 말하고, 어떤 머리 모양을 하고 다니고, 어떤 춤을 추는지, 어떤 옷을 입고 다니는지도 모른다.

아니, 아니야! 나는 스스로를 속이고 있어! 여기서 나가고 싶어! 해를 보고 싶단 말이야! 숨을 쉬고 싶단 말이야!

제기랄.

나는 양손으로 머리를 부둥켜 잡고 자루처럼 바닥에 털썩 너부러져, 이를 앙다문다.

왜? 대체 왜 휴대전화를 집어 들어서 모든 것을 그르쳤단 말인가? 한순간의 충동으로 잘 참고 지낸 3년이 모두 물거품이 되었다. 그 순간이 내 삶을 뒤바꿔 놓으리라고는 전혀 상상도 하지 못했다. 다시 나는 분노와 증오, 절망감을 느꼈고, 두려웠다.

나는 예전처럼 다시 고생하고 싶지 않다. 되돌려 놓기 위해서는 뭘 해야 하지?

나는 생존하는 법, 혼자 만족하는 법, 목숨을 부지하는 법, 그리고 그 외 것은 모두 잊어버리는 법을 배웠다. 한번 포기하고 나니, 모든 것이 훨씬 수월했다. 봤지? 얼마나 쉽니? 네가 얌전하게 굴면 나도 얌전하게 굴 거야. 그리고 그는 친절해졌다. 나에게 더 많은 음식을 가져왔고, 공간도 넓혀 주었다. 변기와 샤워 시설도 설치해 주고, 거울과 책들, 음원과 함께 엠피스리도 사 주고, 2년 전에는 디브이디 플레이어와 영화 몇 편도 선물했다. 나는 유투와 콜드플레이의 노래를 듣고, 미드 〈프렌즈〉를 본다. 노래와 영화는 나에게 친구가 되어 주고, 그렇게 시간은 훨씬 빨리 지나간다. 나는 이전 시즌 에피소드 여덟 개를 모두 외우며, 다음 시즌이 얼른 보고 싶어 죽을 것 같다. 그들 역시 나처럼 세트 안에 갇혀 지낸다.

그는 내가 자기 요구를 들어주며 더는 헛된 희망을 품지 않자, 그때부터는 아주 잘 대해 주었다. 얘야, 나는 너를 아주 많이 사랑한단다. 이렇게까지 하고 싶지는 않았는데, 네가 나에게 이러도록 강요한 거야. 이건 우리 두 사람 모두를 애먹이는 짓이다. 그는 내가 물건을 갖다 달라고 하면 바로 가져다준다. 헤어아이론과 제모 크림, 심지어 손톱에 바를 빨간색 매니큐어까지 구해다 주었다. 머리는 그가 직접 잘라 준다. 그렇다. 그는 내게 절대 날카로운 물건을 쥐여 주지 않는다. 내가 다칠까 봐 그런다고 한다. 하지만 방심하는 순간 내가 자기에게 해코지할까 봐 두려운 것인지도 모른다. 어쨌든, 가끔 나는 정신이 번쩍 들 때가 있다. 그리고 바로 지금, 나는 휴대전화를 숨겨 놓고 애를 먹고 있다. 후회막급이다. 얼마나 후회가 되는지! 나는 수위조절이 안 된다. 그래서 내가 유리로 자해할까 봐 그가 거울도 뺏어 갔다. 1년 전부터 나는 내 얼굴이 어떻게 생겼는지도 모른다. 플라스틱 접시 바닥에 비친 내 얼굴 모양을 보면서 대강 추측만 할 뿐이다. 그만이 나를 본다. 그는 내가 아주 예쁘다고, 내 얼굴이 하얗고 깨끗하다고, 피부가 햇빛과 오염으로 상하지 않기 때문에 늙지 않을 거라고 말한다.

나는 손톱으로 양 손바닥을 꽉 누른다. 그렇게 눈물이 나올 때까지 누르고, 누르고, 또 누른다.

나이 들어 가고 싶고, 땀을 흘리고 싶고, 웃고 싶고, 말하고 싶고, 깨물고 싶고, 모래를 한 줌 가득 집어 살갗에 문지르고 싶고, 물에 뛰어들었다가 소금기와 요오드, 햇볕을 가득 머금은 채 나오고 싶다!

포기하는 법을 터득하고 난 지금에 와서, 꼭꼭 숨겨 두었던 분노가 느닷없이 분출된다. 예전처럼 몸부림을 치고,

물어뜯고, 침을 뱉고, 발버둥을 치던 야생마 같은 아이는 어디로 갔을까? 모든 것을 지워 버리고 다시 시작하는 게 너무나도 힘들었다. 그리고 숨 막혀 죽을 것 같은 지루한 일상에 목까지 잠겨 일분일초를 세면서 사는 게 정말 힘들었다. 차라리 빽빽하게 일정을 짜서 움직이는 게 훨씬 나았다. 엄마 배 속에서 몸을 웅크린 채 가만히 흔들리도록 내버려 두는 것처럼. 나는 매일 아무 일도 일어나지 않고, 아무것도 나의 평화를 방해하지 않는 쾌적한 거품 속에서 허우적거렸다. 일어나서, 그가 가져다준 운동기구로 운동하고, 샤워하고, 우유와 토스트, 버터, 잼을 곁들인 아침 식사를 하고, 아침 식사를 하면서 음악을 들었다. 그러고 나면 공부할 책들을 집어 들고, 수업을 시작했다. 내 부탁으로 요 몇 년 동안 그가 여기저기서 책들을 갖다 주었다. 생물, 역사, 언어, 영어 책들이다. 나는 지금 당장이라도 별 문제 없이 영국문화원에서 인증하는 영어능력평가시험에 응시할 수 있다. 지난달에는 그가 닐 게이먼의 소설 『코랄린』 영어판을 가져다주면서, 그 소설이 아주 재미있는 만화 영화로 만들어졌는데 디브이디가 나오면 갖다 주겠다고 했다. 수학과 물리는 그가 별다른 열정 없이 설명해 주고, 나는 문제들을 풀어 갔다. 공부는 힘들지 않다. 다른 생각을 할 시간을 주지 않으며, 내게 만족감도 조금 안겨 준다. 문제를 이해하고 날짜들을 외우고 영어책을 읽는 게,

몇 시간 동안 멍하니 천장만 바라보는 것보다 훨씬 기분이 좋다. 내가 왜 계속 공부하고 싶어 하는지에 대해서는 구체적으로 생각해 보지 않았다. 그런 것까지 전부 생각했다면 일찌감치 미쳐 버렸을 것이다. 정오가 되면 그가 가져다준 인스턴트 음식을 전자레인지에 데운다. 그는 요리를 허락하지 않았다. 나를 믿지 못하는 것이다. 하지만 혹시 파리들이 꼬일지 몰라, 남은 음식들은 소형 냉장고에 보관해 둔다. 나는 하루 식사 분량의 4분의 1을 덜어 플라스틱 용기에 담아, 냉장고 안에 숨겨 둔다. 나는 날씬하기는 하지만 살찔까 봐 걱정해서 그러는 건 아니다. 그렇게 해야 그가 오지 못할 경우 며칠은 살아남을 수 있다는 것을 알기 때문이다. 더 늦게 온다면, 그건 생각하고 싶지도 않다.

점심을 먹고 나서 〈프렌즈〉를 보면, 그때는 내가 조이, 챈들러와 같은 아파트의 룸메이트가 된 기분이다. 그들의 오리와 병아리를 돌보고, 피비의 수많은 임신을 참아 내거나, 아니면 로스와 레이철이 실연당할 때마다, 조이가 직장을 잃거나 모니카가 내기에서 이기고 싶어 할 때마다 손톱을 깨물면서 보낸다.

오후에는 각 2킬로그램이 나가는 덤벨 두 개를 들고 삼십 분 동안 근육운동을 한다. 전에는 거울 앞에서 했지만 지금은 거울이 없어 짜증이 난다. 그리고 춤도 춘다. 두 눈을 감고서 한밤중에 나이트클럽에 와 있다고 상상한다. 맥주 한 모금을 들이켜고 얼큰하게 취해 양다리가 풀린 채 별로 웃기지 않는 얘기에도 깔깔거리고 있다고 상상하면서 춤을 춘다. 해가 저물 무렵에는 책을 읽는다. 책을 많이 읽었다. 아마 다른 사람이라면 평생 읽을 책들을 나는 최근 몇 년 동안 닥치는 대로 읽어 댔다. 그는 소설은 별로 좋아하지 않는다. 수필이 낫다고 생각한다. 그래서 내가 소설들을 순식간에 읽어 치우자, 그는 별다른 생각 없이 도서관에서 책을 빌려다 주었다. 하루는 뒤마의 책을 가져다주고, 하루는 바버라 킹솔버의 책을 가져다주고, 그다음 날에는 오슨 스콧 카드의 책을 가져다주었다. 나는 연애소설과 역사소설, 공상과학소설, 추리소설 들을 읽으며, 혼란스럽고 곤혹스러우면서도 새로운 발견에 신이 나서 여러 작가의 책을 많이 갖다 달라고 부탁했다. 하지만 그는 시간이 많이 걸린다고 화를 내면서도 마지못해 그 부탁을 들어주었고, 도서관 사서가 자기를 이상하게 본다고 했다. 그러면 나는 책이 많아 그러는 거라며, 사서의 역성을 들어 주었다.

내 삶의 6개월을 망친 바로 그 순간을 나는 완벽하게 기억하고 있다. 어느 날, 나는 내가 읽은 책들을 나중에 다른 사람들이 읽을 수도 있다는 생각을 깊이 하게 되었다. 그래서 그 안에 메시지를 남겨 두자는 생각을 하게 되었다. 우아! 너무나도 간단했다. 그것이 외부와 닿을 수 있는 유일한 끈이었다. 쿠르반 사이드가 쓴 『알리와 니노』라는 제목의 책을 골랐다. 사랑과 전쟁에 대한 작품으로, 숨도 쉬지 않고 세 번이나 읽은 재미있고 비극적인 책이었다. 나는 그 책을 고른 사람이라면 누군가 특별한 사람일 테고, 내 메시지가 진짜라는 것을 알 거라고 생각했다. 나는 아무 페이지나 골라, 내가 누구인지 설명하고 도움을 청하는 글을 네 줄 정도 간략하게 적었다. 다음 날, 그가 문을 열고 들어와 화를 버럭 내며, 내 머리 위로 책을 집어 던졌다. 내가 바보인 줄 아니! 그는 분노에 눈이 멀어 소리를 질러 댔다. 팔이 아플 때까지 나를 실컷 때린 후 나를 어둠 속에 방치했다. 나는 사흘 동안 온몸에 멍이 든 채 상처 입은 몸으로 먹을 것도, 전기도, 음악도, 〈프렌즈〉도 없이 지냈다. 나는 그 구멍 속에서 잊힌 채 버려졌다. 그때 나는 그가 나를 죽게 내버려 두는 줄 알았다. 하지만 나흘째 되는 날 그가 나타나 침대에 앉더니, 차분한 목소리로 자기도 나를 그곳에 가둬 두어 항상 나를 감시하고, 나에게 골탕 먹지 않으려 신경을 쓰느라 너무 힘들다고 고백했다. 자기는 간수가 아니며, 나를 통제하느라 질릴 대로 질렸다고 했다. 내가 협조하면 훨씬 수월할 거라고 했다. 나는 알았다고 대답했다. 달리 선택의 여지가 없었고, 살고 싶었다.

내가 아무리 고분고분하고 착하게 굴어도, 여섯 달 동안은 책 없이 지내야 했다. 가장 길고, 가장 슬픈 시간이었다. 그때 나는 교훈을 얻었고, 지금까지 그의 뜻을 거스르지 않으려고 노력했다. 매일 즐거운 마음으로 그의 방문과 옷과 음식이 든 봉투들을 기다렸다. 나는 방을 깨끗하게 치우려고 노력했고, 그가 내 감옥 안으로 발을 내딛는 순간 메스꺼움으로 코를 찡그리지 않도록 아침마다 샤워했다. 나는 슬픔도, 동정도 사고 싶지 않았다. 내게는 그의 미소가 힘이 되었다. 그를 보고, 그를 듣고, 그를 만지는 것이 힘이 되었다. 봐 어렵지 않잖아, 얘야. 그리고 어쩌면 그의 말이 옳다. 소소한 순간들을 즐기며, 스트레스와 의무감, 꿈, 욕망, 죄책감 없이, 미래에 대한 아무런 기대 없이 사는 즐거움과 비교할 만한 것은 아무것도 없다. 영원히 갇혀 사는 일.

이 모든 것이 불과 몇 분 전까지의 나의 삶이었고, 나는 이미 만족하고 있었다. 그런데 내가 자신을 속이고 있었고, 아무것도 의미가 없다는 것을 느닷없이 깨달은 것이다.

나는 액정 화면에서 눈을 뗄 수가 없다. 한 줄이라도 나타나면 모든 것이 달라질 거라는 걸 안다. 하지만 그런 일은 일어나지 않는다.

어리석게도 내 욕망이, 스스로를 결말로 강하게 밀어붙였다.

4

살바도르
로사노

살바도르 로사노는 떨떠름한 입맛을 다시며 사무실로 들어간다. 도착하자마자 넥타이를 풀고 양복 윗도리를 벗은 후 와이셔츠 소매를 걷어 올린다. 책상 위에는 서류들이 빼곡히 들어 있는 상자들이 그를 기다리고 있다. 토니 수레다를 불쌍하게 여기는 사람들이 무척이나 많다. 아니, 그건 아니다. 아니다. 그를 불쌍하게 여기는 게 아니라, 부러워하는 것이다. 결국 따지고 보면, 로사노에게 부족한 것이 수레다에게는 있다. 바로 시간이다. 많은 시간, 이 세상의 모든 시간. 수레다에게는 나눠 주거나 팔거나 할 시간이 있을 것이다. 모든 서류들을 앞뒤로 읽을 수 있고, 미제 사건들을 해결할 수 있고, 정년 퇴임이라는 다모클레스의 검(권력자의 운명은 언제 떨어져 내릴지 모르는 칼 밑에 있는 것처럼 불안하다는 의미로 쓰이는 말: 옮긴이)의 부담 없이 열심히 일할 수 있을 것이다. 수레다에게는 시간이 있다. 뒤를 돌아보며 영원한 슬픔 속에서 허우적거리지 않아도 될 것이다.

몰리나 부인을 찾아간 일은 로사노가 늙었다는 사실을 새삼 확인시켜 주었다. 거의 45년 동안 임무를 수행하면서 그는 지쳤고, 이제는 그 자리를 열성적이고 격식에 얽매이지 않는 젊은이에게 물려줘야 한다. 로사노는 시계를 보며 미소를 머금는다. 정말이지 격식에 얽매이지 않는군. 12시에 만나기로 했는데, 수레다는 아직 도착하지 않았다. 어쩌면 승진을 축하하기 위해 어젯밤 늦게까지 돌아다녔을지도 모른다. 아니면 술을 마시고 아내와 잠자리를 했을지도 모르고. 수레다의 아내는 금발의 젊은 여자다. 염색한 걸까? 사진은 믿을 수가 없는 데다가, 수레다가 사진을 휙 보여 줘서 제대로 알 수도 없다. 고등학교 수학 선생이라고 수레다가 자랑스럽게 얘기했다. 결혼은 하지 않았지만 라발 동네에 35제곱미터짜리 아파트를 사서 2년 전부터 같이 살고 있다. 그리고 그렇게 비좁은 공간에서는 거리를 두는 게 불가능하기 때문에, 부엌에서 마카로니를 요리하며 딱 달라붙어 있는 그들이 상상된다. 그들은 자기네 앞에 문이 활짝 열려 있는 미래를 열심히 살겠다는 열의로 틀림없이 서로를 신경 쓰며, 아주 많이 사랑하는 사이일 것이다.

로사노는 자기가 젊은 수레다 같던 때가 엊그제 같다. 모든 사건을 해결하고, 세상을 집어삼키고, 어떤 수수께끼 앞에서도 절대 멈춰 서지 않겠다는 열의에 불탔다. 그의 사연은 다른 수많은 사람들의 사연과 별반 다르지 않다. 그는 1960년대 말, 무일푼으로 바르셀로나로 상경한 카세레스 출신의 군경 대원이었다. 카탈루냐 지역에서는 카탈루냐어를 쓴다는 것도 몰랐다. 그는 아는 게 전혀 없었으며, 굳이 알 필요도 없었다. 모든 것을 배울 자신이 있었다. 그리고 그렇게 했다. 열심히 살았으며, 우체국에서 근무하며 크리스마스에는 카탈루냐 전통 요리를 할 줄 아는 사바델 출신의 카탈루냐 여자와 결혼했다. 하지만 그는 월급이 쥐꼬리만 한 말단 경관으로는 만족하지 않았다. 그는 밤이면 열심히 공부해서 승진했으며, 책임자 자리를 갈망했고, 카탈루냐 지방자치제 경찰서로 옮겨 와 경사와 형사 직책에 응시했다.

로사노는 거저 얻은 것은 아무것도 없었다며, 고개를 높이 치켜들고 자신 있게 말한다. 이제 그의 자식들은 엄연한 카탈루냐 사람이다. 막내딸은 오스피탈레트 동네에 자기 미용실을 가지고 있으며, 벌써 그를 할아버지로 만들어 주었다. 큰아들은 법대를 나와, 레스 코르츠 구역에서 친구들과 동업으로 변호사 사무실을 개업했다. 로사노의 책상에는 가족사진이 놓여 있으며, 그는 사진들을 자랑스럽게 보여 주었다. 큰아들 산티아고가 대학을 나와 한평생 부자 동네에서 산 사람처럼, 그러니까 몰리나 가문 사람처럼 보였기 때문에 그는 큰아들이 특히 애틋하다.

문이 열리고, 짙은 색 셔츠에 청바지를 입고 유명 상표 운동화를 신은 그의 후임자가 들어온다. 물론 선글라스도 끼었다. 사립 탐정이 등장하는 연속극에서 보고 배운 패션일 수도 있다. 수레다는 연속극이 유행을 만든다고 믿는 유형이다. 아니, 어쩌면 어젯밤 늦게까지 신나게 논 것을 감추려는 것일 수도 있다. 특별한 거 있습니까? 수레다가 정중하게 물어 온다. 젊은 형사는 서두르는 기색 없이 의자에 앉으며 늘어지게 하품한다. 죄송합니다. 그가 사과한다. 잠을 많이 자지 못했습니다, 커피 한잔 해야겠는데요. 로사노는 혼자 자축한다. 내가 옳았어, 녀석은 눈도 붙이지 못했어. 그는 40년째 인간 행동에 대해 추측해 왔으며, 그게 일종의 직업병이 되었다.

수레다가 커피 두 잔을 뽑으러 천천히 걸어가는 동안, 로사노는 바르바라 사건을 들여다보고, 또 들여다본다. 그가 가장 가슴 아파한 사건이며, 마지막 날까지도 붙잡고 있는 사건이다. 가끔 이런저런 추측들을 하다 보면, 그 아이 시신이 쓰레기 하치장 바닥에 처박혀 있거나, 하수구에 둥둥 떠 있거나, 아니면 토막 난 채 트렁크에 넣어져 바닷가에 버려졌을 수도 있다는 생각이 든다.

로사노 형사는 홀짝거리며 커피를 마시는 수레다를 지켜본다. 수레다는 혀를 데고는 계속 혀가 아린지, 호호 불며 어린아이처럼 입술을 깨문다. 수레다가 볼펜을 잡은 모습을 보니, 담배를 피우고 싶지만 참고 있다는 생각이 든다. 그때 갑자기 수레다가 파일을 가리킨다. 바르바라 몰리나! 그가 탄성을 지른다. 종결된 사건인 줄 알았는데. 로사노는 바로 대답을 하지 못한다. 우리가 해결할 때까지는 종결되지 않은 걸세, 그리고 해결하지 못한 채 오래 붙잡아 두는 것도 힘든 일일세. 미제 사건은 아물지 않은 상처와 같다는 것을 이제 자네도 곧 알게 될 걸세. 로사노가 프로답게 대답한다. 그는 자기 말 한마디 한마디에 노련함이 묻어 있는 것처럼 보이려고 애쓴다. 그 노련함은 파일 하나에 담을 수 없는 것이며, 거리에서 사람들을 직접 상대하고, 사람들의 고통을 듣고, 그 고통을 함께하고, 장례식장에서 조의를 표하며 배운 것이다.

자네, 그 아이 기억하지? 그렇지? 열다섯 살밖에 되지 않은 실종 소녀. 수레다가 고개를 끄덕이며 그렇다고 대답한다. 나는 아이의 부모, 특히 아버지와 계속 연락하고 있네. 아버지는 그나마 제정신이지. 처음에는 간단한 사건이었네. 열다섯 살짜리 여자아이가 멀리 떠나니까 찾지 말라는 메모를 남긴 후 가출하면서 엄마 신용카드를 가져간 사건이었지. 이틀 후 이모네 부부가 사는 빌바오에서 아이의 흔적이 발견됐네. 그리고 실제로도, 그 아이가 휴가를 떠난 이모와 이모부를 찾아다녔다는 것을 본 증인들이 있었네. 하지만 놀랍게도 모든 게 뒤바뀌었네. 바스코 지방 경찰들과 아이의 아버지가 빌바오에서 아이를 찾는 동안, 늦은 새벽 레리다의 한 공중전화 부스에서 아이가 자기 집으로 다급하게 전화를 걸었네. 그리고 공중전화 부스에서 절대 착각일 리 없는 폭력의 흔적과 아이의 피, 버려진 아이의 가방이 발견되었지. 한 증인이 남자한테 끌려가는 젊은 여자를 보았다고 기억했지만, 새벽인 데다가 안개가 잔뜩 끼어 구체적인 정황은 얘기해 주지 못했네. 바로 그 순간, 사건은 그에 따른 용의자 두 명과 여러 정황들로 인해 비극적인 색채를 띠게 되었네. 우리는 아주 열심히 수사했고, 많은 지역을 수색했지. 들판과 하수구 들을 이 잡듯이 뒤졌네. 카탈루냐 전체가 애간장을 녹였지. 우리는 많은 시간과 노력을 기울였지만 확실하고 결정적인 것은 아무것도 발견하지 못했어. 그러다가 용의자들은 증거 불충분으로 풀려났고, 판사는 그 사건을 종결지었네. 그러고는 더는 아무것도 알아낸 게 없네.

수레다가 양팔을 길게 뻗으며 스트레칭 하는 시늉을 한다. 로사노는 그가 매일 피트니스센터에 다니며 최소한 두 시간 정도 운동과 선탠을 할 거라고 대략 추측한다. 로사노는 또한 수레다가 가슴과 다리를 제모한다고 미뤄 짐작한다. 그는 그런 것들이 놀랍다. 언젠가 카페에서 커피를 마시고 있는데, 수레다가 자기는 경찰이 되기 전에 폭죽 파는 일을 했으며, 피트니스센터에서 트레이너를 했다고 말한 적이 있었다.

바르바라를 확실히 기억합니다. 수레다가 서둘러 확실하게 밝힌다. 거리에 붙은 아이의 사진과 대중의 시위, 아이 아버지의 기자회견, 누군가 전화해 가짜 단서를 줄 때마다 애간장이 녹던 일들을 기억합니다. 그러고는 덧붙인다. 용의자들은 명문 집안 대학생과 선생님이었지요. 그렇죠? 맞아, 마르틴 보라스와 헤수스 로페스. 로사노가 대답한다. 그런데 어떻게 되었습니까? 앞으로 새로 부임할 형사가 궁금해하며 묻는다. 로사노는 수레다가 바르바라 사건에 계속 호기심을 보이는 게 한편으로는 기쁘지만, 다른 한편으로는 짜증 나기도 한다. 선입견보다 나쁜 건 없기 때문이다. 그리고 선정성을 좋아하는 언론 매체 때문에 그 사건은 많은 피해를 입었다. 로사노는 한시도 용의자들의 감시를 소홀히 한 적이 없었다. 그들이 언젠가는 실수를 저지르거나, 아니면 그들의 생활 패턴이 결국에는 자폭하게 할 거라고 항상 믿었다. 로사노는 밤에 공부하다가 『죄와 벌』을 읽은 적이 있었다. 그래서 범죄와 자기가 한 일을 떠벌리고 싶어 하는 범인의 병적인 욕망과의 연관을 파헤쳐 봐야 한다고 믿었다. 하지만 그가 충분히 노련하지 못했거나, 아니면 용의자들이 훨씬 똑똑했다. 또 한편으로는 범죄도, 무언가를 얘기하거나 설명해 주는 시신도, 돌아가야 할 장소도 아무것도 없었다. 그날 밤 레리다 도시 전체를 뒤덮었던 안개는 세월과 함께 더욱 짙어졌다. 로사노는 언젠가 돌풍이 휘몰아쳐 안개가 걷힐 거라고 믿었지만, 지금은 흔적들이 영원히 지워졌다는 사실을 이를 악물고 받아들여야 했다. 바르바라의 실종과 연관된 결정적인 증거는 전혀 나오지 않았다.

로사노가 각 용의자에 대한 경찰 기록을 꺼낸다. 꾸준히 업데이트하면서 달달 외우다시피 한 그 기록들을 수레다에게 설명하면서 건네준다. 마르틴 보라스는 현재 스물여섯 살이네. 부모와 함께 살고 있지. 아버지는 심혈관 전문의이고, 어머니는 컴퓨터 회사 이사일세. 그들은 파리 거리에 있는 230제곱미터 호화 아파트에서 살고 있네. 마르틴이 제대로 사귄 여자는 세 명이지만, 주말에는 수도 없이 껄떡거리고 다니네. 4개월 이상 관계를 지속한 여자는 아무도 없었네. 정조가 그의 기본 덕목은 아닌 셈이지. 그는 공부도 끝까지 마치지 않았네. 스페인의 최고 MBA 과정인 ESADE의 경영학 과정을 2학년까지 다닌 기록이 여기 있네. 완전히 엉망이더군. 내가 보기에는 자기 부모와 싸우다가, 결국에는 제 뜻대로 한 것 같아. 마르틴은 공부를 그만두었고, 그의 할아버지는 그에게 뭐라도 해 주려고 그를 파격적인 대우로 채용했어. 철제 물건 판매 관리인으로 매달 42시간 근무에 2300유로와 자동차, 휴대전화를 지급하고 그 외 경비를 대 주었네. 마르틴은 내킬 때만 출근하면서도 월급은 매달 꼬박꼬박 받아 흥청망청 썼지. 지금은 튜닝한 세아트 이비사를 타고 다니고, 로사스에 있는 자기 부모네 별장에 주로 머무르지. 그는 그곳에 자주, 거의 매주 가네. 요즘에는 그가 그곳을 사용하는 유일한 사람이지. 운전을 험하게 하고 다녀서, 과속으로 6점 벌점을 받았네. 돈을 헤프게 써서, 신용카드에서는 연기가 날 지경이야. 옷이나 쓸데없는 물건들과 비싼 선물들을 사고, 저녁에는 고급 레스토랑에서 식사하고, 친구들에게 술을 사고, 자기 하고 싶은 대로 멋대로 쓰고 다니지. 매달 19일쯤이 되면 그의 통장 잔고에 빨간불이 켜지네. 8개월 전인가에는 푸에르토 올림피코에 있는 한 클럽에서 멋진 파티를 열기도 했지. 그는 술에 취해서, 아마도 마약을 한 것 같은데, 자기 여자랑 춤추려고 하던 남자에게 주먹을 날렸지. 난 너무 늦게 알았네. 그때는 이미 집안의 변호사가 그를 경찰서에서 꺼내고 스캔들을 깨끗하게 정리한 뒤였지. 가족들은 신중하게 처신하는 편이지. 아들이 사방에 널어놓은 자질구레한 것들을 아주 빨리 쓸어 내, 양탄자 아래에다가 꼭꼭 숨겨 놓지.

갑자기 수레다가 심각한 표정을 지으며 직접 기록을 들고 살펴본다. 그에게 언제부터 차가 있었죠? 수레다가 갑자기 질문한다. 할아버지와 같이 일하면서 구입했지. 한 2년 반쯤 되었을걸. 로사노는 수레다가 보이는 관심에 흐뭇해하며 얼른 대답한다. 그럼, 여자들하고 얘기해 보셨습니까? 로사노가 기억을 더듬으며 머리를 긁적인다. 첫 애인이었던 라우라 부스케츠를 바르셀로나에 있는 칼 핀소로 식사 초대를 한 적이 있었지. 내가 백포도주로 잔을 채워 주자, 그녀는 단도직입적으로 자기와 마르틴이 어떻게 사귀었는지 설명해 주더군. 아주 확실해. 그러니까 격정적인 섹스 이외에는 아무것도 없는 거군요. 그렇죠? 수레다가 악의 가득한 미소를 띠며 질문한다. 꽤 높은 점수를 주던데. 로사노가 그의 말장난을 따라 하며 구체적으로 대답한다. 그 외에는 아무것도 특이한 게 없었네. 그녀를 때리지도, 겁탈하지도 않았고, 강요하지도 않았네. 그녀를 오토바이에 태워 로사스 별장으로 데려가, 그곳에서 파티를 열었다더군. 그녀가 처음도 아니고, 유일한 여자도 아니야. 그리고 그건 그녀도 잘 알고 있고. 프로라고 할 수 있지. 수레다가 한숨을 내쉰다. 수학 선생을 사귀기 전, 어쩌면 피트니스센터 트레이너였던 옛 시절을 그리워하고 있는지도 모른다. 미래의 형사에게서 더 이상 질문이 없자, 로사노가 다른 용의자의 기록을 꺼낸다.

로사노는 기록을 들여다볼 필요도 없다. 모든 내용을 외우고 있다. 헤수스 로페스, 서른아홉 살. 어쩌면 그는 마르틴보다 좀 안 좋게 풀렸어. 그는 바르바라가 다니던 학교에서 7년 동안 역사 선생으로 있다가, 바르바라의 실종 직후 얼마 안 있어 바로 해임되었네. 그가 몇몇 여학생들과 특별한 관계였던 걸로 수사가 시작될 뻔했던 걸 자네가 기억하는지 모르겠네. 하지만 그걸로 고소한 사람은 아무도 없었네. 하지만 그의 아내는 이혼을 요구했고, 3년 동안은 자식들을 만날 때마다 무지하게 애를 먹었지. 결국 로페스는 산 안토니오 시장 근처에 있는 싸구려 원룸에서 개 한 마리를 데리고 비참하게 살고 있네. 싸구려 과외나 하고, 학원에서 다른 강사 대신 잠깐씩 수업을 해 주면서, 그리고 정신과 의사의 상담을 받으면서 지내고 있지. 하지만 약을 하고, 자기 아파트에 틀어박혀 주말마다 텔레비전 앞을 연기로 뿌옇게 한다고 해서, 그게 범죄는 절대 아니지.

수레다가 기록 두 개를 들고 인상을 찌푸린다. 그들이 아직도 감시 대상인가요? 그가 질문한다. 로사노가 한숨을 내쉰다. 오래전에 예산이 바닥났어. 내가 직접 시간을 내서 수사한 후 업데이트한 걸세. 사실, 나는 둘 중 한 명은 꼬리를 밟아 결국 범인을 잡을 거라고 진심으로 믿었네. 그래서 예산이 끊긴 후에도 주말에 시간을 내서 계속해서 신중하게 감시했지.

수레다는 아무 말도 하지 않지만, 로사노는 그가 일분일 초라도 자기 시간을 따로 내서 용의자들을 감시할 사람이 아니라는 걸 잘 안다. 수레다는 수학 선생과 체육관, 선탠만으로도 지나치게 바쁘다. 그가 수레다 나이였다면, 아마 그도 역시 그렇게 하지 못했을 것 같다.

그럼, 선배님 의견은요? 수레다가 심문하는 듯한 눈길로 느닷없이 질문한다. 내 의견? 로사노는 젊은이의 솔직함에 당혹스러워하며 시간을 벌기 위해 되묻는다. 용의자 각각의 신빙성에 대한 선배님의 의견은요? 왜 선배님은 계속해서 둘 중 한 명이 살인자라고 생각하시는 겁니까? 왜 그렇게 믿는 거지요? 선배님이 얼마나 늙은 여우인데, 왜 결국 그들이 헛발질을 할 거라고 믿으셨는지 그 생각이 궁금해서요.

로사노가 망설이고 머리를 긁적이며, 곰곰이 생각에 잠긴다. 늙었다는 형용사에 대해서는 절대 화를 낼 수가 없다. 결국 따지고 보면 늙었으니까. 하지만 늙은 여우라는 소리를 듣는 게 영광은 아니다. 경험을 의미하기는 한다. 그건 그렇다. 냄새를 잘 맡는다는 의미도. 하지만 늙은 여우에게는 영광도, 좋은 점도 없다. 단지 나이만 먹었다는 얘기니까. 로사노는 그 말은 잊고, 자기가 왜 근무 시간 외에 자꾸 남의 인생에 끼어들려고 했는지 그 이유를 설명하려고 노력한다. 마르틴은 거칠고 이기적이라 꽤 부주의한

편일세. 자기가 원하는 것은 모두 갖는 데 익숙한 청년이지. 외아들에다가 버릇없이 자랐고, 돈도 많고, 선생들은 물론 하녀들도 들들 볶는 편이지. 그에게 세상은 케이크가 잔뜩 놓인 쟁반과도 같지. 당연히 그의 주변 사람들은 친절하고 그의 뜻을 떠받들지. 그는 술을 많이 마시고, 정신과 치료도 받는 데다가, 마약도 하네. 거짓말쟁이에다가, 자식의 방탕한 생활에 두 손, 두 발 다 든 부모님 몰래 이중생활을 영위하네. 그런데 불행히도, 좋은 가문의 자식들은 대부분 이렇지. 하지만 이 모든 것에 그가 범인일 수도 있다는 심증을 굳히게 된 결정적인 요인이 있네. 바르바라는 그와 성관계를 맺는 것을 거부했고, 마르틴은 거절당한 애인으로서 시한폭탄이 되었을 수 있네. 수레다는 거의 속기사의 속도로 열심히 메모를 해 나간다. 마침내 수레다가 고개를 들고, 그에게 마지막 질문을 던진다. 이런 성격의 범죄를 정의하고 설명할 만한 형용사를 두 개 고르라고 한다면, 선배님은 어떤 형용사를 고르시겠습니까? 잔인하고 충동적인. 로사노는 후임자의 관심에 갑자기 신이 나서 망설이지 않고 얼른 대답한다. 그럼, 선생은요? 수레다가 멈추지 않고, 바로 질문한다. 로사노는 고개를 치켜든다. 선생이 늘 1순위였다는 점을 고백하지. 그가 가장 정직하지 못하고, 가장 속을 알 수 없고, 미심쩍은 자료들을 가진 사람이었거든. 겉으로 보기에는 존경받고, 깍듯하고, 교양 있고, 취미도 고상하고, 아내와 자식들도 있고, 직업도 좋고, 신용도 있고, 희생정신도 있고, 일과 기본에 충실한 남자지. 그런데 완전히 겉 다르고 속 다른 인물이야. 자신의 신분증이 주는 명예를 피난처 삼아, 절대 그 밖으로는 나오려고 하지 않는 비겁하고 은밀한 변태 성향을 숨긴 사람일세. 그는 어린 소녀들과 어울렸으며, 소녀들의 무조건적인 존경을, 어쩌면 자기 자신도 감히 털어놓지 못하는 다른 뭔가를 더 찾았던 거지. 나는 비겁한 사람들과 거짓말쟁이들의 정의는 믿지 않네. 헤수스 로페스는 그 두 가지 모두에 해당하고, 그 모든 걸 넘어, 억눌린 기회주의자이지.

로사노는 분노와 혐오를 동시에 느끼며 말했다. 그는 개인감정, 그러니까 경멸적인 수식어구들을 배제할 수도, 자신의 거부감을 드러내 놓고 표현할 수도 없었다. 수레다는 그에게 개인적이고 주관적인 느낌을 원했고, 그는 그것을 말했다. 그래서 로사노는 수레다의 냉정함이 놀랍다. 수레다가 볼펜을 담배처럼 입에 물고 얘기한다. 나는 마르틴이 더 냄새가 납니다. 그런데 수레다는 별로 토론할 마음이 없는 듯 심드렁한 투다. 왜지? 로사노가 궁금해하며 캐묻는다. 왜냐면 마르틴은 젊고 철이 없기 때문입니다. 그러고는 수레다가 고개를 들고, 감당하기 힘들 정도로 솔직하게 그를 바라본다. 실수는 우리 젊은이들이 더 많이 합니다. 그리고 늘 후회할 일을 만들지요. 로사노는 가만히 있는다. 그는 젊음과는 이미 오래전에 관계가 없어졌고, 이제는 젊은이가 어떻게 생각하고, 어떤 감정을 느끼는지 기억도 나지 않는다.

배고픈데요! 느닷없이 수레다가 벌떡 일어나며 소리 지른다. 알았네, 여기까지 하고 식사하러 가지. 로사노가 시계를 보며 얘기한다. 로사노는 시간표에 맞춰 습관대로 움직이는 남자로, 12시에 점심을 먹는다. 하지만 수레다가 양해를 구한다. 수레다는 이미 학교 동기들과 약속이 있었다. 미안합니다, 하지만 저 먼저 가 봐야겠습니다. 수레다가 기록들을 책상에 내려놓으며 중얼거린다. 점심 식사 후에 바르바라 사건을 연구할 시간이 충분히 있을 겁니다. 그러고는 불과 몇 초 전까지 보이던 관심이 갑자기 파스타와 맛난 스테이크 접시로 빠져들고 싶은 욕망으로 대체된다. 수레다의 말이 옳을 수도 있다. 충동적인 게 젊은이들의 가장 큰 적이니까.

로사노는 혼자 남아, 식사하는 중에는 수레다가 단 일분일초도 바르바라와 그녀의 가족, 용의자들을 염두에 두지 않을 거라고 생각한다. 수레다는 노련한 형사라, 문을 나가는 순간 비서에게 유혹적인 미소를 날리며 세바스티안의 등을 한번 두드릴 게 뻔하다. 어쩌면 바르셀로나 팀의 일요일 경기를 언급하며, 챔피언 컵에서 이길지 질지를 놓고 걱정을 늘어놓을 게 뻔하다. 하지만 바르바라 몰리나는 생각하지 않을 것이다.

로사노는 늘 다니던 식당으로 식사하러 나간다. 중국인들이 식당을 인수해 수요일에는 가스파초를 요리하고, 목요일에는 파에야를 요리한다. 처음에는 그가 좋아하는 식당이 외국인들의 손에 넘어간 게 속상했지만, 지금은 리우신과 농담도 하고, 접시들을 별나게 구분 짓는 식당 주인의 버릇도 허물없이 얘기한다. 결론을 얘기하자면, 가격이 그대로 유지되었고, 중국인들은 남의 일에 별로 간섭을 하지 않기 때문에 결국 그는 얻은 게 더 많았다. 세월이 흐르면서 그는 사람들과 잘 어울리지 않는다. 예전에는 식사를 하면서 열심히 얘기했었다. 그런데 지금은 신문을 읽고, 텔레비전 뉴스를 흘낏 보며 혼자 식사한다. 그렇게 해야 좀 덜 아프게, 조금씩 세상과 거리를 둘 수 있고, 그러면 세상과 단절되는 게 덜 힘들 테니까. 차라리 그게 더 낫다.

충동적이고 젊은 수레다가 언젠가 바르바라 몰리나의 사건을 해결할지 누가 알겠는가.

그리고 로사노는, 수레다는 어떤 실수를 할까, 자신에게 되묻는다.

5

바르바라
몰리나

나는 오늘 책도 들춰 보지 않았고, 음식도 데우지 않았다. 기적처럼 눈금이 나타나는 걸 보겠다는 희망으로, 작은 액정 화면만을 응시한 채 휴대전화에만 매달려 시간을 보냈다. 절박할 정도로 이곳을 나가고 싶은데, 드디어 그 일을 이룰 수 있는 열쇠를 손에 쥐었는데, 쉽지가 않다. 통화 가능 지역을 찾지 못한 채 구석구석을 수천 번도 넘게 돌아다녔다. 통화 가능 지역이 있다는 걸 안다. 휴대전화를 가지고 있을 때 딱 한 번 울린 적이 있는데, 정확한 위치가 기억나지 않는다. 나는 지치지 않고 여기저기 계속 돌아다니며, 멈춰 섰다가, 휴대전화를 흔들었다가, 올려 보았다가 바닥에 내려놓기를 반복한다. 벽을 구석구석 따라가 보기도 하고, 비스듬하게 사선으로 훑고 지나가기를 수도 없이 한다. 그러다가 갑자기 눈앞이 뿌예지면서 양다리에 힘이 쭉 빠져, 바닥에 털썩 주저앉고 만다.

무서워 죽을 것만 같다. 만일 내가 잘못 생각한 거라면? 딱 한 번 전화 통화를 시도했다가, 지금 이곳에 있게 된 것이다. 나는 항상 그날을 후회한다. 레리다에서였다. 우리는 아침 식사를 하기 위해 열려 있는 카페를 찾아 차를 멈췄다. 아주 이른 아침이었고, 지갑을 차 안에 놔두고 내린 바람에 그는 다시 차로 돌아갔다. 그가 나에게 잠시 기다리라고 했지만, 그가 시야에서 벗어나자마자 나는 바로 도망쳤다. 그때 나에게는 휴대전화가 없었다. 휴대전화가 있는지 나는 몸을 뒤져 보았다. 그러고는 공중전화 부스를 찾아 나섰다.

나는 허겁지겁 도망쳤다. 미친 여자처럼 달리고 또 달리면서, 지갑을 열고 동전들을 꺼냈지만 절반은 떨어뜨렸다. 두 블록을 더 내려가, 마침내 공중전화 부스를 발견했다. 제발 고장 나 있지 않기를, 제발 작동하기를 간절히 바라면서 갔다. 떨리는 손으로 집 전화번호를 누르는 동안에도 나는 안절부절못하며 계속 그렇게 중얼거렸다. 엄마가 전화를 받았지만, 엄마가 더 난리를 치는 바람에 나는 거의 아무 말도 하지 못했다. 어디 있니? 엄마가 소리 질렀다. 도대체 어디에 가 있는 거야? 경찰하고 아빠가 너를 찾고 있다! 그리고 바로 그 순간, 나는 씩씩거리며 다가오는 그를 보았고, "제발 나 좀 도와줘요!"라는 말만 간신히 내뱉었다. 동전이 없었기 때문에 더는 아무 말도 하지 못했고, 나는 겁에 질려 벌받을 각오를 하고 공중전화 부스의 한쪽 구석에 몸을 웅크린 채 주저앉았다.

그가 나를 때렸다. 한 번, 두 번, 세 번, 네 번……. 그는 멈추지 않았다. 내 머리가 유리에 부딪힐 때마다 그의 분노는 더욱 커졌다. 무슨 말을 했어? 그가 숨에 차서 헉헉거리며 소리 질렀다. 누구한테 전화했어? 전화기가 줄에 대롱대롱 매달려 추처럼 흔들렸고, 코에서는 피가 흘렀다. 내가 피를 펑펑 쏟아서, 공중전화 부스와 옷, 가방에 피가 튀었다. 그만! 그만해요! 나는 양손으로 얼굴을 가리려고 애쓰며 흐느꼈다. 그러자 그가 내 팔 한쪽을 잡더니, 나를 밖으로 끌어냈다. 그러고는 거리로 나서자, 그가 지혈하라면서 자기 손수건을 건네주며 나를 개처럼 끌고 갔다. 우리 둘 다 내 가방을 그곳에, 바닥에 두고 왔다는 사실을 알지 못했다. 우리는 누구와도 마주치지 않았다. 그 시간 레리다 거리에는 아무도 없었다. 모두 잠든 시각이었다. 누군가를 봤더라면, 도와 달라며 그 사람 팔에 매달렸을 것이다. 하지만 안개가 자욱한 이른 시간이라, 증인도 없었고 우리 두 사람밖에 없었다. 그리고 그때 돌아올 수 없는 길을 떠나고 말았다. 빌어먹을! 그는 내가 가방을 그곳에 떨어뜨리고 왔다는 것을 알고는 자지러지게 놀라며, 고속도로에서 소리 질렀다. 하여간 너라는 애는 정말 속수무책이구나!

다시 집으로는 전화를 걸 수가 없다. 엄마에게는 다시 전화하고 싶지가 않다. 엄마는 즉각 행동으로 옮기지 못했으며, 그가 나를 이 구멍에 가두는 것도 막지 못했다. 그렇다고 외우고 있는 다른 번호도 없다. 에바네 전화번호. 전화번호를 떠올리다가 문득 그만둔다. 그때 갑자기, 에바의 얼굴과 지난 과거, 어린 시절, 가장 행복했던 순간들이 한 줄기 바람처럼 휘몰아치며 떠오른다. 에바. 나의 절친. 적어도, 그 일이 있기 전까지는 가장 친한 친구였다. 나는 에바에게 아무 감정도 없다. 나는 에바와 내가 얼마나 다른지 잊고 있었다.

내 기구한 운명에 분노가 치밀어 올라, 나는 화상이라도 입은 듯 화들짝 놀라며 휴대전화를 멀리 집어 던지고는 두 눈을 감는다. 다시 눈을 뜨고, 바닥에 나동그라진 휴대전화를 보니 혹시 망가졌을까 봐 더럭 겁이 난다. 어쩌면 이렇게 멍청할까? 나는 개처럼 엎드려 기어가, 다시 휴대전화를 주워 든다. 그때 숨이 콱 막힌다. 드디어 눈금이 한 개 나타난 것이다. 나는 꼼짝도 못한 채 환영이라도 본 듯 멍하니 눈금을 바라본다. 드디어 접속되었다. 아주 미약하지만 어쨌든 접속되었다. 다시 눈금이 사라질까 봐 두려워, 나는 감히 손도 가까이 대지 못한다. 어떡하지? 전화해?

내가 전화를 거는 순간 그가 들어온다면? 그가 일부러 휴대전화를 흘려 놓고 나를 시험하려는 거라면? 만일 실패한다면 그나마 누리고 있는 얼마 안 되는 것도 모두 잃어버릴 텐데. 그러자 잊어버렸다고 믿었던 모든 기억이 한꺼번에 되살아나, 성난 혼령들처럼 느닷없이 나를 덮쳐 온다. 그런데 나는 휴대전화 앞에서 얼어붙어, 아무 결정도 내리지 못한 채 그대로 있다. 그나마 얼마 있지 않은 것까지도 모두 잃어버리기 일보 직전이다. 세상과 통화할 수 있는 그 눈금에, 깜빡거리고 있는 그 눈금에, 나에게 희망을 주었다가 잠시 후 도로 뺏어 갈 그 눈금에 넋이 팔려, 멍하니 바라보고만 있다. 누구한테 전화하지?

그리고 다시 에바를 떠올린다. 전화번호를 기억하고 있는 유일한 사람이다. 막연한 희망처럼 내 앞에 등장한 사람이다. 에바라면 식구들을 만나지 않아도 되고, 경찰 앞에서 증언하지 않아도 된다. 나는 혼자서, 아무도 나를 알아보지 못하는 어딘가로 도망칠 것이다. 에바는 신중하게 처신할 것이고, 좋은 친구니까 나를 도와줄 것이다. 내가 어디 있는지 에바에게 얘기하고, 에바의 어깨에 기대어 울고, 나를 여기서 꺼내 달라고, 나를 아주아주 멀리 데려가 달라고 부탁하고 싶다. 하지만 나는 멈춰 선다. 그는 한 번, 딱 한 번, 나를 위협했었다. 네가 도망치면 네 가족을 죽일 거야. 그가 말했다. 정말 그렇게 할까? 충분히 그럴 수 있는 위인이다. 그는 미친 사람이다. 정신 나간 위험인물이다. 아니 어쩌면 아닐 수도 있다. 어쩌면 그는 나를 사랑하는 유일한 사람일 수도 있다. 나 같은 애를 누가 받아 준단 말인가? 그는 나를 진정으로 이해하고, 내가 진짜 어떤 사람인지 안다. 어떻게 해야 할지 모르겠다. 그는 나를 위해 쇼핑을 한다. 그는 늘 그랬듯, 지난 4년 동안 일상처럼 꾸준히 나에게 먹을 것과 옷을 챙겨다 주었다. 그러다가 딱 한 번, 그 일상이 깨졌다.

지금으로부터 1년 전쯤 어느 날, 그가 가방을 하나 들고 와서, 나의 열여덟 번째 생일을 축하하기 위해 일주일 묵을 거라고 했다. 그러고는 나에게 깜짝 선물을 했다. 등에 매듭 장식이 있는, 검은색 꽃과 보라색 꽃 나염 무늬의 민소매 여름 원피스였다. 나는 가슴 바로 아래를 끈으로 묶는 게 이상했다. 그는 그게 유행이라며, 한번 입어 보라고, 틀림없이 사이즈가 맞을 거라고 했다. 그가 나에게 미소를 지으며 그윽한 눈길로 바라보면 나는 온몸이 간지러워지면서, 그게 행복 같았다. 내가 이 상황을 망가뜨리지만 않는다면, 모든 것이 실크처럼 부드러울 거라는 걸 알았다. 그래서 나는 고분고분 굴었다.

그가 집으로 올라가 식탁에서 함께 저녁 식사를 하자고 초대했다. 그는 나에게 욕실을 사용하고, 거울을 바라보고, 서랍 안에 있는 모든 용품을 마음껏 사용하고, 몇 시간이나 욕조에 몸을 담그고, 텔레비전 보는 것을 허락했다. 밤에는 밖으로 나가는 것도 허락했다. 우리는 귀뚜라미 울음소리를 듣고, 별들이 쏟아질 듯 빛나는 하늘을 바라보면서 어둠 속에서 외떨어진 길들을 걸어 다녔다. 그는 내 손을 꽉 쥐고 있었지만 나는 도망치고 싶지 않았다. 그 주에 나는 햇볕에 데워진 소나무의 향을 맡고, 맨발로 땅을 밟고, 내 머리카락에 닿는 남쪽 바람의 열기를 느꼈다.

이런 소소한 행복조차 한 번도 느껴 보지 못한 사람들도 있다고 나는 자신을 타일렀다. 내가 운이 좋다고 생각했으며, 그에게 고마운 마음을 전했다. 나는 산책과 여름밤 후끈한 공기의 달콤함, 목욕의 즐거움, 식탁에 앉아 감자 오믈렛을 먹는 만족감의 가치를 몰랐었다. 이 모든 상황을 손에 쥐고 있을 때는 전혀 그 소중함을 알지 못했다. 그런데 이런 상대적인 행복에도 불구하고, 나는 태양이 간절하게 보고 싶었다. 3년 동안이나 해를 보지 못했다. 천장 틈새로 해가 떴다는 추측만 했다. 나는 그에게 울고불고 애원하며, 절대 도망치지 않겠다고 맹세하며 살갗에 닿는 햇살을 다시 느끼고 싶다고 매달렸다. 마침내 그의 허락이 떨어졌다. 그가 현관문을 연 후 나를 차에 태우고는 모자와 선글라스를 주며 말했다. 자, 가자. 잠깐이었다. 스쳐 지나가는 느낌뿐이었다. 나는 산 너머로 모습을 드러내는 태양을 보았다. 태양이 내 양팔을 핥고 내 얼굴을 애무하도록 가만히 있었다. 나는 좋아서 소리 지르며, 두 눈을 꼭 감고 햇볕과 해의 기운을 충만하게 느꼈다. 잠깐 느낀 태양의 그 열기가 몇 주, 몇 달 동안 나를 따라다녔다. 찬란했던 그날 아침처럼 해를 볼 수만 있다면. 단 한 번이라도 좋으니 에바와 통화할 수만 있다면. 에바가 웃는 소리를 들을 수만 있다면. 에바가 소리 지르는 걸 들으면 너무나도 좋을 것 같다. 좋아서 미쳐 버릴 것만 같다. 단지 그뿐이다. 시원한 바람 한 점과 햇볕이면 그걸로 충분하다.

나는 마음을 가다듬고 손을 가까이 뻗어, 휴대전화를 움직이지 않고 에바 전화번호를 누른다. 에바가 제발 집에 있기를, 에바가 제발 전화를 받기를, 나는 그런 생각을 했는지, 말을 했는지 분간이 안 되는 채 간절히 바란다. 그런데 갑자기 누군가의 목소리가 들려온다. 네……? 누구세요……? 말씀하세요……? 에바다! 에바? 에바! 나야, 바르바라! 내가 소리 지른다. 나란 말이야! 도와줘! 바르바라? 에바가 놀라 묻는다. 바르바라? 어디 있어? 나는 참지 못하고 바닥에서 휴대전화를 들어 본능적으로 귀에 갖다 댄다. 나를 여기서 꺼내 줘! 하지만 건너편에서는 이제 아무 소리도 들리지 않는다. 안 돼! 이럴 수는 없어! 접속이 끊겼다. 눈금은 완전히 사라졌다. 다시 불통이 되었다.

휴대전화를 아까 그 위치에 갖다 놓고 안간힘을 써 보지만, 눈금은 다시 나타나지 않는다. 나는 그렇게 몇 번이나 해 보고, 또 해 본다. 두 손이 부들부들 떨리고 숨이 콱 막혀 온다. 울고 싶지만 이제 어떻게 해야 할지를 모르겠다. 아무 소용 없어! 내가 어디에 있는지도 말하지 못했고, 에바에게 도와 달라고 하지도 못했어! 이제 어떡하지? 무시무시한 두 눈을 휘둥그레 뜨고 문을 열고 들어올 그의 모습이 상상된다. 그의 두 눈은 모든 것을 다 알고 있고, 모든 것을 다 보고 있고, 내 행동을 다 꿰뚫고 있다는 듯 증오로 가득한 두 개의 구멍이다. 어쩌면 그가 이미 알고 있을 수도 있다. 그리고 그는 나를 죽일 것이다.

그제야 내 실수를 깨닫는다. 나는 판도라의 상자를 연 것이다!

6

에바
카라스코

에바는 손에 전화기를 들고 아무 반응도 못 한 채 멍하니 가만히 있다. 바르바라의 목소리가 들렸다. 바르바라의 목소리였다. 나 바르바라야, 하고 말했다. 하지만 그럴 리가 없다, 그녀가 꿈을 꾼 것이다. 바르바라는 4년 전에 죽었다. 그렇지만 바르바라였다. 분명 바르바라였다. 에바는 바르바라의 외침 소리와 한숨 소리, 에바? 하고 되묻는 또랑또랑한 말투를 알아보았다. 바르바라는 그녀에게 거의 아무 말도 하지 못했다. 그냥 나를 도와줘, 하고 외쳤을 뿐이다. 곧 통화가 끊겼고, 전화기는 먹통이 되었다. 에바는 바르바라가 다시 전화하기를 기다리며, 한참 동안 매달려 있었지만 아무 일도 일어나지 않았다. 그러자 에바는 실제로 통화를 했는지, 아니면 그녀가 상상한 것인지 확인해 본다. 전화가 왔었다. 이 분 전에 왔었다. 전화번호가 남아 있다. 휴대전화다. 에바는 전화번호를 적고 다시 전화를 걸어 보지만, 기계음의 응답기가 돌아가며 휴대전화가 지금은 꺼져 있거나, 아니면 수신 가능 지역이 아니라는 말만 반복해서 흘러나온다.

에바는 가만히 앉아서 곰곰이 생각해 본다. 아니, 생각하려고 노력하지만 머릿속이 너무나도 뒤숭숭해서 멀미만 난다. 에바는 기진맥진해져, 자기가 방금 죽은 사람의 전화를 받았다는 사실을 받아들이기가 너무 힘들다고 생각한다. 산 사람들의 세상에서 바르바라를 생각하는 건 쉽지가 않다. 바르바라 아빠와 경찰, 친구들, 가족, 모든 사람이 바르바라를 죽은 사람으로 생각하고 있다. 바르바라 엄마만이 바르바라가 나타나기를 간절히 바라며, 지금까지 모든 시간을 애태우며 보냈지만 허송세월이었다. 누리아만이 유일했다. 그래서 지금은 미쳐 버렸다. 이제 바르바라는 그녀처럼 열아홉 살이 되었을 것이다. 그런데 만약 살아 있다면 대체 어디에 있단 말인가? 왜 그녀에게 도움을 청했을까? 왜 사라졌을까? 왜 다시 돌아오지 않는 걸까? 왜 바르바라는 아무 말도 하지 않았을까? 왜 바르바라는 가족과 친구들을 마음고생 시켰을까?

에바가 시계를 쳐다본다. 3시이고, 5시에 영어 수업이 있다. 거의 숙제를 끝내 가고 있었고, 연습 문제 두 개가 아직 남았다. 에바는 어떻게 해야 할지 몰라, 의자에서 몸을 들썩인다. 혼자 있으며, 생각하기가 힘들다.

바르바라는 겁에 질린 것 같았어. 소리를 지르고 있었어. 중요한 전화가 분명해. 에바는 이성적으로 생각하며 기억들을 정리해 보려고 노력한다. 바르바라는 실종 직전에 자기 엄마한테 전화를 걸었고, 공중전화 부스 사방에서 핏자국이 발견되었고, 가방은 땅바닥에 떨어져 있었고, 그 후로 아무것도 알려진 게 없었어. 에바는 기억을 더듬는 순간 온몸에 소름이 돋는다. 피를 생각하면 멀미가 난다. 학교에서는 바르바라가 토막 살인을 당했다고 수군거렸다. 짐승 같은 에르난데스가 선혈이 낭자한 토막 난 여자 사진을 가져왔고, 그 때문에 에바는 많은 밤을 악몽에 시달렸다. 바르바라가 한쪽 팔이나, 한쪽 다리 없이 피를 철철 흘리며 그녀를 찾아와 말했다. 너는 내가 사라지길 바랐지? 그렇지? 결국에는 네 뜻대로 되었어. 에바는 땀범벅이 되어 소리를 지르며 깨어났다.

에바의 삶을 이리저리 기웃거리던 형사는 그 사실을 거의 눈치챘다. 형사는 그녀에게 아주 기분 나쁜 질문들을 했다. 마치 그녀가 친구를 칼로 찔러 죽인 장본인이라도 되는 듯 심문했다. 너희 싸웠지? 그랬지? 어느 날인가는 형사가 그녀에게 느닷없이 물었다. 두 번째인가, 세 번째 심문을 받던 오후였다. 에바는 그랬다고, 자기들이 싸웠다고 인정했다. 하지만 자기는 바르바라에게 아무 짓도 하지 않았다고 했다. 형사는 단 한 순간도 친절하지 않았다. 그녀에게 미안하다는 말도 하지 않았다. 바르바라가 너에게 미안하다는 말도 안 했지? 나는 네가 바르바라와 가장 친한 사이라는 걸 안다. 그녀가 그렇게 사라지다니 치사한 짓이지. 네가 남은 평생 양심의 가책에 시달려야 할 테니 말이다. 그리고 형사는 에바가 바르바라 실종의 공범자이며, 입을 다무는 것은 죄짓는 일이라는 묘한 뉘앙스를 풍겼다. 형사의 이름이 살바도르 로사노였다. 기분 나쁜 사람이었다. 에바는 바르바라와 자기는 실과 바늘 같은 사이였다고 설명하며 울부짖었다. 하지만 그는 집요하게 물고 늘어지더니, 결국에는 맞히고 말았다. 마르틴 때문이지? 그렇지? 대체 어떤 빌어먹을 놈이 고자질한 거야? 에바는 카르멘을 목 졸라 죽이고 싶었다. 카르멘이 확실했다. 바보 멍청이야, 뭐야? 내가 감옥에 가기를 바라는 거야? 바르바라를 없애고 싶어 할 동기들을 경찰이 찾는다면, 에바에게 완벽한 동기가 있었다. 그랬다. 그녀는 바르바라가 사라져, 자기와 마르틴이 마음껏 사귀게 되길 바랐다. 절친인 바르바라가 자기가 좋아하는 남자를 가로챘기 때문이었다. 자기가 그를 좋아한다는 걸 알면서도. 아니, 그래서 더 그랬을 수도 있었다.

에바는 그때를 떠올리면 아직도 속이 뒤틀린다. 하지만 그 모든 건 혼란스러운 사춘기의 한때였다. 그때는 밤마다 베개로 머리를 감싸고, 바르바라가 땅속으로 영원히 꺼져 버리기를 간절히 바랐다. 말없이 바란 소원이었는데, 실제로 이뤄진 것이다. 그리고 그 소원은 절대 입 밖으로 새어 나가지 않을 것이다. 그녀가 바르바라의 실종을 바랐다는 것은 절대, 아무도 모를 것이다. 그리고 그녀가 결국 마르틴의 침대로 갔다는 사실 역시 아무도 모를 것이다. 에바의 온몸에 전율이 흐른다. 그녀가 잘못한 거였다. 목에 박힌 어리석은 가시라 빼고 싶었지만, 상처에 소금만 덧뿌렸을 뿐이었다. 떨떠름한 뒷맛만 입 안에 남았고, 자신이 옳지 못한 장소에, 잘못된 사람과 있다는 기분만 들었다. 괜한 발버둥이었다. 반항을 일삼는 사춘기의 치기였다. 마르틴이 그녀의 첫사랑인데, 바르바라가 그를 훔쳐 간 것이다. 첫 실연이었다. 하지만 에바는 그것을 담담히 받아들이지 못하고 절친과 절교했다. 그러고는 바르바라가 사라지길 바랐고, 자신의 사악한 소원이 이뤄진 다음에는 복수로 마르틴과 얽히면서 바르바라에 대한 기억을 더럽혔다. 옳지 못한 생각이었다. 하지만 마음이 약해져 방심해 있던 그녀에게 마르틴이 갑자기 들이댔고, 에바는 싫다고 거절하지 못했다. 마르틴이 자기 이익을 위해 그녀를 유혹한 것이었다. 곰곰이 생각해 보았지만 그게 분명했다. 마르틴은 그녀의 입을 막고 싶었고, 어떡하든 그녀를 자기편으로 만들려고 했다. 그렇게 마르틴은 그녀를 유혹했고, 그녀는 바보처럼 단숨에 무너졌다.

쓰레기 냄새가 진동하는 로사스의 그 호화로운 별장의 악취를 떠올리면 속이 메슥거린다. 허망한 느낌만 순간적으로 스쳐 갈 뿐이다. 짙붉은 깜빡이등들이 요란한 마르틴 방. 아버지의 방에서 슬쩍 가져온 물침대. 더피[에이미 앤 더피, 더피(Duffy)라는 예명으로 알려진 영국 가수: 옮긴이]의 노래. 쓰디쓴 술맛. 그의 위선적인 손길. 그런데 그녀는 그 짐승만도 못한 놈에게 정신이 팔린 나머지, 사랑에 빠져 허우적거렸다. 너무나도 달콤한 말들을 곧이곧대로 그대로 믿으면서. 그가 자기 때문에 미쳤다고 믿으면서. 어떻게 그렇게 눈이 멀었을까? 너는 내가 바르바라에게 무슨 짓을 했다고 믿지 않겠지……. 그리고 에바는 마르틴이 연관되어 있을 수도 있다는 생각이 들어서, 한순간 두려웠던 기억이 난다. 자기 역시 피를 흘리며 죽을 수도 있다는 두려움이 들었다. 어쩌면 그 미세한 행동의 변화 때문이었을 수도 있었다. 그게 입술의 떨림으로 전해져 자꾸 눈을 깜빡이게 되었고, 그래서 환상이 깨지면서 술 저장 창고 사건이 일어났는지도 모르겠다. 잠시 후 마르틴은 그 작은 사고를 수습하려고 했다. 하지만 두 사람 사이에는 이미 불신이 자리 잡았다. 돌아오면서는 실종된 친구에 대한 치사한 배신

행위가 특히나 더 심해졌다. 그날 차 안에서 마르틴은 바르바라에 대한 험담을 늘어놓았다. 그는 바르바라가 아주 질이 나쁜 갈보라고 말하며, 자기를 연관시키지 않겠다는 약속을 에바에게서 받아 냈다. 그리고 에바는 그걸 받아들이고, 그렇게 했다. 사실, 불쌍한 바르바라보다 그녀가 훨씬 더 질이 나쁜 아이였다.

그렇지만 로사노 형사 역시 그녀를 범인처럼 대했으니 에바가 거짓말을 해도 할 말은 없다. 그는 그녀들이 싸웠는지, 그녀가 바르바라에게 앙금이 남아 있는지, 그녀들 사이에 잘못 얽힌 무언가가 있는지 알고 싶어 했다. 그래서 에바는 그에게 그렇다고, 자기네가 싸웠다고, 하지만 마르틴 때문이 아니라 역사 선생 로페스 때문이라고 했다. 뭐라고? 왜 그랬지? 로사노가 즉각 반응을 보였다. 빙고. 에바는 생각했다. 그러고는 학기 내내 꼼꼼하게 메모까지 하면서 한을 품고 마음 속 깊이 묻어 두었던 모든 모욕을 주절주절 얘기했다. 에바는 그에게 바르바라가 로페스 선생을 좋아했다고 말했다. 그리고 그것은 확실한 사실이었다. 바르바라가 로페스에게 요염을 떨었다고도 말했는데, 그것도 사실이었다. 로페스 선생 역시 농담 반 진담 반으로 바르바라를 농락했다고 말했으며, 그것도 명백한 사실이었다. 가끔 둘만 몰래 남았다고 말했으며, 그것은 바르바라의 입을 통해 그녀만 알고 있던 사실이었다. 에바는 다분히 악의를 섞어 진실들을 얘기했으며, 사춘기 소녀의 말이 누군가의 삶에 그렇게 치명적인 무게를 드리우리라고는 전혀 생각도 하지 못했다. 에바는 로페스를 깊은 절망의 나락으로 밀어 넣었다. 하지만 그녀는 전혀 후회하지 않았다.

에바는 로페스 선생의 애제자 클럽에 한 번도 끼지 못했다. 로페스 선생이 그녀를 일부러 그 클럽에 입회시키지 않았는지, 아니면 그녀가 기분 나빠 자진해서 멀리했는지는 확실치 않다. 로페스는 수업 시간 이외에 예쁜 아이들만 따로 불러 모으던 잘난 척이 심한 선생이었다. 그리고 그 클럽은 로페스를 에워싼 맹목적인 모임으로, 그의 농담에 깔깔거리고 웃으면서 지성인인 척하며 놀았다. 그들은 이해도 하지 못하는 영화에 대해 토론하고, 지겨운 책들을 읽는 척했다. 수업 시간에 여자아이들은 로페스 선생의 눈길을 서로 받으려고 다퉜다. 로페스 선생이 아무 악의 없이 툭 하고 엉덩이를 때리거나, 농담을 하면 서로 좋아 죽으려고 했다. 그리고 그들 중에 바르바라도 있었다. 어느 날, 바르바라를 눈여겨보던 로페스는 그녀에게 가까이 오라고 하더니, 바로 그 모임의 리더 자리에 앉혔다. 바르바라는 아무도 불만을 터뜨리지 않는 그 바보 같은 작자에게 넋이 나가 있었다. 그러던 어느 날, 바르바라의 아빠 페페 몰리나가 로페스의 얼굴을 박살 냈다. 에바는 떨 듯이 기뺐다. 로페스는 당해도 쌌다. 진작 다른 아버지들이 그렇게 했어야 했다. 다행히, 마지막 순간에 모든 것이 밝혀지고, 모두에게 알려졌다. 그렇지만 순식간에 모든 것이 덮였다. 위선자들. 로페스는 풀려났고, 그래서는 안 되었다. 로페스는 변태, 성폭력, 미성년자 성폭행, 바르바라를 살인한 죄목으로 철창에 갇혀야 해. 에바는 결론 내렸다. 그게 그녀가 늘 굳게 지켜 온 믿음이었다.

그런데 이제 와서? 지금 와서 보니, 바르바라는 살아 있었다. 이걸 어떻게 받아들여야 하지? 그리고 어쩌면 자신이 이 세상에서 그 사실을 알고 있는 유일한 사람일 수도 있다. 아니, 아닌가? 에바는 바르바라의 외침 소리를 머릿속에서 지울 수가 없다. 나를 도와줘! 그것은 바르바라가 자유롭지 못하다는 뜻이며, 목숨이 위태롭고, 위협을 받고 있거나, 아니면 갇혀 있다는 의미다. 그리고 에바는 순식간에 자기에게 부여된 책임 때문에 더욱 힘들어한다. 자기, 바로 자기에게 전화를 걸다니. 나쁜 친구이자 배신자인데.

에바는 잠시 심사숙고한다. 생각에 잠긴다. 그녀는 자기 행동이 옳았다고, 지금까지 자신을 설득했다. 마르틴에게 쏠렸던 관심을 로페스에게 향하게 하면서 수사 방향을 바로 짚어 주었다고 생각했다. 로페스가 바르바라를 해코지한 사람이니까. 하지만 확실하지 않다는 것은 인정해야 한다. 로사스 별장의 술 저장 창고에서 벌어진 일을 아무에게도 애기하지 않았으니, 더욱 그렇다. 그녀가 술 저장 창고의 문손잡이를 돌리려는 순간, 마르틴이 그녀를 보고는 벼락같은 고함을 질렀다. 마르틴의 두 눈에서 어떻게 불똥이 튀었는지에 대해서도, 그 안에 담겨 있던 분노에 대해서도, 그녀를 때리려고 손을 올렸던 것에 대해서도, 그리고 그녀가 두려움에 질려 계단 위로 어떻게 도망쳤는지에 대해서도 아무 말 하지 않았다. 에바는 자기의 데이트가 알려져 사람들의 입에 오르내릴까 봐, 그 얘기는 아무에게도 하지 않았다. 그때는 그게 그녀에게 매우 중요했다. 마르틴은 나중에 방에서, 그녀가 죽을 수도 있었다며 애써 변명했다. 그의 할아버지가 계단에서 미끄러져 머리가 깨졌으며, 그래서 아무도 그 아래로 내려가는 것을 원치 않는다고 했다. 그리고 에바는 그 말을 믿고 싶었다. 하지만 그녀는 마르틴이 버럭 화를 낸 이유에 대해서는 몇 번이나 곰곰이 생각해 보았다. 술 저장 창고에 뭘 숨기고 있는 걸까? 그녀에게 보여 주고 싶지 않은 게 대체 뭘까? 그리고 지금, 그녀에게 도움을 청하는 바르바라의 절박한 전화에 그 사건이 다시 떠오르면서 서로 연결되었다. 어쩌면……. 에바는 감히 문장을 완결 짓지 못한다. 어쩌면……. 양손이 부들부들 떨리기 시작하면서 슬픔에 잠겨 생각한다.

에바는 영어 숙제를 한쪽으로 밀어 놓고, 전화기를 든

다. 그녀는 거실 작은 탁자에 놓여 있는 전화번호부에서 어렵지 않게 로사노 형사의 내선 번호를 찾아낸다. 로사노 형사는 그녀가 원하든 원치 않든, 자기 번호를 메모하게 하고는, 만일 바르바라에 대한 무슨 작은 흔적이라도 나오면 바로 알려 달라며 귀에 못이 박이도록 말했다. 로사노 형사는 좀 모자라 보였지만 자기 일은 열심히 하는, 진지한 사람이었다. 그 형사라면 이런 경우 어떻게 해야 할지 알 것이다. 이번에는 로사노 형사에게 모든 걸 털어놓고, 아무것도 숨기지 않을 생각이다. 그에게 거짓말하고, 마르틴에게 얼이 빠져 저지른 부끄러운 행동을 만회할 것이다. 그녀는 이제 어른이고, 어릴 때 저지른 잘못들을 인정할 수 있다.

안녕하세요? 좋은 아침입니다. 에바가 허둥거렸다. 아니면 좋은 오후인가? 로사노 형사님과 통화할 수 있을까요? 그녀가 시계를 바라본다. 오후 3시 15분. 아침 인사를 해야 할지, 오후 인사를 해야 할지, 애매한 시간이다. 영국인들이 훨씬 이성적이다. 12시 이후에는 오전이 아니니까. 그리고 그때 점심 식사를 하니까. 무슨 일이시지요? 에바가 망설인다. 로사노 형사가 아니면 아무하고도 말하고 싶지 않다. 개인적인 얘기인데요. 에바가 확실하게 못 박는다. 전화선 너머로 더욱 겁을 주는 듯한 목소리가 들려온다. 그럼 성함과 전화번호를 남겨 주세요. 에바는 대답하지 않는다. 기분이 안 좋다. 괜히 긁어 부스럼을 만들고 싶지 않다. 지금은 경찰에 전화한 게 후회된다. 누구시지요? 성함은요? 에바는 부당하게 의심받던 예전의 기분이 되살아나, K2 등반 중간에 산소가 부족할 때처럼 숨을 헐떡이며 전화를 끊는다. 신경이 바짝 곤두서고 예민해진다. 이제 어떡한담?

하지만 에바는 일어나, 습관처럼 영어 학원 파일을 든다. 파일이 친구 같기도 하고, 지나치게 큰 가슴을 가려 주기도 한다.

에바는 그런 상황이라면 누구라도 할 만한 행동을 취할 생각이다. 바로, 바르바라네 집으로 가는 것이다.

7

살바도르
로사노

살바도르 로사노는 이쑤시개 한 개를 슬쩍 호주머니에 집어넣은 후 사무실에서 이를 쑤시며 혼자 토니 수레다를 기다린다. 그는 마른 대구 요리를 좋아하지만 먹고 나서는 늘 후회한다. 아내가 약국에서 파는 휴대용 칫솔을 선물했는데, 그것을 늘 잊고 다닌다. 전화교환원인 이사가 이름을 밝히지 않은 어떤 여자아이가 그를 찾았다고 했다. 데이터에 나와 있는 번호를 확인하고 누구인지 말해 줘. 그가 대답한다. 중요한 일이면 다시 전화를 걸어 그를 찾을 거라고 확신한다. 혹시 페페 몰리나가 아닐까? 페페는 경찰서 밖에서도 그를 찾는 데 아무 문제가 없다. 심지어는 그가 매일 모닝커피를 마시는 카페까지 찾아오기도 했다. 바르바라의 아버지가 아니었다면, 그 사건은 이미 옛날에

잊혔을 것이다.

별다른 희망이 없는 사건일세. 로사노는 처음부터 수레다 형사에게 털어놓는다. 수레다는 모범생처럼 메모지와 볼펜을 손에 들고 까만 눈, 아주 새까만 눈을 초롱초롱 빛내며 관심을 보이며 그의 앞에 앉아 있다. 와인을 마셨나 보군. 로사노는 의심한다. 디저트를 먹으면서 야한 농담이나 과장된 모험담을 늘어놓았나 보군.

자, 시작해 보지. 로사노가 해당 문서들을 모두 꺼내 책상 위에 펼쳐 놓으며 말한다. 4년 전, 바르바라 몰리나가 가출했네. 그때 당시 열다섯 살 소녀였지. 별다른 동기도, 분명한 이유도 없이 가출했네. 2005년 3월 22일 화요일, 그녀는 자필 메모 한 장을 남겨 뒀네. 서둘러 급하게 쓴, 사춘기 소녀의 메모였지. 꽤 분명하고 확실하고, 비극적이네. '나 떠나요. 찾지 마세요. 바르바라.' 아이의 어머니 누리아가 아무 수확 없이 친구들과 지인들의 집을 찾아다니다가, 다음 날 우리에게 전화했네. 아버지 페페 몰리나는 경찰에 신고하는 걸 반대했지만, 아내가 고집을 피우는 바람에 한발 물러섰지. 혼자 가출했으니 실종은 아니었지만, 미성년자라 위험한 일은 막고 싶었네. 그래서 부활절이 코앞이었지만 바로 수사에 착수하고, 그에 따른 적절한 조치를 취했네. 아이 어머니가 화요일 아침에 메모를 발견했는데, 나는 목요일 오후에 휴가를 떠나려던 참이었네. 전부 예약

한 거라, 취소할 수도 없었지. 로사노는 있지도 않은 가상의 친구에게 얘기하듯 꽤 친절하게 덧붙인다. 이 사건과는 상관없는 얘기지만, 정말 오랜만에 식구들하고 떠나는 휴가라서. 자네도 잘 알다시피, 우리는 거의 쉬지 못하고, 어디를 가든 항상 일을 달고 다니지.

로사노는 그렇게 말한 후 얘기를 다시 시작하며, 기계적이고 프로다운 말투를 되찾는다. 처음에는 어려운 사건으로 보이지 않았네. 초동수사로도 이미 충분히 맥을 짚을 수 있었거든. 학교 성적이 끔찍하게 나쁜 것은 단지 빙산의 일각이었네. 그 아래에는 얼마 전 겪은 실연으로 뒤흔들린 사춘기 소녀의 방황이 숨어 있었지. 며칠 있으면 후회하며 돌아와 친구에게 충고를 구하며 헤어진 남자 친구와 다시 만나거나, 아니면 경찰들이 찾아낼 거라고 나는 긍정적으로 생각했네. 그렇지만 여자 친구들은 아는 게 아무것도 없었네. 그들은 바르바라가 어디로 갔는지, 전혀 알지 못했네. 그렇지만 모두 한 명의 남자아이를 지목했지. 모두 한결같이 일치하더군. 바로 마르틴 보라스였네. 스물두 살에, 엑스쿠르시오니스타 클럽 산 가브리엘 지부의 멘토로, 바르바라도 1년 전부터 그곳에 다니고 있었지. 그들은 가끔 주말에 산에 오르고, 부활절 캠프도 준비했네. 토요일 오전마다, 바르바라 집에서 아주 가까운 의회 건물이 있는 우르헬 거리 교구에서 모였지. 그렇지만 마르틴은 여느 멘토들과는 거리가 멀었네. 말하자면 좀 날라리 같은 면이 있었지. 그는 ESADE의 경영학 과정 1학년을 두 번째 다니고 있었네. 스키를 타러 다니고, 가끔 클럽에서 마약도 했는데, 운전면허 시험은 한 번에 통과했네. 그는 잘 나가는 청년이었네. 공부는 잘 못했지만 자기가 관심이 있는 분야에서는 꽤 똑똑했지. 당연히 잘생겼고. 멋 내는 스타일이네. 외출하기 전에 거울 앞에 몇 시간이고 붙어 있는 스타일 말일세. 바지를 내려 입고, 연구한 포즈를 취하고, 외향적이고, 농담 잘하고, 꽤 사교적이지. 그는 외국어 두 개를 구사하고, 꽤 좋은 명문 학교 세 군데에서 교육을 받았네. 물론 중등과정 4학년과 고등과정 2학년 때 낙제를 하기는 했지만 말이야.

수요일 오후에 내가 직접 마르틴을 찾아갔는데, 그는 목요일에 에스타르트티트에 있는 시골 별장으로 떠나려고 가방을 싸고 있었네. 부모가 런던으로 여행을 가고 없어, 혼자 있었지. 그가 진짜 자지러지게 놀랐다고 확신할 수 있네. 그는 아무것도 모르고 있었네. 바르바라는 그에게 아무 말도 하지 않았고, 게다가 자기는 이제 바르바라와 완전히 끝난 사이라고 확실하게 밝히더군. 그들은 헤어진 사이였네. 언제? 얼마 전 일이었지. 바로 그 전주 주말이었다네. 마르틴은 성 요셉의 날 밤인 19일 토요일에 바르바라를 마지막으로 만났고, 그 이후에는 전혀 아는 바가 없다고 했어. 헤어진 이유를 밝히라고 하자 마르틴은 꽤 민감해져 버벅거리며 변명을 하더군. 우리 일입니다, 라고 간단히 말하더라고. 그냥 내버려 두었지. 처음에는 너무 무리하게 밀어붙일 필요가 없다고 생각했거든. 게다가 그의 휴대전화와 메신저, 이메일까지 조사할 구실도 없었고. 모든 게 깨끗했네. 재떨이에는 대마초 흔적이 남아 있었어. 하지만 나는 아무 말 하지 않고, 그냥 자료만 메모했어. 그에게 바르바라에 대해 아는 게 있으면, 바로 우리에게 연락을 취하라고만 확실하게 밝혀 두었네.

그리고 나는 계속 수사를 진행했지. 바르바라의 담임 선생인 레메디오스 코마스를 만났네. 그녀는 쉰두 살로, 스페인 문학 석사를 한 후 레반테 학교에서 22년 전부터 스페인어를 가르치고 있네. 그녀는 대충 우리가 아는 사실을 말하더군. 바르바라는 똑똑한 아이다, 하지만 문제가 있으며 공부를 소홀히 하는 편이다, 이런 식이었지. 바르바라는 모든 과목에서 낙제했고, 어쩌면 그 때문에 하늘이 무너진 기분이었을 수도 있네. 내가 보기에 그 여선생은 무뚝뚝하고 퉁명스러웠네. 그녀는 두어 번 무슨 말인가를 하려다가 그만두었어. 그녀는 생각한 뒤 대답했고, 절대 감정에 휩쓸리지 않았지. 학기 내내 바르바라와 매우 긴밀한 관계를 유지했고, 왜 성적이 잘 나오지 않았는지 분명히 그 문제를 알고 있는 담임 선생치고는 꽤 놀라운 반응이었지. 그리고 나는 평소에 으레 하는 질문을 던졌네. 바르바라의 가출을 설명할 만한 다른 이유가 있을까요? 그리고 그녀는 이 질문에서 잠시 머뭇거렸네. 나는 사람들이 신중한 건지, 두려워하는 건지, 감추려고 하는 건지는 꿰뚫어 볼 정도로 이 분야에서는 꽤 베테랑이지. 그녀는 세 번째였어. 그녀는 자기가 하려는 말에 제동을 걸기는 했지만 성공하지는 못했네. 그녀는 누군가를 끌어들이고 싶어 하지 않았어. 어쩌면 손가락을 들어 누군가를 콕 지목하기가 치사해 보였을 수도 있겠지. 막연한 느낌만으로 심각한 사건의 용의자로 지목하기가 말이야. 우리 모두 형사 놀이를 하며, 우리 모두 나름대로 이론을 갖고 있고, 우리 모두 확실하게 현실을 조사하지. 그리고 우리는 그 현실이 방정식처럼 풀 수 있는 수학 공식이길 바라지. 어쩌면 레메디오스 코마스 선생 역시 자기 나름대로 가정하고 있는 게 있었네. 그래서 나는 모든 게 더욱 분명해진 다음에 만나서 물어봐야겠다고 생각했어.

나는 다시 바르바라 부모와 얘기해 본 후 그들이 무척 다르다는 걸 알았네. 그들은 바르바라의 사춘기 때문에 여러 번 심각하게 충돌했었네. 페페 몰리나는 엄격하고 진지하고, 딸의 시간표와 친구들을 엄격하게 통제하는 편이지만 보석 판매상이라는 직업 때문에 꽤 자주 출장을 다녀 아내 누리아에게 책임을 전가했지. 그런데 어머니는 훨씬 너그리웠고, 딸이 들락거리고 다니는 것을 덮어 주었네. 이런 견해 차이로 그들은 이미 여러 번 다투었지.

바르바라의 가출에는 세 가지 이유가 있었네. 가족 간의 갈등, 나쁜 학교 성적, 남자 친구와의 싸움. 바르바라는 돈 한 푼 없이 집을 나갔네. 옷 몇 벌하고 세면용품만 달랑 가방에 챙겨 들고 나갔어. 일주일 안에 순찰차가 거리에서 노숙하는 그녀를 발견하지 못한다면, 바르바라가 그 후에 꼬랑지를 내리고 돌아오도록 확실하게 일을 밀어붙여야만 했네. 나는 그녀의 사진을 배포한 후 짐을 챙기고, 능력 있는 팀에게 그 사건을 맡겼네. 말도나도 경사가 그 사건을 맡았고, 나는 목요일 오후에 아내가 꿈꾸던 라 망가 델 마르 메노르를 향해 운전했네.

그렇지만 25일 금요일 새벽 6시 15분에 말도나도 경사의 전화 한 통이 나를 침대에서 끌어냈네. 단 몇 시간 만에 모든 일이 급박하게 돌아가, 사건이 매우 복잡해졌지. 말도나도 경사가 나에게 간략하게 보고했네. 바르바라 어머니가 새벽 2시쯤 그들에게 비상을 걸었지. 그 전날 밤, 그녀와 남편은 신용카드가 한 장 없어졌다는 걸 알았네. 그들은 바르바라가 가져갔을 거라고 아주 제대로 추측했지. 그래서 지출 내역을 알아보기로 하고는, 바르바라가 화요일에는 산츠 역에서, 바로 그날 목요일에는 빌바오에서 돈을 인출했다는 사실을 인터넷으로 확인했네. 누리아의 여

동생 엘리자베스가 빌바오에서 살고 있고, 바르바라는 이모네 부부와 아주 잘 지내는 편이었네. 몰리나 부부가 이미 그들에게 전화를 걸어 보았지만, 그들은 집에 없었고, 휴대전화도 받지 않았네. 그들은 요트를 갖고 있었고, 항해를 아주 좋아했지. 어쩌면 먼바다에 나가 있을 수도 있었네. 그렇다면 아파트는 비어 있을 테고, 바르바라는 어쩌면 빌바오에서 길을 잃고 헤매고 있을지도 몰랐지. 바르바라 아버지는 바로 차를 몰아 빌바오로 향해, 처제네 집 앞에 도착했네. 말도나도 경사도 아주 적절하게 대처했지. 그는 즉시 바스코 주 경찰서에 연락을 취했고, 바르바라 아버지에게도 전화를 걸어 바르바라를 찾을 수 있는 단서가 나오면 바로 연락을 취해 달라고 당부했네. 그런데 페페가 갑자기 폭발하며, 자기 딸을 찾는 데 경찰은 필요 없다고, 집안일이라고, 딸만 찾으면 모두 해결될 거라고 말했던 것 같아. 그러는 동안, 바스코 경찰은 술로아가 부부가 사는 아파트 단지의 이웃 주민들을 탐문해 수확을 거뒀지. 술로아가 부부와 같은 층인 3층 2호에 사는, 나이가 지긋한 독신 자매가 바르바라가 목요일 오후 1시쯤, 이모네 아파트의 벨을 계속 누르고 있었다고 증언했네. 그들은 바르바라를 몇 번 봐서 알고 있었어. 그래서 이모네가 여행 갔다고 설명하자, 바르바라가 울음을 터뜨렸다더군. 그들은 바르바라를 집에 들이고 스테이크와 콩 요리를 주었고,

배고픈 바르바라는 감사히 먹었어. 바르바라는 이모와 이모부를 놀래 주려고 혼자 여행을 왔는데, 어디에 갔는지 모르겠다고 설명했네. 바르바라는 그 집에 더 머무르고 싶어 하지 않았네. 그녀는 자기에게 돌아가는 버스표가 있다고 맹세하고 또 맹세한 후 떠났네. 그러고는 더는 알려진 바가 없어.

아버지는 새벽에 도착해, 그 동네에 있는 바들을 죄다 뒤지고 다녔네. 사람들이 아이를 봤는지 묻고 다니던 그를 기억하고 있었지. 마침내 새벽 5시 45분, 아버지가 빌바오의 이모네 아파트 앞을 지키는 동안, 경찰은 항구 도시의 거리들을 헤매고 다녔네. 그런데 그때, 바르바라가 레리다에서 느닷없이 자기 집으로 전화를 걸었어. 어머니에게 도움을 청하며 다급하게 소리를 지른, 단 한 번의 전화 통화였지. 그리고 그 통화는 바로 끊겼네. 본부에서 즉시 위치 확인을 했는데, 세그레 근처에 있는 레리다의 한 공중전화 부스에서 건 전화였네. 십 분 후 경찰은 바닥에 바르바라의 가방이 놓여 있고 사방에 피가 튀어 있는 부스를 발견했네. 가방 안에는 바르바라의 신분증이 전부 들어 있었지만 휴대전화는 없었네. 증인도, 단서도 없었고.

그리고 거기부터는 완전히 미스터리야.

로사노는 물을 한 컵 들이켰다. 그 순간을 떠올리면 아직도 입이 바짝 마른다. 그는 물 한 모금을 더 마시고, 계속 말을 잇는다. 결국 나는 휴가를 완전히 취소해야 했네. 사건이 매우 심각하며, 내가 있어야 한다는 감이 바로 들었거든. 그리고 내 예감은 적중했지. 우리는 전화나 신고, 증인이 나타나길 기다렸지만 아무 소용이 없었네. 공중전화 부스에 남겨진 지문과 흔적들을 꼼꼼히 조사했네. 모두 허사였지. 바르셀로나로 돌아온 페페는 신경이 있는 대로 곤두서서, 나를 계속 귀찮게 했지. 그는 우리가 얼른 행동하길, 사람들을 붙잡아 들이길, 자기 딸을 찾아내길 바랐네. 그가 언론에 대고 경찰에 대해 악다구니를 했기 때문에 나는 그를 붙들어 매야 했네. 이해는 갔지. 그는 흥분해 있었어. 바르바라 어머니는 점점 위축되어 기가 푹 죽은 반면, 아버지는 포스터를 붙이고 시위대를 조직했는데, 오히려 그게 사건을 더 복잡하게 만들고 수사를 어렵게 했지. 세상 끝까지라도 딸을 찾아 나서겠다고 기자회견을 열 수 있는 남자, 또한 자기 손으로 직접 정의도 실현할 수 있는 남자였네. 몇 주 후 그가 역사 선생 헤수스 로페스의 얼굴을 갈아엎었네. 그때 갑자기 그 선생이 온통 의심을 받았거든. 이런, 내가 좀 앞서 나갔군.

나는 다시 바르바라의 부모와 여자 친구들, 가까운 친척들과 만나며 마라톤 수사를 재개했네. 바르바라 주변을 제대로 알아야 했거든. 그리고 나는 어머니를 압박 수사했네. 어쩌면 그녀가 바르바라에 대해 가장 많이 아는 사람일 테니까. 그리고 어쩌면 더 많은 비밀을 감추고 있을 수도 있고. 그리고 사실이 그랬네. 한번은 누리아와 단둘이 얘기를 하는데, 그녀가 허물어져 털어놓았지. 실종되기 석 달 전, 그녀가 딸의 양팔과 양다리에서 맞은 자국과 칼에 베인 흔적들을 발견했다는 걸세. 바르바라가 항상 욕실 문을 잠그기 때문에, 누리아는 그 점을 특히 강조했는데, 그녀는 정말 우연히 욕실에 들어갔다가 샤워를 마치고 나와 수건으로 벗은 몸을 닦고 있던 바르바라를 본 거야. 그때 바르바라는 그녀를 보고 소스라치게 놀랐다네. 바르바라는 여자 친구의 오토바이에서 떨어졌는데, 엄마를 놀라게 하고 싶지 않았다고 거짓말을 둘러댔지. 그중에서 누리아가 가장 이상하게 여긴 부분은 양팔의 베인 자국들이었네. 보이지 않는 곳이지만 꽤 안쪽에 있는 아픈 곳이었지.

누리아는 간호사라, 그런 상처들이 종종 자해한 흔적이라는 걸 알고 있었어. 어머니가 딸을 벽에 몰아세웠지만, 바르바라는 온몸으로 부인했네. 자기에게 상처를 입힌 사람도 없고, 그렇다고 자기가 직접 자해한 것도 아니라고 완강하게 부인했지. 누리아는 오토바이에서 떨어졌다는 얘기를 믿기로 하고, 남편에 대한 두려움과 그의 격렬한 반응이 더 걱정되어 입을 다물었네. 그러니까 바르바라가 가출하기 전에 그녀에게 폭행을 가한 사람이 있었다는 거지. 어쩌면 그녀의 남자 친구일 수도 있고, 어쩌면 우리가 모르는 누군가일 수도 있지. 친구인 에바 카라스코가 깜짝 놀라더군. 그녀는 아무것도 모르고 있었네. 그리고 열 살밖에 되지 않은 동생들은 그 상황에 주눅 들어, 우리에게 거의 아무 도움도 되지 못했어.

반면에 이모 엘리자베스 솔리스와 이모부 이냐키 술로아가는 바르바라에 대해 아는 게 많았고, 조카가 자기네를 그 어느 때보다 필요로 한 때에 함께 있어 주지 못해 많이 속상해했지. 그들은 젊었네. 당시 서른여섯, 서른아홉이었고, 긍정적인 사람들이었지. 그리고 그들은 그렇게 많이 슬픈 와중에도 아주 환하고, 아주 사랑스러운 바르바라의 몽타주를 만들 수 있도록 도와주었네. 우리가 부모를 통해 알게 된 바르바라보다 훨씬 덜 불손한 모습이었지. 정말이지, 그들은 조카가 문제가 생겼을 때 찾아갈 수 있는, 개방적이고 자유롭고 다정한 커플이지. 하지만 멀리 떨어져 있다는 바로 그 점 때문에, 그들은 조카의 문제를 거의 도와주지 못했지. 물론, 늘 감사한 마음이 드는 시원한 바람 한 점과도 같은 존재였다는 것을 제외하고는 말이야.

잠깐만요. 수레다가 그 자료에 관심을 보이며 말을 가로막는다. 바르바라의 이모와 이모부는 집에 없었고, 휴대전화도 수신 가능 지역에 있지 않았다고 하셨습니다. 그들은 어디에 있었던 겁니까? 대서양 연안의 시에스섬으로 가던 중이었네. 그들은 실종 사건을 알자마자 바로 방향을 틀어 돌아왔네. 수레다가 다시 로사노의 말을 끊는다. 누가, 어떻게 그들에게 연락을 취한 건가요? 로사노가 머리를 긁적인다. 확실히, 그 부분은 급박하게 돌아가던 그때 상황에서는 무의미하다고 생각했었다. 나도 모르겠네. 누리아가 그들에게 전화를 걸었을 수도 있지. 엘리자베스가 그녀의 유일한 혈육이거든. 수레다는 그냥 넘어가지 않는다. 이해가 되지 않습니다. 휴대전화가 수신 가능 지역에 있지 않거나 꺼져 있었다면, 어떻게 그들에게 연락을 취할 수 있었을까요? 로사노는 수레다의 말이 일리가 있다고 인정한다. 티끌 모아 태산인데, 누가 누구에게, 어떻게 연락을 취했는지 같은 그런 단서가 그 당시에는 그다지 중요하지 않았나 보군요. 죄송합니다, 죄송해요. 내가 너무 앞서 갔나 봅니다. 계속하시지요. 사실 수레다는 바르바라의 친척들이 어떤 사람들인지 잘 몰랐기 때문에 쑥스러워하며 사과한다.

로사노는 약간 주저하며 다시 이야기를 시작한다. 바르바라는 어렸을 때 이모 부부와 함께 많은 시간을 보냈네. 그녀는 자기에게 수영과 항해하는 법을 가르쳐 준 이모부를 많이 따랐네. 이냐키 술로아가는 해양 생물학자이며, 데우스토 대학에서 강의를 하고 있네. 흠잡을 데 없는 경력을 지닌 사람이지. 런던에서 3년 동안 자연사박물관에서 연구하며 박사 후 과정을 밟았네. 그는 그곳에서 블룸

즈버리 스쿨 스페인어 선생으로 일하던 엘리자베스 솔리스를 만났네. 이냐키가 빌바오에서 라몬 이 카할 장학금을 받은 후 그들은 함께 스페인으로 돌아왔네. 결혼식을 올렸고, 엘리자베스는 금방 고등학교 영어 선생 자리를 구해 취직했네. 술로아가는 여행을 좋아하고, 국제적인 감각을 지닌, 똑똑한 사람일세. 그는 〈사이언스〉 잡지에 두 번이나 글을 실었고, 무엇보다 다정다감한 사람일세. 그와 엘리자베스 사이에 자식이 없어서, 바르바라가 네 살에서 열네 살 때까지는 그들의 장난감이었네.

로사노는 말을 멈추고 수레다를 뚫어져라 바라본다. 나는 이 마지막 자료가 계속 마음에 걸리네. 왜 이모 부부와 조카가 멀어졌을까? 왜 최근 두 번의 여름방학에는 이모네로 가지 않았는지 묻는 순간, 나는 그들과 페페와의 관계가 팽팽하다는 걸 눈치챘네. 이냐키 술로아가가 조카가 방학을 보내러 다시 오지 않은 건 페페의 결정이었다고 조심스럽게 알려 주더군. 나는 그 부분을 집요하게 파고들었지만 더는 아무것도 밝히지 못했네. 그들 사이에 가치관과 교육관의 차이만 있었을까? 아니면 다른 뭔가가 더 있었을까? 페페는 동서를 무책임한 속물이라고 치부하고, 딸에게 좋은 모범이 되지 않는다고 믿었네. 페페는 그를 잘 알지는 못했지만 그가 술을 좋아하고, 바르바라에게 자기 나이에 걸맞지 않은 것들을 가르친다며 나쁘게 말하더군.

해양 갑각류를 찾아 밤에 배를 타고 나가는 것과 대학교수인 친구들과 파티를 열어 어울린 일을 말하는 걸세. 누리아는 바르바라가 이모네 삶의 방식에 황홀해했고, 그래서 그들은 딸이 자기 세상에서, 자기 또래의 아이들과 부모의 통제를 받으며 살아야 한다고 결정 내렸다고 단순하게 말했네. 이유야 어찌 됐든, 그들의 얘기를 통해 술로아가 부부가 바르바라를 진심으로 사랑했다는 건 확실해졌지. 아니면 적어도 그렇게 보였네. 자네도 잘 알다시피, 우리 일에서는 그 어떤 것도 확실하게 단정 지을 수 없네. 로사노가 덧붙인다. 정반대를 입증하지 못할 때까지는 전부 의심스럽지.

그래서 나는 다시 가장 강력한 용의자에게 돌아갔네. 바르바라가 사귀었던 남자 친구 말일세. 바르바라가 완전히 사라지기 하루 전 내가 심문했던 마르틴 보라스 말일세. 그의 지문이 바르바라의 가방에서 나오기는 했지만 공중전화 부스에서는 전혀 나오지 않았네. 금요일 새벽 5시 45분에 어디에 있었느냐는 질문에, 마르틴은 얼른 대답을 하지 못했지. 그는 결국 클럽에 있었다고 우리에게 말했지. 그에 따르면 자신은 목요일 오전 에스타르티트를 향해 출발해, 일요일 오전까지 그곳에 있었네. 부모가 런던에서 막 돌아왔기 때문에 그가 돌아온 건 입증됐네. 하지만 클럽의 친구들에게 물어보니, 그가 거짓말한 게 밝혀졌지. 마르틴이 무리 전체와 함께 소풍을 가기는 했네. 하지만 다른 여느 때처럼, 오토바이를 타고 밤에 사라졌다가, 아무 일도 없었다는 듯이 아침 일찍 나타났다는 거야. 마르틴은 목요일 밤에 파티에 갔다가, 10시쯤 시골 별장에서 출발했다고 말했어. 그는 금요일 오전 11시 반쯤 술 마신 흔적이 보이는 좀 지저분한 몰골로 나타났네. 그렇지만 그의 옷에서 핏자국을 본 사람은 아무도 없었네. 옷이 구겨지고 지저분하기는 했지만 핏자국은 없었네. 그가 그날 밤 입은 옷은 이미 세탁기에 들어갔다 나왔기 때문에, 불행히도 우리는 그걸 확인할 수 없었네. 알리바이는 약했어. 그에 따르면, 오랫동안 긴 심문 끝에 밝혀낸 바에 의하면, 그는 바르셀로나에서 아주 유명한 나이트클럽인 라스마타스에서 친구들과 파티를 했다고 했네. 그는 그곳에서 새벽 2시나 3시까지 춤을 추고 나서, 잠깐 눈을 붙이기 위해 자기네 별장으로 갔다더군. 그러고는 새벽에 다시 에스타르티트까지 오토바이를 타고 갔네.

증인은요? 수레다가 묻는다. 로사노가 눈썹을 찡그린다. 있네. 그와 함께 춤을 춘 여자 두 명과 술을 두 잔 얻어먹은 남자 친구 한 명일세. 증인들은 새벽 1시까지 얘기했다더군. 그리고 그 후에는 그를 목격한 사람이 아무도 없네. 수레다가 갑자기 고개를 치켜든다. 어떤 오토바이를 타고 다녔습니까? 야마하750. 수레다가 오토바이에 대해 많이 안다는 인상을 풍기며 휘파람을 분다. 시속 200킬로미터까지 낼 수 있어요. 그건 마르틴이 헤로나에서 빌바오까지 여섯 시간이면 갈 수 있고, 빌바오에서 레리다까지 세 시간에 갈 수 있다는 의미입니다. 그러니까 합하면……. 로사노가 그의 말을 가로막는다. 아홉 시간 이상일세. 그리고 그것도 단 오 분도 쉬지 않고, 바르바라와 아주 구체적인 시간, 구체적인 장소에서 만난다는 가정하에서지. 우리도 이미 그런 계산을 해 봤는데, 불가능하네. 레리다에서 바르바라가 전화한 시각은 새벽 5시 45분이었고, 마르틴은 그의 파티 친구들이 거짓말을 했다고 해도, 오전 11시까지는 레리다에 있을 수 없네. 그리고 증인들이 사실대로 말했다 해도 전혀 생각도 못 할 일이지. 수레다가 혀를 찬다.

그들이 만일 레리다에서 만났다면요? 수레다가 갑자기 질문을 던진다. 어떻게? 로사노가 당혹스러워하며 탄성을 내뱉는다. 만나면 되지요. 막판에 바르바라와 약속해서요. 바르바라는 목요일 오후 내내 시간이 있었고, 수천 가지 방법으로 올 수 있지요. 여러 조합이 가능합니다. 잠깐, 잠깐만. 로사노가 그를 가로막는다. 그런데 그들이 어떻게 연락을 했지? 마르틴에게는 바르바라한테 온 전화가 한 통도 없었네. 그러자 수레다가 위험천만한 가정을 내비친다. 어쩌면 바르바라에게 휴대전화가 두 개 있을 수도 있지요. 로사노가 화들짝 놀란다. 왜? 글쎄, 식구들에게서 교묘하게 도망치기 위해서지요. 수레다가 망설이지 않고 대답한다. 가출을 계획하고 있고, 평소 거짓말을 밥 먹듯이 하고, 아버지의 감시를 받는 여자아이가 사귀지 말라는 남자랑 부모 몰래 연락하기 위해 머리를 짜낸 거지요. 남편들은 아내가 자기 휴대전화를 뒤진다는 걸 알면 어떤 수를 씁니까? 카드 전화를 사서 몰래 숨겨 두고는, 아주 특별한 사람에게만 그 번호를 알려 주지요. 로사노 형사는 얼른 대답하지 못한다. 입만 헤벌린 채 멍하니 있는다. 또 하나의 휴대전화는 그들이 생각도 못 했던 또다른 가능성이다. 특정 번호만 걸기 위한 유령 휴대전화라니. 번호를 아는 사람들끼리 은밀한 놀이를 즐기기 위해 다른 사람의 명의로 등록한 휴대전화일 수도 있다. 처음에는 억지스러운 상황을 만드는 사람만이 생각할 수 있는 억지스러운 가정 같았지만, 곧 그렇지만은 않다는 것을 깨닫는다. 만일 그렇다면, 휴대전화 회사를 통한 많은 수사에 허점이 있을 수 있다.

로사노는 수레다가 뒤죽박죽 엉클어 놓은 생각들을 다시 정리해 보려고 노력한다. 자, 어디 보자. 자네는 바르바라가 마르틴의 휴대전화로 전화했을 수 있고, 마르틴이 레리다까지 오토바이를 타고 두 시간을 달려와 그곳에서 바르바라와 만났다는 얘기를 하는 건가? 못 할 이유도 없잖습니까? 수레다가 모험을 건다. 사건을 다른 방식으로 제기해, 용의자들의 리스트를 바꿔 보자는 겁니다. 누가 새벽 5시 45분에 레리다에서 바르바라와 바로 만날 수 있겠습니까? 로사노는 수레다의 말이 일리가 있다고 생각하고, 그의 방식을 따라 본다. 알았네. 로사노는 얼굴에 갑자기 화색이 돌며 말한다. 그게 맞다고 생각해 보세. 바르바라가 혼자 알아서 레리다까지 와서, 옛 남자 친구인 마르틴에게 전화를 걸어 화해하기 위해 자기한테 오라고 말했다 치자고. 그들이 헤어진 지 일주일도 되지 않았다는 점을 상기해 보세. 그리고 그 사건이 일어난 거지. 질투와 강간, 폭행 시도, 토요일 밤부터 질질 끌었던 사건이지. 바르바라가 도망쳐 공중전화 부스를 발견하고, 그녀가 전화를 거는 사이 마르틴이 못 하게 말리다가, 그녀에게 해코지하고, 교통수단이 있는 데까지 끌고 간다. 그에게는 오토바이가 있지, 그 점을 기억해 두세. 그가 오토바이를 타고 그녀를 어디로 데려갈까? 허허벌판? 바르셀로나? 로사스 별장? 수레다가 흥미로운 관찰을 한다. 로사스는 에스타르티트 옆에 있고, 선배님은 그의 부모가 런던에 있었다고 말씀하셨습니다. 그렇지. 로사노가 조심스럽게 수긍한다. 그렇다고 생각해 보자고요. 마르틴이 바르바라를 숨기거나, 버리기 위해 로사스로 데려갔다고 생각해 보자고요. 그가 늘 여자들을 데려가는 장소입니다. 그리고 그곳에서 범행이 일어난 겁니다. 아침에 마르틴은 아무 일도 없었다는 듯 11시 반에 캠프에 도착했고요. 물론, 그는 밤새도록 잠 한숨 자지 않았지요.

두 사람은 한순간, 아무 말 없이 가만히 있는다. 생각이 흘러가는 대로, 본능적일 정도로 자연스럽게 이야기를 풀어 나가다가, 그런 결론에 이르고는 깜짝 놀란다. 그러자 로사노는 수레다에게 우쭐거릴 틈도 주지 않고, 바로 수화기를 들어 통화한다. 그에게는 아직 영장을 발부할 권리가 있다. 야도? 나 로사노일세. 지금 수레다와 함께 바르바라 몰리나 사건을 검토하고 있네. 마르틴의 로사스 별장을 수색할 수 있는 영장이 필요해. 시신의 유해를 찾기 위해 순찰차도 한 대 보내고. 잘 알았지? 정원과 뒤뜰, 술 저장 창고를 잘 살펴보라고 하게. 나에게 바로 연락 주고. 로사노는 단호하게 전화를 끊고, 수레다를 뚫어지게 바라본다. 이제는 그가 애송이로 보이지 않는다. 젊을 뿐이다. 하지만 그 젊음이 사건에 새로운 활력을 불어넣어 준 셈이다.

어디까지 얘기했지? 로사노가 건성으로 묻는다. 아, 맞아. 그가 직접 대답한다. 마르틴 주변 조사였지. 우리는 그의 전화를 도청하고, 실종 전의 통화 내용을 수사했네. 바르바라와 전화한 기록은 전혀 없었네. 우리는 바르바라와 가장 친한 친구인 에바 카라스코와 함께 그를 심문했지. 둘이 서로 아는 사이고, 믿을 만한 소식통에 의하면 바르바라가 클럽에 나타나 그를 낚아채기 전까지는 마르틴과 서로 추파를 던지는 사이였다더군. 그들의 행동은 꽤 의심스러웠네. 대기실에서 에바는 경찰에 대한 불신과 불안감을 숨기지 않았네. 하지만 마르틴이 도청 장치일 수도 있는 기기를 손으로 가리키며 그녀를 조용히 시켰지. 그는 자기네가 기다리는 모습이 찍히고 있다는 것은 몰랐네. 그들의 행동은 작위적이었고, 특히, 특히나 뭔가를 숨기는 모습이었네. 경관이 나타나 마르틴을 심문실로 데려가려고 하자, 그는 근심스러운 표정을 지었네. 에바와 단둘이 있을 때인 단 오 분 전만 해도 그렇지 않았는데 말이야. 심문에서는 그다지 건진 게 없었네. 에바는 방어적으로 나왔고, 마르틴은 입을 다물고 있었네.

그들을 대질심문했지. 바르바라에게 어떤 개인적인 문제들이 있었을까? 두 사람 모두 요리조리 빼며 미꾸라지처럼 빠져나갔네. 그들은 바르바라를 통제하는 엄격한 아버지와 만나지 못하게 된 멋진 이모부, 박물관과 영화관들로 그녀를 현혹한 역사 선생, 형편없는 점수, 어린 동생들에게만 정신을 쏟는 어머니에 대해 말했네. 바르바라가 동생들을 질투했다더군. 하지만 이미 우리에게는 마르틴에 대한 미심쩍은 증거들이 있었네. 물론, 우리는 뭔가가 더 필요했고, 나는 그것을 찾아냈지. 그의 진료 기록을 조사해, 그가 바르셀로나의 테크논 정신병원에 입원했던 전력을 찾아낸 거야. 그는 열일곱 살 때 정신 질환 초기 증상을 보였네. 그때 같은 반 친구를 공격했고, 자기 어머니를 가위로 죽이겠다고 협박했었네. 부모가 꽤 신중하게 처신했지만 결국 내가 그 사실을 알아낸 거야. 정신 불안과 폭력, 특히 범죄 사실을 은닉한 증거 위조였지.

나는 위험을 감수했고, 마침내 그를 입건했네. 그리고 심문할 때 전보다 훨씬 혹독하게 굴며 꼬치꼬치 캐물었지만 얻어 낸 건 아무것도 없었네. 마르틴은 우리에게 많은 얘기를 하려고 하지는 않았지만 자기모순적이지도 않았고, 자기가 한 말을 번복하지도 않았네. 우리는 그가 거짓말하고 있다는 확신이 있었네. 그래서 부모가 우리를 고소하려 할 정도로 그를 불안하게 만들기도 했지. 우리에게는 시간이 얼마 없었네. 정말로, 그의 부모는 노발대발하며, 우리를 저지할 만한 아주 비싼 변호사를 선임했네. 바르바라의 여자 친구들이 그를 지목했고, 바르바라 어머니가 그를 지목했고, 나는 바르바라가 가출한 근본적인 이유가 마르틴과 헤어진 것과 토요일 밤 미스터리하게 싸운 것에 있다고 의심하고 있었네. 그것에 대해 확신하고 있었지. 그러고는 마침내, 마르틴이 입을 열었네. 노련한 로마고사 덕분이었지. 자네도 로마고사 알지? 그렇지? 아주 유능한 심문자이지. 어려운 사건이 있을 때는 그를 추천하네. 로마고사가 마르틴을 막다른 골목까지 몰고 갔고, 궁지에 몰린 마르틴이 입을 열었네. 어쩌면 마르틴은 자기가 그 말을 하는 순간에도 자기가 무슨 말을 하는지 몰랐을 거야. 바르바라가 자기와의 섹스를 거부했다는 거야. 그리고 그때부터는 믿을 수 없을 정도로 솔직하게, 그리고 꽤 담담하게, 자기는 거부당하는 것에 익숙하지 않으며, 자기가 세 번을 시도했는데, 세 번 모두 바르바라가 각기 다른 변명을 대며 그를 거부했다고 털어놓았네. 마지막으로 거부한 게 그 전주 토요일 밤이었다고 했지. 로마고사는 그에게 어떻게 했느냐고 질문하며, 그를 쉽게 코너로 몰고 갔지. 마르틴은 대답을 하지 않았네. 침묵은 많은 것을 의미하지. 무력을 사용했나? 때렸나? 강간했나? 마르틴은 모두 부인했네. 하지만 그는 자세한 설명을 덧붙였어.

그에 의하면, 부모가 런던으로 여행 가 있는 동안 바르셀로나에 혼자 있게 된 방학의 첫 주말을 이용해 자기 집에서 함께 밤을 보내자는 초대에 바르바라가 흔쾌히 응했다고 했네. 모든 것이 순조로웠지. 그들은 술을 마시고, 음악을 틀고 키스를 했지. 그런데 옷을 벗기려는 순간, 바르바라가 갑자기 아무 이유도 없이 소리를 지르며 그를 때리기 시작해 상황이 꼬였네. 그녀가 자제력을 잃은 거지. 아주 볼썽사나웠다더군. 그에 의하면, 아무 일도, 절대 아무 일도 일어나지 않았다네. 그는 바르바라를 히스테릭한 아이로 보았고, 당연히 짜증이 났지. 그는 그녀의 얼굴에 옷을 집어 던지고, 얼른 꺼지라고 했다더군. 그러고는 더 이상 그녀를 보지 않았네. 그 일은 바르바라가 사라지기 전 주말에 일어났네. 3월 19일 토요일, 성 요셉 날. 그들은 넉 달째 사귀고 있었고, 마르틴에 의하면 그들은 아직 완벽한 성관계를 갖지 못했네. 그리고 또 석 달 전에 바르바라는 친구 에바와 멀어졌네. 내가 알아본 바에 의하면 마르틴 때문이었지. 하지만 나는 이야기를 뒤섞고 싶지는 않아. 일단은 토요일 밤 얘기로 돌아가지.

마르틴에 의하면, 바르바라는 새벽 1시쯤 그곳을 떠났네. 그런데 그녀가 문 앞에서 거의 발악을 하며, 자기는 처녀라고, 자기를 갖고 놀 생각은 하지 말라고 난리를 쳤다더군. 그때 그녀는 부모에게 아직 성적표를 보여 주지 않았으며, 그 주 주말에는 멘토 정식 과정을 공부한다며 거짓말까지 했지. 누리아는 그 말이 사실이 아닐지도 모른다고 의심하면서도 허락해 주었고. 바르바라가 밤새도록 어디에 있었는지는 아무도 모르네. 문제는 그녀가 일요일 아침 옷이 찢긴 채 더러운 몰골로 자기 집에 나타났다는 걸세. 그때는 누리아도 남편에게 그 사실을 숨길 수 없었고, 그래서 남편이 바르바라에게 꽤 심하게 화를 내며 엄청난 난리를 피웠다네. 이 대목이 가장 의심쩍은 부분이지. 거의 믿기지는 않았지만, 바르바라는 가방을 강도당할 뻔했다고 변명했네. 토요일 밤, 실제로 무슨 일이 벌어졌던 것일까? 옷을 보면 분명히 강간 시도가 있었거나, 아니면 적어도 누군가로부터 폭행을 당했는데 말이야. 블라우스 단추들이 떨어져 나갔고, 입고 있던 팬티도 마찬가지였지. 바르바라가 팬티를 숨겨 두었다가 몰래 버렸지만 어머니가 쓰레기통에서 찢어진 팬티를 발견했네. 수레다는 이 모든 흔적을 읽은 후, 기적적으로 대답에 이르기라도 한 듯 결정적으로, 요란하게 휘파람을 분다. 로사노도 그 못지않게 낙천적이 되고 싶었지만, 토요일 밤의 이 구멍은 절대 해결할 수 없는 미궁 가운데 하나이다. 누가 바르바라를 폭행했을까? 로사노가 큰 소리로 혼잣말을 한다.

수레다가 그의 말을 중단시킨다. 마르틴의 증언은 설득력이 없습니다. 바로 그놈입니다. 그러자 로사노가 수레다에게 서류 한 장을 보여 준다. 마르틴이 말한 시각인 새벽 1시쯤, 바르바라가 바르셀로나에 있는 마르틴의 집을 나오는 것을 목격한 이웃집 여자의 증언일세. 카롤리나 베르헤스라는 쉰여덟 살 먹은 이 여자는 32년 전부터 옆집에서 살아온 미망인으로, 개를 산책시키러 나왔다가 막달라 마리아처럼 서럽게 울고 있는 바르바라를 보았지. 그녀는 바르바라를 달래 주려고 했지만, 바르바라는 원하지 않았네. 바르바라의 옷은 찢어져 있지 않았고, 그녀는 혼자 떠났네. 수레다가 풀이 죽어 입을 다문다. 정말이지 당혹스럽군요. 로사노 형사가 기침을 하며, 수북이 쌓인 서류 더미

속에서 다른 종이를 꺼내 수레다에게 건네준다. 수레다는 이제 메모를 하지도, 로사노 형사의 말을 멈추지도 않고, 그냥 듣고만 있다. 바르바라는 월요일에 성적표를 집에 보여 줘 난리가 난 다음, 화요일에 사라져 버렸네. 로사노는 멈추지 않고 계속 말을 잇는다.

마르틴이 증언한 내용 중에서 우리가 가장 놀란 부분은 바르바라가 그와 성관계를 갖지 않았다고 단호하게 말하고, 그녀 몸에는 손가락 하나 대지 않았다고 확언한 내용일세. 마르틴이 거짓말을 했거나, 다른 제3의 남자가 있다는 얘기지. 누가 바르바라를 때리고 상처를 입혔을까? 왜 그녀는 피임하고 있었을까? 왜 바르바라 몰리나는 최소 3개월 전부터 피임하고 있었던 걸까? 피임요? 수레다가 의아해한다. 로사노는 후임자의 관심이 기분 좋다. 그렇다네. 바르바라는 피임약을 복용하고 있었어. 좀 더 구체적으로 얘기하자면 약국에서 보통 처방전 없이 여자아이들에게 주는 재스민일세. 썩 내키지 않게 심문을 하던 중, 아버지가 놀라 어처구니없어하는 가운데, 어머니가 털어놓은 사실이네.

부부는 내가 보는 앞에서 싸웠네. 아버지는 아무것도 모르고 있었고, 딸에 대해 자기에게 숨기고 있었다며 아내를 나무랐지. 그러자 누리아는 가족 간에 문제를 만들고 싶지 않았다며, 그래서 자기가 여자 대 여자로 비밀을 지켜 준

거라고 말하며 울기 시작했네. 여자? 아버지가 폭발했지. 열다섯 살짜리 여자? 당신은 아이들이 몇 살 때 여자가 된다고 생각하는 거야? 어쩌면 당신은 아직도 여자가 아니고, 그 발치에도 가지 못했어. 혹시 바르바라에게 공부하라고 포르노도 사 줬어? 그들은 서로 험악하게 몰아세우며 적절하지 못한 곳에서 싸웠네. 그래서 나는 그들이 진정할 때까지 심문을 미루자며 뜯어말렸네. 그들은 창피해하며 돌아갔고, 나는 그들이 집에서 어떻게 싸울지 상상해 보았지. 결국에는 그 부부가 헤어질 거라고 생각했어. 불신의 벽을 견디기에는 상태가 너무 심각했던 거지. 어머니는 딸의 반항을 안타까워했고, 아버지는 딸이 여자라는 사실을 받아들이지 못했네. 불행 속에서 서로 의지하기에는 어려운 조합이었지.

하지만 다른 많은 부분에서도 그랬듯이, 이번에도 내가 착각했네. 모든 것이 분명해지고 확실해졌고, 모든 정황이 마르틴을 지목하고 있었는데도, 우리는 옴짝달싹하지 못하고 있었네. 앞으로도, 뒤로도 가지 못했지. 마르틴은 자기모순적이지도 않았고, 허물어지지도 않았고, 대조해도 소용없었고, 새로운 단서도 나오지 않았네. 우리는 혹시 마르틴의 가족이 어떤 증거나 흔적을 은폐하지 않았나 의심했지만 입증할 수 없었네. 그때, 우리가 그 어느 때보다 실의에 차 있었을 때, 그때까지는 그늘 속에 머물러 있었던 새로운 용의자가 등장했네. 바로 헤수스 로페스지. 선생이지요? 그렇죠? 수레다가 끼어든다.

로사노가 헤수스 로페스의 이야기를 시작하기 위해 다시 물 잔을 채우지만, 바로 그 순간, 돌로레스가 그들을 방해한다. 로사노 형사에게는 눈길도 주지 않고 바로 수레다에게 향한다. 반장님이 기다리세요, 형사님하고 얘기하고 싶어 하세요. 로사노는 마음이 불편해진다. 돌로레스는 이제 그는 신경도 쓰지 않는다. 도메네크 반장은 곧바로 수레다를 찾고, 이제 로사노는 있는 사람으로 치지도 않는다.

잘생긴 수레다 형사는 반장이 자기를 찾는 걸 반색하며, 얼른 사무실을 나간다.

로사노는 혼자 남아 시계를 보고, 환하게 웃는 바르바라의 사진을 보며, 언제, 어떻게 실수했는지 자신에게 되물으며 다시 이쑤시개로 이를 쑤신다. 그렇지만 그의 머리는 계속 돌아가며, 이번에는 생각지도 않은 방향으로 향한다. 속이 쓰리기는 하지만, 젊은 피가 녹이 슨 사건에 산소를 제공했다는 사실을 인정하는 수밖에 없다. 수레다가 그에게 좋은 교훈을 주었다. 다른 식으로 생각해야만 한다. 초점을 다시 맞추고, 다른 각도로 사진을 바라보고, 4년 동안 붙잡혀 있었던 괴로운 소용돌이에서 벗어나야 한다.

8

바르바라
몰리나

무슨 소리인가 들렸다. 확실하다. 4년 전부터 늘 나를 따라다니는 소리들을 알고 있다. 정원의 자갈들을 밟고 지나가는 자동차 바퀴 소리, 현관문 닫는 소리, 마룻바닥을 밟는 소리, 굶주린 창자처럼 쿨렁거리는 수도관 소리 등. 예외도 거의 없고, 누군가 함께 있는 경우도 거의 없다. 문틈으로 들어온 벌, 천장 구석에서 인내심을 갖고 조용히 거미줄을 치는 거미, 쥐만이 있을 뿐이다. 그것도 한참 전의 일이다. 그가 나를 위해 변기를 만들어 줄 때 하수구를 통해 들어온 것 같다. 그날 밤, 나는 자다가 기분 나쁜 소리에 잠이 깼다. 누군가 자기 소리를 듣고 있다는 걸 무시하는 뭔가가 내는 소리였다.

나는 담요를 얼굴까지 뒤집어쓰고, 어둠 속에서 어떤 짐승이 바로 내 옆에 있는지 상상해 보려고 노력하며, 겁에 질린 채 가만히 고개를 내밀었다. 나무를 사각사각 갉아 먹는 이빨 소리와 축축한 주둥이에서 가끔씩 흘러나오는 숨소리, 발로 먹이를 파헤치는 소리가 들려왔다. 나는 온몸이 마비되었고, 단 1밀리미터도 움직일 수가 없었다. 어떡하지? 어떡하지? 계속 생각했다. 그러다가 접시와 컵 들이 와장창 부딪히는 소리에 나는 간신히 정신이 들었다. 그 뒤를 이어, 미끄러지듯 몸으로 바닥을 기는 소리가 확실하게 들려왔다. 그 소리는 내 쪽으로 계속 전진해 오다가 잠시 멈춰 섰다. 그 순간 나는 더 이상 가만히 있을 수가 없었다. 단숨에 벌떡 일어나, 발을 헛디디며 불을 켰다. 그 순간, 그곳에, 매트 바로 옆에, 바로 내 코앞에 있는 그것을 보았다. 토끼만큼이나 커다랗고 시커먼 하수구 쥐였다. 놈은 도망치려는 기색을 보이기는커녕, 오히려 꼼짝도 하지 않고 도전적으로 나를 노려보았다.

나와 쥐, 우리 둘은 서로 얼굴을 마주 보았다. 그렇지만 쥐가 역겹지는 않았다. 끔찍하기는 했지만 역겹지는 않았다. 그저 위험해 보였고, 그게 전부였다. 내 온몸에 소름이 돋았고, 증오가 느껴졌다. 원시적이고, 본능적이고, 해묵은 증오였다. 내 영역을 침범한 그 기분 나쁜 짐승이 증오스러웠다. 나는 내가 쥐보다 훨씬 크다는 것을 보여 주기 위해 몸을 일으키고는, 빗자루와의 거리를 눈으로 가늠해 보았다. 빗자루는 너무 멀리 있었고, 쥐는 그 사이에 버티고 있었다. 그때 나는 껑충 뛰어올라, 의자의 등 쪽을 잡고 의자 다리로 쥐를 위협했다. 서커스의 조련사처럼 쥐와 맞섰다. 정말 믿을 수 없는 일이었다. 그때를 생각하면 지금도 속이 울렁거리고, 어디서 그런 용기가 났는지 설명이 되지 않는다. 쥐는 한 발짝도 뒤로 물러서지 않았으며, 죽기 전의 토끼처럼 괴성을 질렀다. 그리고 바로 그 순간, 나는 고래고래 소리를 지르며 쥐를 향해 돌진했다. "여기서 꺼져, 이 빌어먹을 짐승아!" 이미 나에게는 쥐로 보이지 않았다. 물리면 전염병이 옮는다는 사실도, 전에는 내가 무서워했던 혐오스러운 짐승이라는 것도 기억나지 않았다. 적이었고, 나는 자신을 지켜 냈다. 그리고 말이 나온 김에 덧붙이자면, 그 쥐는 영웅적인 적이었고, 나와는 거의 막상막하였다.

그때 나는 거의 8개월을 갇혀 지낸 후 완전히 미치다시피 했고, 그래서 쥐는 대가를 비싸게 치렀다. 쥐는 어디로 가야 할지 안절부절못했다. 나는 두 눈에 불을 켜고 벽 쪽으로 쥐를 몰아붙인 다음, 빗자루를 들고 분노에 눈이 멀어 쥐를 짓이겨 놓았다. 쥐가 어떻게, 언제 항복했는지는 모르겠다. 어쩌면 처음 내리쳤을 때 급소를 때렸는지도 모른다. 그때는 무섭지도 않았고, 쥐가 공격을 해도 상관이 없었다. 나는 자신을 보호하려 하지 않았고, 분노가 나를 무적으로, 더욱 강하게 만들었다. 쥐가 터져 죽었다는 사실을 받아들인 후에도 나는 한참 동안 헐떡거렸다. 쥐를 계속 빗자루로 때리며, 테니스 선수들이 공을 받아칠 때처럼 괴성을 질러 댔다. 마음의 짐을 덜기 위해 소리를 질렀으며, 소리를 지를 때마다 점점 더 자유로워졌다. 그가 씩씩거리며 나를 때리고 욕할 때마다 어떤 기분일지 이해했다. 나는 깜짝 놀랐다. 그가 자기 자신을 통제할 줄 모른다면, 언젠가는 내가 쥐한테 한 것처럼 그 역시 나를 짓이겨 놓을지도 모르는 일이다.

나는 두렵다. 정말 두렵다. 나는 다시 두려움이 느껴져 몸을 웅크리고, 그의 발소리가 들릴 때의 공포를 떠올리며, 그가 노발대발하며 내리는 비인간적인 벌을 두려워하며, 침대 밑으로 숨어들었다. 그가 음식을 주지 않을 때면 배가 콕콕 찌르는 듯 아프고 찌릿찌릿했다. 그럴 때면 배고파서 그런 것인지, 아니면 괴로워서 그런 것인지 분간이 되지 않았다. 하지만 그 당시에는 여전히, 어떤 대가를 치르더라도 도망치고 싶었고, 쉽게 포기할 수 없었다. 나는 몇 번이고 도망치려고 시도했다. 내 눈은 조그마한 틈새도 놓치지 않았고, 약간 빈틈만 보였다 하면 바로 뒤를 돌아 미친 듯이 달려들었다. 하지만 나는 항상 그에게 발각되었고, 그는 증인도, 한계도, 대책도 없이 나에게 벌을 주었다. 마치 내가 쥐라도 되는 듯 인정사정없이. 그렇지만 그는 내가 죽기 일보 직전에, 나에게 더 이상 버틸 힘이 없을 때 멈췄다. 그러고 나서는 다정해졌다.

그는 변덕스러운 신처럼 내 삶을 통제하고, 내 삶을 용서하고, 내 삶을 조금씩 조금씩 나에게 되돌려 주며 즐겼다. 그는 나에게 건강과 사랑, 음식을 주다가도 수가 틀리면 갑자기 모든 것을 빼앗아 갔다. 가끔은 몇 주씩 말도 걸지 않았다. 어느 날부터 갑자기 나에게 말을 걸지 않았고, 나는 왜 그런지 영문도 알지 못했다. 그러면 나는 무슨 잘못을 했는지, 어쩌다 그의 기분을 상하게 했는지, 생각하고 또 생각하느라 머리가 깨질 지경이었다. 하지만 그는 침묵으로 나를 학대했고, 그것은 폭력보다 훨씬 치명적이었다. 침묵은 나를 미치게 했으며, 나는 그에게 제발 내가 뭘 잘못했는지 얘기해 달라고, 나에게 소리 질러 달라고 애원했다. 그때 나는 말이 없으면 우리 인간들이 짐승으로 변해 이성을 잃을 수도 있다는 것을 깨달았다. 그것은 비인간적인 벌이었다. 차라리 그에게 두들겨 맞는 게 나았다. 그게 뒤끝이 없었다. 피를 흘리고, 사방에 멍이 들고, 뼈들이 아팠지만 그는 곧 알코올로 상처들을 치료해 주고, 요오드를 발라 주고, 조심스럽게 붕대를 감아 주고, 나에게 미소를 지어 주었다.

한번은 그가 내 팔 한쪽을 부러뜨린 적도 있었다. 고의는 아니었다. 그가 나를 꽉 붙잡고 있었는데, 내가 너무 세게 몸을 뒤틀어, 팔이 낚싯대처럼 부러지는 소리가 들릴 정도였다. 그는 진심으로 안타까워했다. 네가 네 팔을 부러뜨렸어. 내 마음을 아프게 하려고 그런 거야. 그렇지? 너는 나쁜 애야. 일부러 그런 거야. 그리고 다음 날, 그는 석고가 잔뜩 든 봉투 한 개와 쇠사슬이 든 봉투 한 개를 질질 끌고서 나타났다. 그는 내 팔을 어설프게 깁스한 다음 나에게 말했다. "네가 가만히 있을 줄 모르니, 너를 묶어 둬야겠다." 영원과도 같은 시간 동안, 그는 나에게 쇠사슬을 채워 놓았다. 한 달이나 두 달 정도였을 것이다. 그냥 그 자리에서 오줌을 싸야 했기 때문에 등에 욕창이 생겼다. 나를 좌절시키기 위한 또 다른 방법이었다. 하루, 가끔은 이틀에 한 번, 양동이에 변을 보러 갈 때만 일어나도록 허락했다. 그리고 그는 내 손이 닿을 수 있는 위치에 약간의 물과 접시 한 개를 놔두었다. 하지만 접시가 손에서 미끄러져 요란하게 바닥으로 떨어지면서, 밥과 닭고기나 수프를 흘린 적도 여러 번 있었다. 그럴 때면 음식들이 내 손이 닿을 수 없는 먼 곳으로 튕겨 나갔다. 음식이 바로 1미터 앞, 땅바닥에 떨어져 바로 코앞에서 썩어 가는데도, 나는 배가 고파 죽을 것만 같았다.

그 시절, 그는 지하 감방에 나타나면 내가 쇠사슬에 묶인 개라도 되는 듯 나에게 거의 눈길도 주지 않았다. 그는 씩씩거리며, 가끔 나의 고함 소리가 새어 나가는 틈새들을 막았다. 그는 코르크로 벽을 덮었고, 방음문을 짜 맞췄다. 나는 삼중으로 포로가 된 몸으로 매트에 누워 그를 바라보았다. 그리고 그가 세상으로부터 나를 격리시킨 벽이 높아질수록 돌아갈 희망이 사라지고 있다는 걸 깨달았다. 마침내 그가 나를 풀어 주었다. 고함 질러 봐, 아무도 들을 수 없을 테니. 나가 봐. 너는 어디로 나갈 데도 없어. 문도 없고, 창문도 없으니까. 하지만 나에게는 주먹과 발이 있었기에 그가 내 몸에 손을 댈 때마다 나는 대들었다. 그러고 나면 나는 완벽한 좌절감에 울음을 터트렸고, 그 울음이 나를 느슨하게, 편안하게 해 주었다.

너는 짐승 새끼 같아. 그가 말했다. 먹이를 주는 사람의 손을 무는 들개 같아. 하지만 내 혈관에는 아직 피가 흘렀고, 나는 태양을 보기 위해 노력했다. 죽을 각오로 덤비며 싸웠던 그 시절, 그는 내 이도 한 개 부러뜨렸다. 지금 나는 시커먼 개구멍에서 살고 있고, 열여덟 번째 생일날 집으로 올라가 욕실에서 거울을 보았을 때, 나는 너무 놀라서 입을 틀어막았다. 내 모습을 보고 깜짝 놀랐다. 핼러윈 날 변장한 것 같았다. 송곳니가 있던 곳에는 시커먼 구멍 한 개만이, 텅 비고 어두운 허공만이 남아 있었다.

이 이야기는 초반에, 내가 도망치려고 할 때 일이다.

이제 나는 더 이상 아무 데도 갈 데가 없다. 사람들은 내가 죽은 줄로 알고 있다. 생일날, 엄마는 산에 꽃을 가져가 바람에 흩날려 보내고, 동생들은 내 이름을 쓴 풍선을 하늘로 날려 보낸다. 신문에 난 내 부고를 보고, 내가 죽은 사람이라는 걸 알았다. 그가 부고를 내 코앞에 들이밀었다. 읽어 봐. 읽어 보란 말이야. 너는 죽은 사람이다. 아주 제대로 죽었지. 나는 두 눈을 크게 뜨고 그 끔찍한 문구를 읽었다.

바르바라 몰리나
2005년 3월 25일 사망
당신의 부모님과 동생들과 함께
우리는 영원히 당신을 기억합니다.

나는 두렵다. 정말 두렵다. 그가 돌아오면 내가 에바와 통화한 걸 알게 될 테고, 그러면 그가 나를 죽이려 할 것이다. 죽은 사람을 죽이는 것은 범죄가 아니니다.

나는 4년 전부터 이미 이 세상 사람이 아니다.

9

살바도르
로사노

수레다 형사는 전임자 로사노 형사 앞에 앉아 있다. 이제 그의 직책은 공식적이다. 도메네크 반장이 그를 불러, 그날 자정부터 효력을 발휘할 임명장을 건네주었다. 로사노는 수레다 형사가 다른 데 정신이 팔려 있으며, 조금 전과 달리 이제는 더 이상 자기 설명에 관심도 기울이지 않고, 그토록 오리무중인 사건 앞에서 자신이 느끼는 절망감이나 무력감에도 공감하지 않는다고 느낀다. 수레다는 더 이상 민첩하지도, 너그럽지도 않으며, 이제 로사노에게는 다른 영감을 공짜로 선물하지 않을 것이다. 젊은 수레다는 앞으로 자기 앞에 펼쳐질 도전적인 일에만 신경을 쓸 것이다. 불행히도 그의 책상에 차곡차곡 쌓여 갈 또 다른 바르바라와 같은 새로운 사건들, 자기 사건들, 자기만의 사건들에 신경을 쓸 것이다. 그 사건들을 위해서라면 눈썹을 휘날리며 다니거나 불면증에 시달릴 것이다. 결국 따지고 보면, 바르바라 몰리나는 물려받은 사건이며, 유효기간이 지난 고물이다. 그렇지만 토니 수레다는 관심이 있는 척한다. 우리가 헤수스 로페스에 대해 얘기하고 있었지요? 수레다가 전임자의 기억을 상기시킨다. 로사노는 수레다가 마치 노망이 든 노인에게 말하듯, 계속 기억을 상기시켜 줘야 하는 누군가를 대하듯 하는 게 괜히 울화가 치민다. 아니 어쩌면 그는 코앞에 닥친 정년 퇴임 때문에 신경이 곤두서서, 지나치게 예민해진 것일 수도 있다.

로페스는 늘 모든 증언에서 언급되었지만 마르틴 때문에 뒤로 물러나 있었네. 로사노는 자기도 의식하지 못한 채 초점이 빗나간 수사였다고 변명하며 얘기를 시작한다. 로페스 선생은 바르바라가 다니던 레반테 학교에서 역사 과목을 맡고 있었네. 레반테 학교는 자네도 틀림없이 들어봤을걸세. 상업 고등학교 근처로 우르헬 거리에 있는 학교 말일세. 중학교 4학년까지 다니는 일반 학교지. 바르바라는 세 살 때부터 늘 같은 친구들과 함께 다녔네. 그 동네에는 그 학교 하나밖에 없어서, 학생들과 선생들이 늘 알고 지내는 가족적인 분위기지. 로페스는 지리, 역사학과를 졸업한 후 고등학교에서 기간제 교사로 일했네. 두 번이나 임용 시험을 치렀지만 실패했지. 그러다가 결국 그의 아버지 친구인 물리 선생 마누엘 폰스의 추천으로 스물일곱 살이 되어서야 레반테 학교에 취직했네. 그러니까 그곳에서 거의 8년째 근무하고 있었던 거지. 금발에 호리호리한 편인 데다가 주근깨가 많아 나이보다는 열 살 정도 어려 보이지. 로페스는 한물간 그린피스 활동가 분위기를 풍기며, 영화, 철학, 예술을 즐기는 지식인 행세를 했네. 젊고 다정하고, 그리고 무엇보다 친구 같은 선생님이었지. 그는 학교의 가족적이고 개인적인 분위기와 완벽하게 어울렸지. 그래서 교실 밖에서도 학생들과 관계를 이어 갔네. 그는 학생들을 극장과 연극 공연장, 박물관, 문화 공연장 들에 데려갔네. 그리고 매년 중등과정 4학년 학생들을 데리고 로마에 갔고, 바르바라가 있던 중등과정 3학년 학생들을 데리고 타라고나에서 일주일씩 보내기도 했네. 가끔 금요일 밤에는 똑똑하고 예쁜 여학생들에게 둘러싸여, 바르셀로나 현대미술관의 전시회를 둘러보며 문화 산책을 한 후 라발 카페에서 하루 일정을 마치기도 했네. 물론, 그 사실은 나중에 알았지. 2005년 5월 당시, 로페스는 존경받고 인정받는 선생이자, 결혼해서 두 살짜리 어린 딸을 둔 아버지이기도 했지. 그는 3년 전에 라우라 벤투라와 결혼했고, 그때 아내는 지금의 아들을 임신 중이었네. 그는 레스코르츠 동네에서 살았고, 매일 아침 자전거를 타고 레반테 학교에 출근했네.

로페스를 처음으로 지목한 사람은 에바였네. 예전에 바르바라와 가장 친한 친구였지. 두 번째로 지목한 사람은 바르바라의 전 남자 친구인 마르틴이었고, 세 번째이자 결정적이었던 것은 바르바라의 담임 선생 레메디오스 코마스의 증언이었네. 우리는 수사의 흐름대로 따라가다가, 다시 코마스 담임 선생에게로 돌아가게 되었네.

놀랍게도 에바가 바르바라와 사이가 안 좋았던 것은 마르틴 때문이 아니라 로페스 선생 때문이라고 해서, 우리는 다시 촉각을 곤두세웠네. 에바의 증언에 따르면, 그 아이가 한 말을 그대로 인용하자면, 바르바라가 로페스 선생에게 침을 질질 흘렸다는군. 로페스 선생이 웃긴 얘기만 하면 까르르 웃으며 만세를 불렀다는 거야. 바르바라는 로페스 선생을 둘러싼 여학생 그룹에서도 가장 총애받는 학생이었네. 바르바라는 아무도 모르게 선생을 흠모하며, 선생이 하는 얘기에는 모두 장단을 맞췄다는군. 에바는 그들이 자주 만나 얘기도 많이 나누고, 단둘이 만나기도 했다고 했네. 그러고는 곧바로 로페스에 대해 여러 가지 험담을 쏟아 냈네. 근거가 있는 것도 있었고, 없는 것도 있었지만 말일세. 그리고 로페스가 여학생들을 대하는 미심쩍은 행동에 대한 얘기까지 나와서, 우리는 처음부터 모두 다시 시작해야 했네.

자네도 알겠지, 언론에 공개된 스캔들 말이야. 로사노가 이미 색이 누렇게 바랜 〈라 방과르디아〉 신문 한 장과 〈엘 파이스〉 신문 한 장을 꺼낸다. '변태로 몰린 선생. 바르바라 사건에 연루되었을 가능성'. 로사노가 한숨을 내쉰다. '실종된 여학생의 아버지가 사건에 연루된 선생을 구타'. 로사노는 오려 둔 다른 신문들을 뒤적이다가 〈엘 페리오디코〉 신문 한 장을 고른다. '학교 스캔들'.

요란했네. 무지하게 요란했지. 눈에 보이지 않는 가스를 저장해 둔 창고 같았어. 새어 나간 가스 때문에 갑자기 모든 것이 빵 터진 것 같았지. 이전 증언들에서 마르틴은 바르바라가 항상 로페스를 입에 달고 살았다고 했네. 로페스에 대해 자주 말했으며, 그가 그녀에게 많은 영향을 미쳤다고. 마르틴은 그들이 데이트를 하거나 몰래 만났다는 것까지는 정확히 알지 못했네. 마르틴은 학교와는 전혀 상관없었어. 그러다가 심지에 불을 댕긴 것은 반 친구들이었네. 에바의 증언 이후, 모두가 로페스를 지목했지. 모두 이미 알고 있었으면서도, 아무도 입 밖에 내지 않았던 실체가 갑자기 드러난 셈이었지. 바로 로페스 선생이 미성년자인 여학생들과 학교 밖에서도 어울렸다는 거야. 그는 학교에 발을 내디뎠을 때부터 늘 그래 왔었네. 열네 살에서 열여섯 살 사이의 곱상한 여학생 그룹과 어울린 게 7년은 되었지. 문화 체험을 명목으로 한 순수한 만남이었네. 학생들의 지적 능력을 격려해 주는 능숙하고 신중한 피그말리

온이었지. 그는 가끔 농담도 허용하고, 우연을 가장해 슬쩍 신체 접촉도 했네. 친근하게 엉덩이를 손으로 치기도 하고, 다정한 포옹도 하고, 엉덩이를 살짝 꼬집기도 하고, 휴대전화에 문자도 남기고, 어조를 올려 은밀한 고백도 하고, 밤늦은 시간에 커피도 마시고, 단둘이 산책도 했네. 여기저기서 증언들이 쏟아져 나왔지. 여자아이들은 울고불고 난리 치면서도 악의적인 행동은 절대 없었다고 부인했네.

로페스 선생은 그녀들의 영웅이자 리더였고, 그녀들은 다른 많은 여학생 가운데서 선택받은 학생들이었지. 그 여자아이들은 자기네가 제일 예쁘다고는 생각하지 않았네. 물론 가장 똑똑하다고 믿기는 했지. 졸업생들은 심문하기가 훨씬 수월했네. 냉정하게 거리를 두고, 로페스 선생의 유치한 행동을 면밀하게 분석할 수 있었거든. 졸업생들은 그가 재수 없고, 피터팬 같고, 빌어먹을 인간이고, 철없는 사람이라고 하더군. 확고하고, 분명하고, 섬뜩한 얘기들이었네. 그렇지만 아무도 그가 성폭행했다고 몰아가지는 않았네. 그는 음흉하기는 했지만 절대 선은 넘지 않았지. 우리는 둥둥 떠다니던 거대한 빙산의 일각을 뜻하지 않게 발견한 셈이었어. 하지만 나는 오로지 바르바라에게만 관심이 있었네.

일이 점점 심각하게 돌아가자 레메디오스 코마스 선생이 자진해서 털어놓은 증언이 결정적이었네. 우리는 다시 서로 마주 보고 앉았지. 까무잡잡한 피부에 운동선수 같은 몸매의 여자였네. 화장기도 없고, 장신구도 없었지만 성숙한 여인답게 우아하게 옷을 입었지. 그녀는 20여 년 전에 이혼해 혼자서 아이들 셋을 키우고 있었네. 말이 거침없고 엄격한 여자였지. 그녀가 한 달 전에 말하기로 결심했더라면, 쓸데없는 헛수고는 하지 않았을 텐데. 레메디오스 코마스가 담배를 피워도 되겠느냐며 양해를 구했고, 나도 예외를 두었네. 우리는 카페로 갔네. 에스프레소 마키아토 두 잔을 앞에 두고 그녀는 지금은 담배를 피우지만, 곧 다시 금연할 거라고 변명하더군. 그녀는 우아하게 담배에 불을 붙여 길게 한 모금 들이마신 다음, 연기를 내뿜고는 씁쓸한 어조로 말했네. 나는 그때 우리가 나눈 대화 내용을 토씨 하나 틀리지 않고 완벽하게 기억하고 있네.

저는 로페스 선생과 여학생들과의 관계가 늘 못마땅했습니다. 그녀는 바로 본론으로 들어갔네. 다른 선생님들은 재미삼아 얘기하지만 저는 그렇지 않습니다. 저는 지난 4년 동안 3학년 담임을 맡아서, 많은 불을 꺼야 했습니다. 로페스 선생은 학생들을 현혹하고, 겉멋 든 인텔리처럼 정교하면서도 퇴폐적인 어조로 아이들을 가르쳤습니다. 그리고 아이들이 문화와 예술 세계라는 큰 문으로 입성했다고 믿게 했지요. 물론 그는 아이들에게 비스콘티와 세르트, 피카소를 보여 주었지만, 아이들의 감정을 가지고 장난쳤습니다. 그는 아이들에게 존경받는 걸 좋아했습니다. 변태스럽고 유치한 만족감이었지만, 그는 아이들이 마음을 다치는 것에는 눈곱만큼도 관심이 없었지요. 열다섯 살짜리 여자아이의 마음에 금이 가게 하는 것은 아주 쉬운 일입니다. 아이들은 쉽게 사랑에 빠지고, 쉽게 감동받고, 마음이 약하지요. 몸은 어른이지만 아이의 눈으로 세상을 바라본다는 거, 형사님도 아시는지 모르겠습니다. 그녀가 담배를 피우며 말했네. 아이들은 잘 믿고, 비극적이며, 과격해요. 아이들의 자아는 푸코의 추처럼 왔다 갔다 하지요. 어느 날은 자기가 신과 같다고 믿었다가도, 다음 날에는 자살하고 싶어 합니다. 그녀가 회의적으로 말했네. 어쩌면 그 순간 내 앞에서 한 얘기를 감히 공개적으로 말하지 못한 자기 자신에게 회의가 생겼을 수도 있었네.

로페스 선생은 아이들을 자기 취향대로 선별해 후궁 무리로 두고는, 매년 가장 예뻐하는 아이를 왕비로 추대했어요. 가끔은 한 왕비가 한참 있기도 하고, 어떨 때는 금방 내려오기도 했지요. 모두 자기 마음대로였어요. 그렇지만 이건 확실해요, 그는 절대 실수는 하지 않았습니다. 절대 선은 넘지 않았지요. 그래서 우리 모두 가만히 있었던 겁니다. 그가 하는 대로 내버려 두었던 거지요. 그렇게 학교 밖에서 모임을 갖는 게 학교의 명성을 빛내 주기도 했거든요. 지금 같은 21세기에 누가 토요일 밤에 학생들과 프랑스 초현실주의에 대해 철학적으로 얘기하려고 하겠어요. 우리는 그를 정당화해 주기 위해, 그가 위험하지 않다고, 아이들을 세상에 눈뜨게 해 주는 장난꾸러기 소년과도 같은 선생이라고 말했습니다. 그리스 조각과 독일 낭만주의, 입체파 미술, 네오리얼리즘 영화 등을 얘기했지요. 제가 알기로는 아무 항의도 없었습니다. 그녀가 덧붙였네.

그녀는 재떨이에 담배를 문질러 끄고, 잘못했다는 표정으로 나를 바라보았네. 제가 지금 말씀드리려는 얘기는 형사님께 훨씬 전에 해야 했습니다. 하지만 판도라의 상자를 열게 될까 봐 두려웠습니다……. 그녀가 인정했네. 어느 날 밤, 한 달 전쯤이었을 거예요. 학교 사회 분과 세미나실에서 로페스 선생이 바르바라 몰리나와 단둘이 있다가 저한테 들켰습니다. 그녀는 몇 초간 가만히 있었네. 죄송합니다. 그녀가 사과하더군. 이제 곧 스캔들이 터질 테고, 저도 간접적으로 영향을 받겠지요. 얼마나 순식간에 학교의 좋은 명성에 흠집이 날지, 형사님은 상상도 못 하실 겁니다. 소문은 기름 얼룩과도 같아요. 나는 오감을 곤두세우고 그녀의 얘기를 들었네. 지난 한 달 동안 들었던 증언들 중에서 가장 심란한 얘기였으니까. 레메디오스 코마스는 숨을 들이쉬고 계속 솔직하게 얘기했네.

밤 10시라, 학교에는 청소부도 남아 있지 않았는데, 주말에 채점할 시험지를 깜빡 잊고 온 거예요. 선생의 업무

중에서 가장 하기 싫은 게 채점이라는 거 아시는지 모르겠어요. 그래서 저는 보직 교사들만 가지고 있는 열쇠를 집어 들고, 학교로 향했습니다. 저에게는 금요일을 지겹게 보내는 게 별 문제가 되지 않았습니다. 이미 습관이 되어 있었으니까요. 가끔은 한밤중에 경보장치가 고장 나면 저한테 연락이 오기도 해요. 그러면 저는 서둘러서 학교로 갑니다. 제가 가장 가까운 데 살거든요. 두 블록밖에는 떨어져 있지 않아요. 그렇지만 그때는 누군가 있다는 것을 바로 눈치챘습니다. 문이 열쇠로 두 번 돌려 잠겨 있지 않았고, 경보장치가 해제되어 있었습니다. 조심스럽게 올라가 보니, 세미나실들이 있는 3층에서 사람 목소리가 들렸습니다. 저는 신중하게 다가가, 사회 분과 세미나실 문 아래로 새어 나오는 불빛을 보았습니다. 한참 동안 귀를 기울이고 있었는데, 안에서 흐느껴 우는 소리가 들렸어요. 누군가 울고 있었어요. 여자아이였어요. 저는 일 초도 더 생각하지 않고 바로 문을 열었고, 눈물바다를 이루고 있는 바르바라 몰리나를 껴안고 있는 로페스를 보았습니다. 바르바라는 바로 울음을 멈췄습니다. 울음과 흐느끼는 소리를요. 두 사람 모두 나쁜 짓을 하다가 들킨 사람처럼 깜짝 놀라며, 두 눈을 휘둥그레 뜨고 저를 바라보았습니다. 물론, 세 사람 중에 누가 가장 놀랐는지는 잘 모르겠지만 말입니다.

그런 애매한 상황에서 여학생과 단둘이 있는 남자 선생을 목격한다는 건 결코 유쾌한 일이 아니라는 거 믿어 주세요. 형사님한테 솔직하게 말씀드리자면, 사실 애정 행각으로 간주할 만한 장면은 전혀 없었다고 말씀드릴 수 있습니다. 그들이 만난 시간과 장소만 제외하면, 옷이나 행동, 표정에서 뭔가를 숨기고 있다거나, 아니면 불미스러운 장면을 연출하다가 들켰다는 인상은 전혀 받지 못했거든요. 그렇지만 그 상황은 변명의 여지가 없었습니다. 로페스가 즉각 반응을 보이며, 자신의 행동을 변명하려고 했습니다. 바르바라가 문제가 있어서 얘기하려고 들렀다고요. 형사님도 잘 아시듯, 완벽하게 텅 빈 건물에서 미성년자 여학생과 남자 선생이 한밤중에 단둘이 만난다는 것은 쉽게 받아들일 수 있는 일이 아닙니다. 게다가 로페스는 학교 열쇠가 없거나, 아니 있어서도 안 됩니다. 원칙적으로 그는 경보장치 암호를 몰라야 하거든요. 그가 저를 당황하게 했지만, 저는 냉정함을 잃지 않았습니다. 저는 아주 건조하게 바르바라를 같이 데려다주자는 말만 했습니다. 우리 세 사람은 아무 말 없이, 한참 동안 거리를 걸어갔습니다. 바르바라는 가운데서, 아무 말도 하지 않았지만 자기가 가고 나면 폭풍이 몰아칠 거라는 걸 의식했지요.

우리는 바르바라를 집 현관문 앞까지 바래다주고, 다음 날 교무실에서 만나기로 했습니다. 그러고 나서 저는 바로 로페스 선생을 데리고 카페로 갔습니다. 단둘이 남자, 로페스는 바로 설명하고 변명하느라 애간장을 태웠습니다. 그는 어찌할 바를 몰라 하며 괴로워했지요. 그가 그렇게 늙고 초라해 보였던 적은 단 한 번도 없었습니다. 학생들하고 어울려 다니며 꼭꼭 숨겨 뒀던 세월을 그때 한꺼번에 먹은 것 같았어요. 저는 그 사건을 학교에 알려야 한다고 확신했어요. 그런데 로페스가 제발 딱 한 번만 눈감아 달라고 저에게 애원했어요. 그는 완전히 허물어졌습니다. 어린아이처럼 눈물을 양볼로 쏟았으며, 심지어 아내의 배 속에 있는 아들을 언급하며 협박하기도 했습니다. 그는 부끄러워하며 열쇠를 저에게 되돌려 주었어요. 그는 자기가 모두 잘못했다며, 저를 자기편으로 끌어들이기 위해 겸손하게 잘못을 인정했어요.

바르바라가 얘기하고 싶어 했는데, 그는 할 일이 있어 늦게까지 학교에 남아 있어야 했대요. 바르바라가 근처에 사는데, 자기 얘기를 하고 싶어 해서, 혹시 몰라 내가 열쇠를 복사해 두었습니다. 처음입니다. 그는 맹세하고 또 맹세했습니다. 열쇠를 복사해서 가지고 있고, 경보장치의 암호를 알아낸 건 프로만이 할 수 있는 일이라 저는 그 말을 믿지 않았습니다. 바르바라 이전에 몇 명이나 되는 여학생들을 학교에서 만났을까? 저는 저 자신에게 물었습니다. 머리가 터질 것 같아 아무 약속도 하지 않고 집으로 돌아갔습니다. 그에게는 냉정하게 생각해 봐야겠다고 말했습니다. 저는 너무나도 많은 생각이 떠올라, 밤새도록 눈을 붙일 수가 없었습니다. 동료가 쫓겨나거나, 망신을 당하거나, 이혼을 당하더라도, 바로 학교에 보고해야 한다는 생각이 몇 번이나 들었습니다. 게다가 그는 성인이고, 너무나도 오랫동안 선을 밟고 있었어요. 이번에는 그가 선을 넘은 거지요. 그렇지만 책임감이 저를 너무나도 무겁게 짓눌렀습니다. 대체 내가 누구기에, 남을 심판할 수 있단 말인가? 대체 내가 누구기에, 비극의 물꼬를 터트린단 말인가?

다음 날, 바르바라가 놀란 강아지처럼 부들부들 떨며 교무실로 찾아왔습니다. 저는 서둘러 그녀를 진정시키고, 그녀의 신뢰를 얻으려고 노력했지요. 그리고 레메디오스 코마스는 이 대목에서 잠시 침묵했네. 하지만 저는 바르바라의 신뢰를 현재도, 옛날에도 단 한 번도 얻은 적이 없습니다. 바르바라는 저를 믿지 않았거든요. 그래서 저에게 아무것도 설명하지 않았어요. 심지어 로페스에게 얘기하려던 문제가 뭔지도 말하지 않았어요. 그 아이는 제발 아무 얘기도 하지 말아 달라고 애원하며, 자기와 로페스 선생 사이에는 아무 일도 없었다는 말만 반복했습니다. 자기는 단지 아주 개인적인 문제를 얘기하려 했고, 더 이상 그런 일은 없을 거라며 내내 울기만 했습니다. 저는 그 아이에게 너는 미성년자라 아무 잘못도 없다고 설명하려고 안간힘을 썼습니다. 하지만 바르바라는 같은 얘기만 계속 반복하더니, 결국에는 모든 사춘기 아이들이 잘 사용하는, 지나치게 위험한 무기로 저를 협박했습니다. 아빠가 절대 저를 용서하지 않을 거예요. 그리고 저는 아빠가 알기 전에 죽을 거예요. 이렇게 확언하더군요.

레메디오스 코마스가 담배 한 대를 더 피우기 위해 나에게 양해를 구했고, 나도 한 대 더 피웠다고 고백하겠네. 그녀는 연기 구름 앞에서 생각에 잠긴 채, 한참 동안 침묵을 지켰네. 어쩌면 자기가 내린 잘못된 결정이 부끄러웠는지도 모르지. 그러다가 마침내 그녀가 입을 열었네. 저는 바르바라에게 더 이상 로페스 가까이 가지 않겠다는 약속을 받고, 입을 다물었습니다. 저는 로페스가 아닌 바르바라를 위해 그랬던 겁니다. 그녀가 구체적으로 밝혔네. 제가 지금까지 입을 다문 게 죄를 지은 거라면 책임을 지겠습니다. 이번에는 책임지도록 하겠습니다. 그녀가 말을 맺었네.

수레다는 로사노가 얘기하는 내내, 아무 말도 하지 않았다. 그는 그 장면을 있는 그대로 떠올려 보았다. 거의 레메디오스 코마스를 직접 보고 듣는 것 같았으며, 그녀의 딜레마가 느껴졌다. 로사노는 만족했다. 로사노는 자기가 수레다를 감동시켰으며, 수사에서 가장 힘들었던 그 순간을 수레다가 함께하고 있다는 것을 잘 알았다. 로사노는 그때 수사가 종결되었다고 믿었다. 그는 앞뒤 정황을 모두 맞춰, 폭력과 피임약, 바르바라에 대한 성폭행, 학교 성적, 가출을 모두 헤수스에게 적용했다. 모든 얘기가 맞아떨어졌다. 완벽한 방정식이었다. 선생이 도를 넘은 행동을 저지르고, 발각될 게 두려워 폭력이나 폭행을 휘두르고, 바르바라를 현혹하고, 그리고 어쩌면 그녀에게 지키지도 못할 약속을 했는지도 모르는 일이었다. 정말이지 마르틴에게 강력한 적수가 될 만한 인물이었다. 그리고 로사노는 어쩌면 바르바라에게는 마르틴 보라스가 도주 가능한 출구였을지도 모른다는 생각이 들었다. 결국 바르바라는 그곳을 통과하지 못했지만, 그녀에게는 출구가 되었을지도 모른다는 생각이 퍼뜩 들었던 게 기억난다.

나는 로페스가 나쁜 놈이라고 늘 생각했습니다. 수레다가 정정한다. 하지만 나쁜 놈이라고 해서 살인자는 아니지요. 수레다가 교양 있는 말투로 덧붙인다. 로사노는 수레다의 거만함을 마음속으로 못마땅하게 여긴다. 마치 자기가 진실을 쥐고 있기라도 한 듯, 마치 그게 그렇게 단순하기라도 한 듯, 마치 나쁜 놈과 살인자의 차이가 그렇게 명백하기라도 한 듯 거들먹거리는 게 영 못마땅하다. 그래서 로사노는 후임자의 말을 듣지 못했다는 듯 얘기를 잇는다. 문제는 스캔들이 아주 제대로 터졌다는 걸세. 그리고 로페스가 우려했던 게 현실이 되었네. 그의 직장 생활과 사생활은 완전히 초토화되었지만, 그를 바르바라의 실종과 연결할 만한 단서도, 그녀와 성관계를 했다거나 그녀에게 폭력을 행사했다는 물증도 전혀 나오지 않았네. 우리는 로페스의 차와 옷, 신용카드 내역서를 모두 조사했고, 그에게 감시를 붙이고, 그의 전화까지도 모두 도청했지만 아무 소용이 없었네. 그는 모든 사실을 부인하고, 부인하고, 또 부인했네. 그리고 증인도 없고, 시신도 없이 계속 그 사건을 붙잡고 있을 수도 없었네. 그의 아내는 이혼 후 전남편을 혐오하고 증오하기는 했지만, 로페스가 부활절 내내 바르셀로나에서 자기와 함께 있었다고 한결같이 증언했네. 그리고 경찰이 아무리 애를 썼어도, 그 반대 사실을 증명할 수 있는 사람은 아무도 없었네.

수레다 형사가 일어나 시계를 바라본다. 더 남았습니까? 그가 부하 직원을 물리듯 묻는다. 수레다는 급한 것이다. 갑자기 약속이 생각났거나, 아니면 담배를 피우러 가고 싶은 것이다. 알 수 없는 일이다. 하지만 수레다는 얘기 듣는 게 지겨워졌는지, 마르틴에게 보이던 관심을 로페스에게는 보이지 않는다. 로사노는 실망스럽기는 했지만, 한편으로는 자기만족을 느꼈다. 자신의 예감이 적중했던 것이다. 수레다는 바르바라 사건이 껄끄러운 것이다. 젊은 사람들은 케케묵은 사건을 좋아하지 않는다. 이따가 송별 파티에서 뵙겠습니다. 그리고 수레다는 문으로 나가면서 농담을 던진다. 이미 알고는 있었지만 나는 절대 선생은 하지 않을 겁니다.

로사노는 바르바라 몰리나의 사건을 앞에 두고, 혼자 남겨진다. 바르바라가 배를 훤히 드러내 놓고 책상 위에 벌렁 드러누워 있다. 추측들, 이름들, 수백만 번도 더 넘게 짜 맞춰 보았지만 절대 짜 맞출 수 없었던 퍼즐이다. 틀림없이 살인자의 이름이 바르바라의 이름과 함께 이 서류 사이 어딘가에 들어 있을 것이다. 동기와 정황, 사건과 함께, 미스터리하게 아이의 시신이 어디로 사라졌는지에 대한 생각도 그 안에 들어 있다. 하지만 그것들을 보고 또 보다 보니까, 모든 것이 뒤죽박죽 뒤엉켜, 이제는 더 이상 보이지 않는다. 돋보기를 쓰고, 그 사건에 대한 희미한 글자들을 확실하게 읽을 수만 있다면 더 이상 바랄 게 없을 것 같다. 그가 확신하는 것은 여자아이의 몸에 폭력의 흔적을 남긴 사람과 살인자가 동일 인물이라는 것이다. 어쩌면 그의 정년 퇴임이 바르바라에게 청신호가 될 수도 있을 것이다. 어쩌면 그가 그 방정식에서 남아도는 변수일 수도 있다. 그래서 그 사건에서 그가 멀어지고 나면, 다른 사람들이 그가 보지 못했던 것을 분명하게 읽을 수도 있다. 그는 송별 파티 만찬 전에 산책이나 다녀오려고 일어선다. 그 자리에서는 분명 그 유명한 시계를 선물로 줄 테고, 그의 건강을 위해 건배를 들 것이다.

이제 여섯 시간이 남았지만, 그 여섯 시간이 그의 인생에서 가장 긴 시간이 될 것이다.

10

에바
카라스코

에바는 당혹스러웠다. 누리아가 가운만 하나 걸친 채 잠옷 바람에 꾀죄죄한 몰골로 문을 열어 준 것이다. 머리도 빗지 않고 눈두덩이 퀭한 모습이다. 지난 3년 사이에 머리카락이 새하얗게 셌는데도, 어쩌면 누리아는 그 사실조차 모르고 있는지도 모른다. 거울도 보지 않는, 이 세상에서 살지 않는 사람의 몰골이다. 불치병 환자의 모습이다. 에바! 에바일 거라고는 상상도 하지 못했다는 듯, 누리아가 두 눈을 휘둥그레 뜨고 안색이 변해 소리를 지른다. 바르바라 아빠가 텔레비전에 나와 그 유명한 기자회견을 치른 이후로 누리아와 단 한 번도 만난 적이 없었으니 그럴 만도 했다. 에바는 몇 번이나 찾아오려고 했다. 아침에 일어나 오늘은 바르바라 엄마를 만나러 갈 거라고 다짐했지만 괜히 게으름을 피우고, 갖은 변명을 갖다 붙이며 자꾸 다음으로 미뤘다. 친구 전화나 방금 개봉한 영화, 시험 등등. 그렇게 한 번, 두 번, 세 번 뒤로 미뤄졌다. 그리고 어느덧 3년이 흘렀다.

이제 에바는 여자가 되었고, 누리아는 그런 에바를 뚫어져라 바라본다. 누리아는 세탁기를 돌리기 위해 사용 설명서를 열심히 공부하는 사람처럼 유심히 에바를 바라본다. 누리아가 한 손을 뻗어 에바를 만지며, 팔과 목, 볼을 부드럽게 쓰다듬는다. 뺨에서 손길을 멈추고는 볼을 천천히 어루만진다. 에바! 누리아는 감격해 다시 소리를 지르고, 거의 울음을 터트리기 일보 직전이다. 에바는 당황해서 파일을 꽉 껴안고, 자신을 보호하기 위해 파일로 가슴을 꽉 누른다. 에바는 자신의 존재 때문에 바르바라 엄마가 잘 참고 있던 감정을 분출하며, 금세라도 폭발할 것 같아 두렵다. 정말이지, 누리아는 양팔을 힘없이 떨어뜨리고, 두 눈에는 눈물이 그렁그렁하다. 누리아가 점차 고개를 숙이고 양어깨를 늘어뜨리며 조용하고 깊은 울음으로 가슴을 들썩거리자, 누리아의 몸이 점점 작아지는 것 같다.

누리아는 에바가 많이 자랐고, 살이 올랐으며, 성숙해졌다고 느꼈다. 그녀는 바르바라도 살아 있었더라면 에바처럼 성숙해졌을 거라고, A4용지가 잔뜩 든 파일을 들고 다니는 대학생으로 자랐을 거라고 첫눈에 감지한다. 지난주

금발을 파마하고, 아리바우 거리에 있는 케밥집에서 친구들과 저녁 식사 약속을 하고, 이번 주말에는 공대에 다니는 남학생과 다큐멘터리 영화를 보러 베르디 극장에 가고, 엑스쿠르시오니스타 클럽에서 어울려 다니는 패거리들과 그리스 섬에서 방학을 보낼 준비를 하고, 디푸타시온 거리에 있는 약국집 아이들에게 과외 아르바이트를 할 거라고 상상했다.

에바는 엉거주춤 문을 닫고, 바르바라 엄마를 껴안는다. 울지 마세요. 그녀가 누리아의 귓가에 대고 속삭인다. 에바는 다른 사람이 우는 모습을 보지 못하기 때문에 바로 달랜다. 바르바라도 잘 우는 편이었다. 둘이 싸우면 항상 바르바라가 우는 걸로 끝이 났다. 나는 우는 게 좋아, 그러면 더 빨리 마음이 진정되거든. 바르바라가 그녀에게 털어놓았다. 반면에 에바는 우는 게 힘들다. 그래서 바르바라가 실종되었을 때도 울지 않았고, 바르바라랑 친하지 않은 다른 반 아이들이 괜한 눈물 바람으로 호들갑을 떨 때는 분노가 치밀기도 했다. 그녀에게는 바르바라가 눈곱만큼도 중요하지 않은 것 같았다. 너는 비인간적이야. 베르나르도는 그녀를 나무라기도 했다. 그렇지만 그건 사실이 아니었다. 에바는 카르멘이나 미레이아, 메르체를 다 합친 것보다 훨씬 슬펐다. 하지만 기자들은 콧물과 눈물로 뒤범벅된 십대의 병적인 모습에 열광했기 때문에 훨씬 눈에 띄게 난리를 피우는 그녀들이 텔레비전에 나갔다.

당연히 에바도 슬퍼했다. 매일 밤 바르바라가 끔찍하게 죽는 모습을 상상하며 슬퍼했다. 물에 빠지거나, 불에 타거나, 토막 나 죽는 모습을. 에바는 피와 연관된 것은 무엇이든 끔찍하게 싫었다. 칼과 톱, 꼬챙이 등. 그녀는 무의식적으로 다큐멘터리에서 보았거나 아니면 잡지에서 읽은 선혈이 낭자한 장면들을 선별해, 기나긴 고통과 특히 잔인한 죽음을 떠올렸다. 공중전화 부스를 도살장으로 만들어 놓은 작자에게 대체 뭘 기대할 수 있단 말인가? 그렇지만 에바는 혼자서도, 카메라 앞에서도 절대 울지 못했다. 그래서 지금도 누리아의 울음을 거들지 못한다. 그녀는 누리아와 함께 울지 못하기 때문에, 누리아를 위로하며 상냥한 말이라도 속삭여야 했다. 누리아에게 같이 앉자고 권하고, 누리아의 손을 잡아 주고, 누리아가 조금씩 안정을 찾을 때까지 조용히 그녀 옆에 있어 줘야 했다.

등에 가방을 멘 쌍둥이들이 아무 소리도 내지 않고, 생기 없는 얼굴로 학교에서 돌아왔다. 많이 컸다. 길에서 봤더라면 알아보지 못했을 것이다. 어느덧 길쭉한 목 한가운데에 목젖이 생겨, 안녕하세요 하고 인사하자 목젖이 위아래로 움직인다. 그들은 똑같이 생겼다. 에바는 누가 샤비고 누가 기예르모인지, 분간이 되지 않는다. 그들은 에바에게 더는 말도 걸지 않고, 그냥 인사만 건넨 후 자기네 방으로 들어간다. 에바는 그들이 영화 〈몬스터〉에 나오는 침울한 가족 같아서 그들을 만나러 오고 싶지 않았던 것이다. 바르바라 엄마는 예전 모습의 그림자로 변해 있었다. 전에는 사람을 좀 힘들게 하고 지나치게 남편에게 의존적이기는 했지만 예쁘고, 젊고, 잘 웃는 편이었다.

이제 누리아는 남편 없이는 아무것도 하지 못하는 여자가 되었다. 성격도 없고, 무관심하고, 심드렁한 여자가 되었다. 쌍둥이들은 존재하지 않는 듯 아무 소란도 피우지 않는다. 문을 닫고 방에 들어가자, 블랙홀이 그들을 집어삼킨 것 같다. 그 두 소년은 문제를 만드는 걸 끔찍이도 두려워한다. 누리아는 마음을 가라앉힌다. 미안하구나. 그녀가 말한다. 아저씨는 아직 안 오셨단다. 너를 보면 틀림없이 많이 좋아하실 텐데. 에바는 생각에 잠긴 채 고개를 끄덕인다. 그러니까 바르바라 아빠는 안 계시는구나.

페페는 다르다. 그는 항상 달랐다. 그는 결정을 내리고, 바르바라를 통제하고, 필요하면 책상을 주먹으로 내리칠 줄 알았다. 바르바라는 자기 아빠를 존경하면서도 무서워했다. 지금 그는 강한 척하지만, 사실은 가장 큰 충격을 받았다. 그런데도 그는 가장 먼저 반응을 보였다. 밤낮으로 딸을 찾아다녔고, 희망을 잃지 않았으며, 젖 먹던 힘까지 다해 얼굴에 미소를 띠고, 절대 굴하지 않는 강한 의지로 에바를 찾아와 물었다. 그는 로페스 선생과 바르바라의 관계에 대해 모든 정황을 자세히 물었고, 에바는 하나도 숨김없이 모두 얘기해 주었다. 에바는 마음속에 있던 말까지 모두 털어놓았고, 그는 그녀의 기대에 부응했다. 바르바라 아빠는 로페스 선생의 집까지 찾아가 그를 짓이겨 놓았다. 그 장면을 봤다면 얼마나 좋았을까! 정말 기뻤다! 완전 자뻑에, 성질도 더럽고, 비겁한 작자였다! 그녀의 복수였다. 바르바라 아빠는 정의를 실천했고, 그날 에바는 그를 존경했을 뿐만 아니라 경탄하기까지 했다. 그는 존경받을 일을 할 줄 아는 사람이니까. 경찰과 판사들은 자기 할 일도 제대로 하지 못했지만, 바르바라 아빠는 로페스 선생을 제자리에 돌려놓았다. 어쩌면 아무 소용도 없는 일일지도 몰라. 에바는 생각한다. 그래도 소파에 앉아 질질 짜는 것보다는 멍청이의 얼굴을 박살 내 놓는 게 훨씬 낫다.

그런데 웬일이니? 바르바라 엄마가 느닷없이 묻는다. 에바는 난감하다. 그녀에게 딸의 목소리를 들었다고 말해 주고 싶지만 감히 엄두가 나지 않는다. 만일 괜한 소동만 피우는 거라면? 사실 바르바라가 아니었다면? 그리고 만에 하나 일이 복잡하게 뒤얽혀, 바르바라를 찾지 못한다면? 누리아는 죽을 것이다. 다 죽어 가는 사람에게 거짓 희망을 줄 수는 없다. 그냥 지나는 길에 들렀어요. 영어 학원에 가다가 오 분 정도 시간이 남아서요. 에바는 일부러 거짓말을 둘러댄다. 바로 조금 전에 에바는 누리아에게는 아무 말도 하지 않겠다고 결심했다. 누리아는 그 사실을 제대로 받아들이지 못할 것이고, 제대로 생각하지 못할 것이며, 괜히 일만 그르치고 말 것이다. 자기가 괜한 짓을 했고, 그냥 비밀을 안고 떠나는 게 나았다. 누리아는 그녀가 찾던 사람이 아니다. 사실, 에바는 바르바라 아빠를 만나고 싶었다. 그라면 믿을 수 있었다.

무슨 공부 하니? 누리아가 그다지 궁금하지 않은 기색으로 묻는다. 예의상 하는 질문이다. 신문방송학요. 에바는 누리아가 다시 울까 봐 두려워하며 실낱같은 목소리로 대답한다. 신문방송학은 바르바라가 공부하고 싶어 했던 분야였다. 그들은 같은 전공을 택해, 나중에 세계적인 리포터가 되자고 항상 말했었다. 나는 도쿄, 너는 뉴욕. 바르바라가 결정 내렸다. 아, 그래? 그런데 그 반대는 왜 안 돼? 알았어, 그럼 네가 도쿄, 내가 뉴욕 할게. 나한테는 그게 더 좋아, 어려운 일본어를 배우지 않아도 되니까.

바르바라는 늘 에바를 당혹스럽게 했다. 에바는 바르바라를 제대로 안 적이 없었다. 아주 많이 친했을 때는 그녀의 생각까지 읽을 수 있다고 자신했지만, 바르바라가 마음을 다 주지 않는다는 느낌이 들었다. 바르바라는 뭔가 숨기는 게 있었고, 좀 히스테릭한 면이 있었다. 하루는 기분이 좋다가도, 그다음 날에는 기분이 안 좋았다. 무슨 일 있어? 에바는 바르바라가 제대로 대답하지 않으리라는 걸 잘 알면서도 가끔 물었다. 아무 일도 아니야. 그렇지만 에바는 바르바라가 거짓말하고 있다는 것을 알았다. 왜냐면 바르바라는 거짓말쟁이니까. 에바는 마르틴 때문에 껄끄러웠던 일을 기억한다. 바르바라는 뻔한 거짓말로 두 달 넘게 계속 시치미를 떼었다. 어제 오후에 어디 갔어? 하루는 바르바라와 마르틴이 기토 카페에서 주문한 코카콜라는 안중에도 없이 정신없이 손장난만 치고 있었다는 사실을 알고서, 에바가 바르바라에게 이렇게 물었다. 엄마랑 쇼핑 갔었어. 바르바라가 거짓말을 했다. 아, 그래? 그런데 뭘 샀니? 아이, 그게 너랑 무슨 상관인데? 바르바라가 성질을 부리며 제멋대로 나오면 에바는 으레 한발 뒤로 물러서게 된다. 어쩌면 그들은 정말 친한 친구가 아닐지도 모른다. 어쩌다 그런 생각이 들기도 했고, 그게 전부였다. 여자 친구들끼리는 마음속까지 훤히 들여다볼 수 있는데, 바르바라는 엑스파일이었다. 늘 미스터리였다.

그런데 갑자기 문이 벌컥 열리면서, "나 왔어!"라는 강력한 목소리가 공허하고 서글프게 벽까지 쩌렁쩌렁 울리며 들려온다. 그 목소리는 힘차게 복도를 걸어오는 리듬이 넘치는 확고한 발소리와 함께 들려왔다. 에바는 마음이 놓이는 기분이다. 바르바라 아빠야! 페페 몰리나다. 그 집안에서 유일하게 살아 있는 사람이다. 그는 아내의 옆 소파에 앉아 있는 에바를 보고는 깜짝 놀란다. 에바야! 잘 있었니? 여기는 웬일이니? 그는 옆길로 새거나 감정에 굴하지 않고 직설적으로 바로 묻는다. 에바가 벌떡 일어난다. 잠깐 뵈러 왔어요. 페페가 그녀에게 다가와 양볼에 입을 맞춘다. 여위었지만 그의 아내처럼 뼈만 남지는 않았다. 그리고 흰머리도 없다. 그는 운동선수처럼 근육질이다. 흠잡을 데 없는 줄무늬 모직 양복 안으로 균형 잡힌 몸을 엿볼 수 있다. 조화를 이룬 몸은 지나치게 크지도, 작지도 않다. 그리스 로마 시대 조각상처럼, 바르바라처럼. 바르바라의 '몸'은 해부학 책에 나오는 몸이었다. 에바는 지금도 약간의 질투심을 느끼며 그 사실을 인정한다. 바르바라의 몸매는 단 1그램의 지방도 없이 완벽했으며, 머리카락은 자기 아빠와 똑같이 진한 갈색 곱슬머리였다. 그리고 나머지, 계란형의 둥그스름한 얼굴과 미소, 장난기 넘치는 두 눈은 엄마를 닮았다.

누리아가 낮잠을 자다가 갑자기 깬 사람처럼, 뭐 마시고 싶은지도 물어보지 않았다며 뜬금없이 일어난다. 미안하구나. 뭐 마시고 싶은 거 있니? 그녀가 허겁지겁 묻는다. 그리고 에바는 지푸라기라도 잡는 심정으로 실낱같은 가능성을 꽉 움켜쥔다. 커피요, 감사합니다. 에바가 서둘러 청한다.

누리아가 부엌 쪽으로 향한 후 페페가 그녀 앞으로 다가와 앉는다. 그는 궁금한 듯, 뭔가 예감한 듯 두 눈을 빛낸다. 나한테 할 말 있지? 그렇지? 페페는 에바가 무슨 특별한 이유가 있어 왔다는 것을 예감한다. 누리아가 거실을 나가자마자, 에바는 앞으로 몸을 숙이며 아무도 듣지 못하게 조심스럽게 말을 꺼낸다. 에바는 누리아가 밀크 커피인지 블랙인지 물으며, 언제라도 불쑥 돌아올까 봐 걱정되어 서둘러 말한다. 바르바라한테 전화가 왔어요. 에바는 서론도 없이 불쑥 얘기한다. 뭐라고? 아빠의 놀라움은 실로 대단하다. 바르바라가 너한테 전화했다고? 바르바라 아빠가 말을 더듬거리며 다시 묻는다. 네, 살아 있어요. 제가 직접 들었어요. 바르바라가 저랑 얘기했어요.

그는 양손으로 머리를 부여잡고 잠시 두 눈을 감는다. 그가 힘들어하고 있다. 그는 그 이야기를 믿지 못하고 있고, 에바는 그가 심장마비라도 일으킬까 봐 걱정된다. 그는 얼굴이 창백해지기는 했지만 울지는 않았다. 그러고는 바로 안색과 목소리를 되찾는다. 너에게 뭐라고 말했니? 어디 있대? 그리고 이 대목에서 에바는 자기가 아무것도 아는 사실이 없다는 것을 인정해야 했다. 아주 짧은 통화였어요. 바르바라는 그냥 도와 달라고 소리만 질렀어요. 자기가 바르바라라는 말만 했어요. 그리고 그건 사실이에요. 바르바라였어요. 확실히 알아들을 수 있었어요. 바르바라가 지금까지 어디에 있었는지는 모르겠어요. 그 번호로 다시 전화를 걸어 통화해 보려고 했지만 전화를 받지 않왔어요.

페페가 자기도 모르게 고개를 치켜든다. 휴대전화? 너한테 휴대전화로 전화한 거니? 번호 알아? 에바가 번호를 적은 수첩을 꺼내, 그에게 번호를 불러 준다. 바르바라 아빠는 안절부절못하고 너무나도 초조해하며 바로 볼펜과 종이를 찾지 못하다가, 그만 버럭 소리를 지르고 만다. 그 종이 찢어서 주렴! 페페가 명한다. 하지만 에바는 이미 볼펜을 꺼내, 탁자 위에 있던 신문 귀퉁이에다가 전화번호를 거의 다 적어 가고 있었다. 바르바라 아빠는 종이를 찢으면서 양손을 부들부들 떤다. 그러니까 네 말은 바르바라가 네 전화를 받지 않았다는 거지? 배터리가 없거나, 수신 가능 지역이 아닌 것처럼 전화가 끊어졌어요. 모르겠어요. 페페는 일어나 무선전화기를 들고는, 번호를 누르고 몇 초 동안 기다린 다음 다시 전화를 건다. 이 전화도 받지 않네. 에바가 생각한다.

페페가 한숨을 내쉬며 생각에 잠긴다. 누리아에게는 뭐라고 얘기했니? 페페가 갑자기 묻는다. 에바는 고개를 가로 저으며 아무 말도 못 했다고 대답한다. 말씀드릴 수가 없었어요, 아주머니가 너무 기운이 없으셔서. 저를 보자마자 울음만 터트리셨어요. 페페는 긴장을 풀지 않는다. 잘했다. 우리는 냉정하게 행동해야 해. 누리아는 알면 안 돼. 그가 갑자기 심각해진다. 혹시 바르바라가 어디에 있을지

짐작 가는 곳 없니? 우리에게 도움이 될 만한 곳, 생각나는 데 없니? 그리고 이번에는 에바가 알고 있는 얼마 안 되는 사실을 모두 털어놓는다. 바르바라가 실종된 이후 얼마 있다가, 딱 한 번 로사스에 있는 마르틴의 별장에 간 적이 있었어요. 그가 술 저장 창고로 뭔가를 찾으러 갔다 온다면서 기다리라고 했어요. 그런데 한참이 지나도 돌아오지 않아 제가 찾으러 갔는데, 그때 저는 술 저장 창고 아래로는 내려가 보지도 못했어요. 제가 문을 열려는 것을 보고, 갑자기 화를 버럭 내며 덤벼들었거든요. 마치 들키고 싶지 않은 뭔가를 숨겨 놓은 사람처럼요. 에바가 몸을 떨며 시선을 아래로 떨어뜨린다. 됐어. 이제는 다 말했어. 이제 그녀는 전부 털어놓았고, 나머지 얘기는 하지 않아도 되었다. 자기가 그곳에서 뭘 하고 있었는지, 왜 그곳에 갔는지는 구체적으로 밝히지 않아도 되었다.

페페도 아무 말 없이 의자에 앉는다. 그는 너무 놀라워, 도무지 믿을 수 없다는 듯 고개를 양쪽으로 가로젓는다. 그 빌어먹을 놈이 지난 4년 동안 내 딸을 자기네 집 술 저장 창고에 가둬 뒀다는 거니? 아니, 아니에요. 에바는 방금 자기가 한 말에 놀라 얼른 바로잡는다. 제 얘긴 단지 그가 뭔가를 숨기고 있었다는 거예요. 하지만 그가 정말 그랬는지는 모르겠어요. 그게 저한테 유일하게 든 생각이에요. 하지만 페페는 갑자기 몸을 일으키더니, 이제 더는 그녀의 말을 듣지 않는다. 이제는 내가 알아서 하겠다. 내가 경찰과 연락하겠다. 너는 이제 잊어버려도 된다. 그가 확고하게 말한다. 하지만 제발 신중하게 처신해 달라고 부탁하마. 특히 아무에게도 말하지 말거라. 이 얘기가 밖으로 새어 나가면 아주 많이 위험해진다. 바르바라의 목숨이 걸려 있어. 그의 목소리가 떨린다. 알겠니?

에바는 완벽하게 알아들었고, 그 말이 바로 그녀가 듣고 싶어 하던 말이다. 에바는 그 때문에 그를 만나러 온 것이다. 그가 에바를 책임감에서 벗어나게 해 주었다. 이제 그녀는 어깨를 무겁게 짓누르던 짐을 내려놓았고, 이제는 아무 결정도 내리지 않아도 되었다. 이제 모두 자기 자리를 찾아 잘 해결될 것이다. 그리고 바르바라를 찾았다는 기사를 신문에서 곧 읽게 될 것이다. 바르바라는 실종되지 않았고, 끔찍했던 자기 소원은 이뤄지지 않았고, 그 누구의 잘못도 아니라는 것을 알게 되면 밤에 제대로 잠들 수 있을 것이다.

누리아가 쟁반에 커피 잔 한 개를 받쳐 거실로 들어오는 순간, 에바는 페페의 볼에 입을 맞춘다. 가는 거니? 누리아가 실망하며 묻는다. 좀 많이 급해서요. 에바가 양해를 구한다. 누리아는 양손으로 쟁반을 들고 선 채, 골탕 먹은 어린아이처럼 어찌할 바를 모른다. 하지만 커피를 달라고 해 놓고서는. 남편이 퉁명스럽게 그녀의 말을 가로막는다. 당신도 이미 들었잖아, 급하다잖아. 누리아는 입을 다물고 더 이상 항의하지 않는다. 에바는 그녀가 안됐다는 생각이 든다. 와 줘서 고맙다. 누리아가 두 눈을 반짝이며 중얼거린다. 그리고 에바는 나약함에 마음이 약해져 그녀 뺨에 가볍게 입을 맞추며, 그게 사실이라면, 그녀에게 생명을 되돌려 줄 수도 있는 기쁜 소식을 전해 주지 못한 것에 마음 아파하며 떠난다. 곧, 아주 곧, 바르바라 엄마는 기운을 되찾을 것이고, 다시 웃을 것이다.

에바도 바르바라처럼 비밀을 숨기고 있다.

2부 어둠 속에서

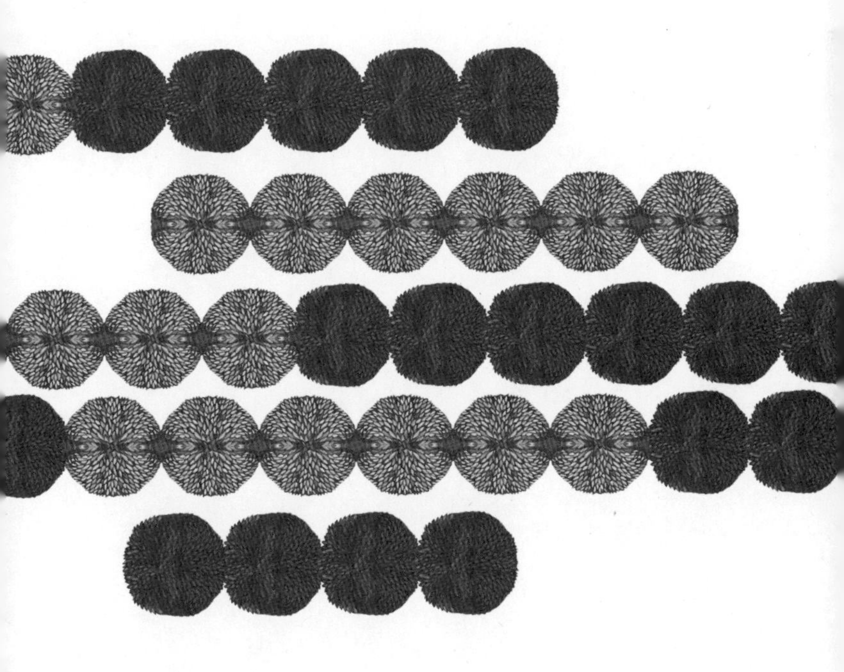

11

누리아
솔리스

누리아 솔리스는 탈진했다. 바르바라를 떠올리게 하는 방문을 하루에 두 번씩이나 받다니, 꽤 힘든 일이다. 특히 에바의 방문은 그녀를 초토화했다. 에바는 바르바라가 유치원에 다닐 때부터 알고 지냈으며, 둘이 함께 자라는 모습을 지켜보았다. 문을 열고 그곳에 서 있는 에바를 본 순간, 시간의 터널을 거슬러 올라가, 에바가 매일 벨을 누르고 들어와 바르바라의 방으로 쏜살같이 들어가 잠시 후 까르르 웃음보가 터지던 5년 전으로 껑충 건너뛴 것 같았다. 아이, 오줌보가 터질 것 같아, 오줌보가 터질 것 같단 말이야. 에바는 소리 질렀었다. 누리아가 간식 먹겠냐고 물으면, 그들은 얼른 엄마를 떨쳐 내고 싶어 했다. 그녀가 거치적거렸던 것이다. 아이, 엄마, 우리끼리 내버려 둬요! 다 싫어요! 아이들은 수다를 떨고, 선생들과 반 친구들의 험담을 늘어놓고, 메신저에 연결하고, 인터넷에 사진들을 올리고, 꿈을 꾸기 위해 단둘이 있고 싶어 했다.

누리아는 양손에 쟁반을 들고 어찌할 바를 몰라 한다. 커피를 자기가 마셔야 할지, 아니면 버려야 할지 망설인다. 이 커피 마실래요? 그녀가 페페에게 묻는다. 그는 늘 집에 들어오면 그러듯 편한 옷으로 갈아입으러 들어갔다. 완벽한 정장을 벗고, 청바지와 캐주얼 스웨터로 갈아입는다. 오늘 페페는 다른 날보다 훨씬 서두른다. 자, 얼른 비키고 그건 부엌에 갖다 놔. 그가 옆을 지나치며 퉁명스럽게 말하고는 미친 사람처럼 서랍들을 뒤진다. 뭔가 걱정하고 있다. 그에게는 항상 해결해야 할 문제가 있다. 그는 행동하는 남자이고, 길 한가운데서 거치적거리는 그녀와 같은 사람들은 그에게 방해만 된다. 어쩌면 남편이 작별 인사하러 로사노 형사를 만나러 갈지도 모르겠다는 생각이 갑자기 든다. 누리아는 신중하게 부엌으로 향하고, 아무 질문도 하지 않는다. 질문하지 않은 지 꽤 오래되었다. 공원의 노인들처럼 소파에 가만히 앉아 그를 위아래로 살피며 지켜보는 동안, 그는 계속 들락거리며 뭔가를 열심히 한다. 그녀는 피곤해서, 그의 리듬을 따라갈 자신이 없다. 그들은 이제 휴가도 가지 않고, 주말에 외출하러 나가지도 않고, 친구들의 방문도 받지 않고, 다른 사람 집에 저녁 식사를 하러 가지도 않는다.

몬트세니에 있는 별장을 팔아야겠어. 페페가 가끔 말했다. 별장이 허름해졌고, 유지하려면 돈과 사람 손길이 필요하기 때문에 페페의 말도 일리가 있다. 하지만 누리아는 계속 버티고 있다. 그 집은 친정 부모님이 남겨 준 유산이다. 엘리자베스는 그 사실을 알고 길길이 뛰었다. 언니, 미쳤어? 그게 언니 명의로 되어 있는 유일한 재산이야! 게다가 개도 있다. 집에서 개를 어떻게 할 건데? 상관없다. 페페는 별장을 팔지 않을 것이다. 그 역시 광고를 내고, 별장을 보여 주고, 가능한 구매자들과 가격을 흥정할 여력이 없다. 그는 늘 그 문제는 한쪽으로 제쳐 두고, 내일 알아서 해결하겠다는 말만 한다. 그는 거의 매일 어쩔 수 없는 문제들을 떠맡게 되고, 나머지는 다음 날로 미뤄 둔다. 그리고 그다음 날이 되면 더욱더 힘들어진다.

나갔다 올게. 저녁 식사 때 기다리지 마. 페페가 쌍둥이들과 형식적이고 진부한 인사말 몇 마디를 주고받은 후 그녀에게 통보한다. 페페는 쌍둥이들에게 자주 말을 건네지 않지만, 아이들에게는 가끔이나마 아버지와 얘기하는 게 필요하다. 그는 쌍둥이들에게 공부하라고, 사람들에게 짓밟히지 말라고 충고한다. 쌍둥이가 바르바라처럼 똑똑하지 않고, 이인자에 만족하며, 수줍음을 많이 타고, 사람들의 눈에 띄지 않으려고 하는 걸 속상해 죽으려고 한다. 하지만 그에게는 원하는 만큼 아이들을 교육할 시간이 없다. 갔다 올게. 페페는 이제 그녀에게는 눈길도 주지 않고, 키스도 하지 않기 때문에 작별 키스도 없이 말한다.

그들은 멀어졌다. 어쩌면 이미 멀어졌는지도 모르지만, 바르바라의 실종은 지진과도 같았고, 그때 균열이 간 틈새들이 깊은 골이 되었다. 그들은 이미 서로 너무 멀리 떨어져 있다. 가끔 그녀는 남편이 자기를 바라볼 때 무슨 생각을 할지 궁금하다. 무엇을 볼까? 왜 그들은 계속 함께 살까? 어쩌면 바르바라에 대한 추억으로 연결되어 있는지도 모른다. 그게 유일한 끈이다. 그것과 일상, 그리고 행동하지 못하는 그녀의 무력감. 누리아는 담배라도 피우고 싶지만 그게 함정이라는 걸 안다. 코냑 한 잔과도 같다. 괜히 괴롭기만 할 뿐 도와주지는 못할 것이다. 그래서 그녀는 페페가 필요하다. 그가 그녀를 위해 생각하고, 그녀가 계속 버티게 받쳐 주기 때문에. 그렇지만 가끔 페페가 화를 낼 때면 모든 것이 흔들린다. 누리아는 고개를 푹 숙이고 소낙비를 참고 맞는 법을 배웠다. 전에는 가끔 목소리도 높이고, 얼굴을 맞대고 싸우며, 삶과 자식들에 대한 자기 견해를 변론하기도 했다.

페페는 지나치게 완벽주의자다. 그는 지나치게 열심이고, 지나치게 훌륭하고, 지나치게 확고하다. 그녀와 달리 지켜야 할 원칙과 믿음이 있고, 자기 생각들을 밀고 나가는 데 일관성이 있다. 그는 가족과 부부의 사랑, 아버지의 권위, 함께 추진해야 하는 계획들을 믿었다. 반면에 그녀는 모든 것을 의심하고, 계속 마음을 바꾸고, 방향도 나침반도 없이 우왕좌왕했다. 그녀는 인생이 실험의 연속이라도 되는 듯 즉흥적이었다. 페페가 맹목적으로 신봉하는 철저한 원칙들이 누리아에게는 없었다. 당신은 머리가 어떻게 된 것 같아. 그들이 처음 만났을 때 페페가 그녀에게 말했다. 그리고 그건 사실이었다. 그녀의 머리는 늘 엉뚱한 생각들로 가득했고, 쉽게 사랑에 빠졌고, 변덕스러웠고, 가만히 있지를 못했다. 그녀는 산 타는 걸 좋아했고, 등에 배낭만 멘 채 인터레일 패스(유럽 내 기차 여행을 할 수 있는 유레일 패스와 비슷한 기차표: 옮긴이)를 주머니에 넣고 여행 다녔고, 티셔츠를 바꿔 입듯 애인을 바꿨고, 사진 수업과 언어 수업에 등록했고, 균형과 차분함이 부족한 예민함 그 자체였다. 페페가 있어 행운이었다. 그의 도움이 없었다면, 그의 존재가 없었다면 그녀는 그 불행을 어떻게 감당했을지 난감하다. 그래서 그녀는 페페의 구박과 거리감을 묵묵히 견뎌 낸다. 다른 남자 같았으면 벌써 그녀를 버렸을 것이다. 다른 남자 같았으면 상황이 바뀌자마자 바로 문전박대 했을 것이다. 그래서 그녀는 페페가 별다른 말 없이, 당신이 잘못했어, 당신이 가출하도록 바르바라를 부추기고, 도망치도록 내버려 두고, 엄격하게 교육하지 못한 장본인이야,

하고 말하며 심각한 표정을 지을 때면 늘 두려움에 떨었다.

마음의 고민을 없앨 수는 없어요, 그냥 실수하게 내버려 둬요. 그녀가 페페에게 말했었다. 한평생 치러야 하는 실수들이 있어. 페페가 반박했다. 그러면 그 말이 계속되는 편두통처럼 그녀에게 상처를 낸다. 실수, 실수, 실수들. 얼마나 많은 실수들을 저지른 것일까? 왜 자기가 딸을 마르틴의 품으로 밀어 넣었을까? 왜 딸에게 날개를 달아 주었을까? 왜 딸을 바로잡아 주지 못했을까? 왜 딸에게 다가오는 위험들을 미리 보지 못했을까? 왜? 그리고 누리아는 모든 것이 언제부터 망가지기 시작했는지, 어느 순간부터 자기 판단력이 아닌, 페페의 판단력을 믿어야 했는지 기억해 보려고 애쓰며 자신을 고문한다. 바르바라가 어린 시절 자기 아빠를 더 따랐을 때부터? 마음은 무거웠지만 행복했던 시절, 바르바라의 마음을 얻기 위해 아무것도 하지 않았을 때부터? 바르바라가 열네 살 여름에 갑자기 어두워졌을 때부터? 그녀가 바르바라를 억지로라도 구해 주겠다고 집착했을 때부터?

그 아이를 그냥 가만히 내버려 둬, 이제 곧 괜찮아질 거야. 페페가 그녀에게 말했었다. 바르바라는 자기 머리채를 잡아당겼다. 집에서 나가려고도 하지 않고, 아무도 만나려고도 하지 않았다. 그래서 어쩌겠다는 거야? 괜히 조급해하지 마. 페페가 말했다. 하지만 누리아는 조급했고, 바르바라와 가장 친한 친구인 에바에게 도움을 청해, 예전처럼 그녀를 데리고 밖으로 나가게 했다. 바르바라가 엑스쿠르시오니스타 클럽에 가입해 새로운 사람들을 만나게 한 것도 그녀의 생각이었다. 정말이지, 바르바라에게 머리를 예쁘게 하라고, 사랑에 빠지라고, 자신의 몸을 즐기라고 부추긴 장본인이 자신이었다. 그리고 바르바라는 무기력에서 천방지축으로 건너뛰었다. 딸은 그 남자아이로 인해 정숙함과는 완전히 거리가 멀어졌다. 곧 누리아는 거울을 쳐다보고, 루즈를 바르고, 전화를 기다리고, 자기를 기다리는 그를 보려고 집 현관문에 딱 붙어서 창문으로 엿보는 바르바라의 모습을 보며, 바르바라가 마르틴에게 목을 맨다는 사실을 알았다. 누리아는 감시의 눈길을 늦추지 않으면서도, 딸에게 지나치게 어리다는 말도 해 주지 않고 딸을 그의 품으로 밀어 넣었으며, 머리가 헝클어질 수도 있다는 말도 해 주지 않고 딸을 그의 오토바이에 오르게 했다. 마르틴이 훨씬 나이가 많고, 원하는 것도 훨씬 많고, 훨씬 조급해했고, 누리아는 그를 거의 모르고, 그의 가족에 대해서도 거의 아는 바가 없었다는 사실을 깨달았어야 했다. 어쩌면 그 남자아이가 힘을 사용하는 폭력적인 아이일 수도 있고, 사랑에 눈이 멀면 가끔 살인까지 불사할 수도 있다는 걸 깨달았어야 했다.

누리아는 말은 하지 않지만, 마르틴이 자기 딸을 죽였다고 확신한다. 전부 마르틴으로 시작해 마르틴에서 끝이 났다. 누리아는 미움은 없고, 오로지 죄책감만 든다. 그녀와 마르틴이 바르바라의 벗은 몸을 본 유일한 사람들이다. 멍자국으로 가득한 젊은 육체와 팔에 난 상처들. 누리아는 그 사실을 페페에게 말해야 했다. 바르바라를 더 강력하게 벽에 밀어붙여 놓고, 얘기하게 해야 했다. 마르틴이 자신을 강제로 추행했다고, 마르틴 때문에 피임을 하고 있다고, 자신이 지나치게 목을 매고 있기 때문에 그가 하자는 대로 했다고 고백하게 해야 했다.

하지만 누리아는 이기적이라 정면충돌을 피했다. 차라리 자기 방법이 실패했다는 걸 인정하고 자존심을 버리는 게 나았다. 누리아는 못 본 체했고, 페페의 분노를 사지 않으려고 노력했다. 페페는 자신의 엄격함이 괜한 짓이 아니었다는 사실을 안 순간 바로 폭발했다. 그녀는 아무에게도 말하지 않고 자기 혼자만 알고 있었다. 인생이란 가르칠 수 없고, 각자 자기 인생을 배워야 하기 때문에 언젠가 전부 해결될 거라고 믿었다. 시간이 지나면 바르바라도 철이 들 것이고, 경험에서 배우는 게 있을 것이고, 미래의 고통에 대한 예방주사를 맞은 셈이 될 거라고 확신했다. 하지만 바르바라에게는 미래가 없어졌다. 실수, 실수, 실수들. 그리고 그녀는 속수무책으로 갇혀 있어야 하는 출구 없는 막다른 골목으로 다시 돌아왔다. 그리고 바로 그 순간, 누리아는 바르바라가 이제 더는 그녀의 것이 아니고, 그녀의 곁에서 자꾸 도망치고, 그녀의 손길을 거부하고, 엄마, 나 좀 내버려 둬, 나가, 엄마는 나를 이해하지 못할 거야, 하고 외치며 이불 속으로 고개를 처박는다는 것을 깨달았다. 누리아는 이기심 때문에 비겁했고, 너그러웠다는 이유로 영원히 후회하게 되었다. 너그러움이란 과거에도, 현재에도 무의식을 좋게 포장하는 말일 뿐이다. 그녀는 생각이 깊지 못했고, 겁이 많았다. 그리고 그 값을 톡톡히 치렀다.

바르바라의 가출과 실종 이후, 누리아는 고개도 들 수 없을 정도로 허물어졌다. 자신의 좌절과 맞설 수 없었고, 계속 뭔가를 믿을 힘도 없었고, 분노 없이 다른 자식들을 기를 힘도 없었다. 불행히도 쌍둥이들 역시 바르바라의 실종에 큰 타격을 받았다. 누리아에게는 스스로도 두려워하는 뭔가가 있었는데, 그 사실을 아무에게도 털어놓지 않았다. 그녀는 바르바라에게 열정을 쏟아부었던 것처럼 쌍둥이를 사랑할 수가 없었다. 고통을 받는 게 두려웠고, 두 눈이 쌍둥이들에게로 향할 때마다 그녀 안에 있는 뭔가가 그 눈길을 붙잡았다. 누리아는 그 아이들이 누구인지, 뭘 생각하는지, 바르바라가 그랬던 것처럼 자기에게 많은 일을 숨기는지 알아보려고 노력한다. 그리고 자신이 가족을 망가뜨리면서 삶을 헛되이 살았다는 사실을 인정한다. 많은 어려움에도 불구하고, 일으켜 세워 지탱하고 격려해 주려고 했던 가족이었는데.

가끔 엘리자베스가 그녀를 깊은 잠에서 꺼내 주려고 노력하며, 그들이 어렸을 때와 젊었을 때의 사진들을 보여준다. 엘리자베스는 누리아가 전에는 활달했다고 말하며, 바르바라와 함께 등에 작은 배낭을 메고 마타갈스산에 올랐을 때나, 바르바라와 함께 퐁트 로뫼에서 스키를 탔을 때, 그녀를 차에 태우고 둘이 함께 미지에 대한 두려움 없이 영국으로 캠핑 모험을 떠났을 때를 떠올린다.

이제 누리아는 병원에서 페페를 사랑하며 환하게 웃던 젊은 여자가 누구인지 알지 못하고, 관심도 없다. 그때 페페는 위궤양 때문에 병원에 입원했었고, 그녀는 괜찮다며 그를 격려했었다. 열정적인 게 잘못일 수도 있었다. 하지만 그녀는 현실적이 되는 법을 배워야 했고, 그렇게 의학 전공을 그만두었다. 직장과 학업, 육아를 한꺼번에 한다는 것은 불가능했다. 그리고 당나귀처럼 고집이 세었던 그녀는 그 사실을 인정하려고 하지 않았다. 멋진 사고나 다름없는 바르바라가 태어났을 때는, 1년만 더 하면 의학 공부를 마칠 수 있었고, 잘해 나갈 수 있을 거라 믿었지만 그 어느 것도 포기할 마음의 준비는 되어 있지 않았다. 페페가 그녀의 어린애 같은 행동을 깨닫게 해 주었다. 그 역시 경제학을 공부하고 싶었지만, 책임져야 하기 때문에 현실적이고 보수가 좋은 직장을 택해야 했다고 했다.

누리아는 자주 자신의 이기주의를 원망했다. 페페를 만나기 전까지는 아무도 그녀를 이기적이라고 나무라지 않았다. 그녀는 가끔 자기에게 남편이 있다는 사실을 잊을 때가 있었다. 그녀는 자신의 이익과 만족을 찾아다녔다. 극장에 가고 싶어 했고, 여자 친구들과 어울려 외출하고 싶어 했고, 처녀 때와 똑같이 행동하고 싶어 했다. 그런데 페페가 그녀에게 사랑하는 법을 가르쳐 주었다. '나'를 '너' 뒤로 갖다 놓는 법을, 닫혀 있던 모든 문을 여는 법을, 아무리 고통스러운 비밀이라도 공유하는 법을, 힘든 일을 받아들이는 법을 가르쳐 주었다. 타인에 대한 의무감을 잊게 만드는 유치한 환상을 좇고, 멀리 떠나라고 충동하는 좋지 못한 욕구들을 억제하는 법도 가르쳐 주었다. 어쩌면 그녀는 그렇게 가족과 친구들을 잃었는지도 모른다. 어쩌면 그녀는 그렇게 세상에서 떨어져 나와, 혼자 남았는지도 모른다. 하지만 그녀에게는 페페가 있다.

그런데 지금은 누리아에게 아무런 충동도, 욕망도, 비밀도 없다. 오로지 페페의 눈길에서 실망만 열심히 찾고 있다. 그들은 이미 오래전부터 잠자리를 같이 하지 않았으며, 차라리 그게 더 나았다. 그들은 각방을 쓰고, 최소한의 대화만 나눈다. 그렇지만 그는 가방을 싸지도, 그녀를 버리지도 않았다. 그래서 누리아는 페페가 고맙다. 그들은 한지붕 아래 함께 살면서 연극을 한다. 동정 어린 거짓말을 공유하면서. 부부 관계에는 아무것도 남은 게 없다. 그들의 부부 관계는 바르바라를 찾을 수 있다는 희망처럼 산산조각이 났다. 바르바라가 연기처럼 사라졌을 때까지는 그래도 희망의 불꽃이 완전히 꺼지지 않았었는데.

그렇지만 페페가 가끔 상냥하게 굴며, 동정 어린 마음으로 자기를 대한다는 점을 누리아는 인정한다.

이제 그녀는 사랑을 불러일으키지 않는다. 동정만 불러일으킬 뿐이다.

12

바르바라
몰리나

나는 겁에 질려 있다. 또 내가 잘못했고, 결국 나는 늘 그렇게 매사를 그르치고 만다. 에바에게 전화하지 말았어야 했다. 틀림없이 에바는 지금까지도 나를 미워하며, 나를 용서하지 않았을 것이다. 에바는 매일 밤 나를 저주하고, 내가 사라진 것을 좋아했을 것이다. 내가 나빴다. 우리는 친한 친구였는데, 내가 에바를 속였다. 나는 에바에게서 마르틴을 빼앗고도, 그녀에게 미안하다는 말조차 하지 않았다.

그의 말이 옳다. 항상 그의 말이 옳다. 그는 내가 자기 인생을 망가뜨렸다고 한다. 나는 뭘 하든, 결국에는 모두 망가뜨리고 만다. 나는 내 몸에서 더러움을 지워 낼 수가 없다. 피가 나올 때까지 때수건으로 빡빡 밀어도 지워 버릴 수가 없다. 그는 화가 나면 나 같은 사람은 죽어도 싸다고 말한다. 그리고 세상 모든 사람이 이미 내가 죽었다고 믿고 있다. 나는 죽은 사람이니, 산 사람들과는 연락을 취하지 말았어야 했다. 이곳이, 이 구멍 안이, 내가 어둠 속에서 짐승처럼 버려진 채 있어야 할 곳이다.

사람들이 내가 죽은 줄 안다는 것이 가끔은 위안이 되기도 한다. 죽음이 나를 구원했다. 나를 좋은 추억으로, 모든 걸 용서받는 어린 소녀의 즐거운 모습이 담긴 사진으로 만들어 주었다. 사람들은 내가 나쁜 아이라는 것을 모르거나, 아니면 잊어버렸다. 그게 낫다. 그는 내가 유일하게 속이지 못하는 사람이다. 여기서 나가게 된다면, 사람들은 어른이 된 내 모습에 경악할 것이다. 그리고 이제 사람들은 어린아이가 저지른 일은 용서해도, 어른이 저지른 일은 용서하지 않는다. 그가 그 사실을 밤낮으로 꾸준히 나에게 상기시켜 줬다. 어떡하다 그렇게 되었는지는 모르겠지만 내 피에는 악마가 흐른다. 그 역시 내 변덕 때문에 그렇게 되었다. 내가 그를 원했고, 내가 그를 자극했고, 내가 그를 유혹했다. 내가 그의 인생을 박살 내 놓았다. 나의 이기심은 끝이 없고, 나는 항상 남의 것을 탐내며, 욕심이 많은 못된 아이였다. 나는 최고 점수와 옆집 아이의 장난감, 내 친구의 남자 친구를 원했고, 늘 온갖 수단과 방법을 동원해 결국에는 쟁취하고 말았다. 나는 마녀다. 그래서 내가 마르틴에게 변덕을 부렸을 것이다. 에바에게 상처를 입히려고, 내가 그녀보다 낫다는 것을 보여 주려고. 나도 나 자신을 어떻게 해야 할지 모르겠다. 가끔은 내가 왜 그런 행동을 하는지 안다고 믿다가도, 또 가끔은 나 자신도 모른다는 것을 깨닫기도 한다. 내가 미쳤나?

이미 나는 에바가 마르틴에게 푹 빠졌다는 것을 알고 있었다. 몇 달 전부터 알고 있었으며, 에바가 그에 대해 하는 말을 하도 많이 들어서, 그에 대해서는 눈 감고도 외울 정도였다. 하지만 그를 직접 보지는 못했다. 마르틴은 엑스쿠르시오니스타 클럽에서 에바의 멘토였다. 여섯 살 더 많았고, 밤에 나이트클럽에서 마약을 하고, 오토바이를 타고 다니고, 우리가 언젠가 가겠다고 꿈꾸는 뉴욕과 도쿄에 가 본 적이 있고, 브래드 피트를 닮았다. 그는 어떻게 보면 날라리였지만 우리 구역에서는 착한 학생으로 통했다. 그의 부모는 마약에 얽힌 어떤 사건 때문에 그에게 멘토 일을 강요했다. 멍청한 사회봉사, 뭐 그런 거였다. 어쩌면 융통성 없는 정신과 의사가 그의 부모에게 충고했을 수도 있다. 마르틴은 아이들과 현장학습에는 관심도 없었기 때문에, 노래와 야간 행사 준비를 하느라 애를 먹었다. 그는 틈틈이 시간이 날 때마다 도망쳤다. 모두 야영하고 있을 때도 그는 한밤중에 섬뜩한 거짓말을 지어냈다. 그러고는 오토바이를 타고 파티로 향했다가, 눈 밑에 검은 그림자를 짙게 드리운 채 새벽녘에 돌아왔다. 다른 멘토들은 그를 못마땅하게 여겼지만 일러바치지는 않았다. 그래서 그의 부모는 아들이 산에서 좋은 공기를 마시며 주말을 보냈다고, 아들이 너무나도 착한 아이라고 믿었다.

이게 에바가 나에게 해 준 얘기다. 그래서 나는 그를 보기도 전에 이미 그에게로 마음이 향해 있었다. 그 역시 나처럼 거짓말쟁이고, 나처럼 음흉하고, 나처럼 자기 멋대로지만 제대로 하는 것은 아무것도 없었다. 우리는 쌍둥이 영혼이었다. 처음부터 그렇게 생각하고 있었는지는 모르겠지만 나는 그런 타입에 약했다. 막돼먹은 타입에.

첫눈에 반한 사랑이었다. 우리는 처음 본 순간 서로 좋아했다. 에바가 이미 그에게 나에 대해 말했는지 안 했는지는 모르겠다. 다만 마르틴이 나를 보자마자 한쪽 눈을 찡긋했고, 내가 그 윙크에 답했다는 것만 알고 있다. 즉시 그는 나를 혼미하게 만드는 미소를 띠며 나를 위아래로 훑어보았다. 그때 나는 발가벗겨진 기분이었고, 그에게 키스하고 싶은 마음이 솟구쳤다. 아주 강렬한 감정이었고, 나는 그의 품에 달려가 안기지 않으려 내숭을 떨어야 했다. 에바는 아무것도 눈치채지 못했다. 오히려 내가 쑥스러워하는 줄 알고, 우리를 친해지게 하려고 노력했다. 에바는 지나치게 착하고, 이런 일에는 약간 숙맥이다. 게다가 너무 멍청해서 제대로 할 줄도 모른다. 가슴이 멜론처럼 빵빵한데도, 에바는 그 가슴을 자랑하지 않고 오히려 숨기려고 했다. 창피하다는 것이다.

우리는 그해 여름 그 일이 있기 전까지, 내 문제를 함께 나누려고 했을 때, 에바가 내 반대편에 서기 전까지는 아주 가깝게 지냈다. 에바는 내 얘기를 듣기도 전에 나의 부모님과 같은 편, 이미 한통속이 되어 있었다. 그래서 나는 더 이상 에바에게 아무 말도 하지 않았다. 그럴 가치가 없었다. 에바는 내 말을 믿지 않을 테고, 나를 도와주지도 못했을 것이다. 에바는 내가 자기에게 뭔가 숨기고 있다는 것을 알고 있었지만, 계속 캐묻지 않았다. 엑스쿠르시오니스타 클럽에 다니며 분위기를 바꿔 보라고 나를 설득한 장본인이 에바와 엄마였다. 그들은 내가 슬픔을 벗어던지고 집 밖으로 나가야 하며, 나 자신을 사랑해야 한다고 말했다. 하지만 마르틴을 처음 본 순간, 나는 우리가 더 이상 친구가 될 수 없다는 것을 알았다. 마르틴과 에바, 둘 중에 한 명을 선택해야 했고, 나는 마르틴을 선택했다. 에바는 이미 안중에도 없었다. 그녀는 우리 아빠와 엄마의 친구지, 내 친구는 아니었다. 아니 어쩌면 그런 생각도 없이, 그냥 몸이 요구하는 대로 따랐을 뿐이다. 그러고 나서 상황이 복잡하게 꼬였다.

바로 그날 밤, 나는 건물 밖으로 나가다가 마르틴이 나를 슬쩍 훔쳐보며 오토바이 자물쇠를 풀면서 시간을 끄는 것을 알았다. 나는 안에 휴대전화를 놔두고 왔다고 에바에게 거짓말했다. 몇 분 후 가슴을 두근거리며 밖으로 나갔을 때, 마르틴은 헬멧을 쓴 채로 아직 오토바이에는 시동도 걸지 않고 있었다. 나를 기다린 게 분명했다. 어디 데려다줄까? 그가 선수처럼 나에게 작업을 걸어왔다. 그리고 나는 좋다고, 고맙다고, 집이 멀지는 않지만 태워 주면 아주 좋을 것 같다고 했다. 나는 그를 꽉 붙잡았다. 그의 등을 꼭 껴안고 양팔로 그를 감싸는 순간, 다리에 짜릿한 전율이 느껴졌다. 우리는 첫 키스를 나누기 전에 메신저와 SNS에서 한참 줄다리기를 했다. 두 달쯤 지난 후 우리는 에바와 다른 사람들 몰래 만나기 시작했다. 나 역시 집에서 모르는 게 나았다. 나는 시험이 있다느니, 숙제가 있다느니, 친구들과 놀러 간다느니, 핑곗거리를 만들어 냈다. 그리고 결국에는 터져야 할 일이 터져, 에바와 싸웠다. 에바는 질투심에 아파하며, 내가 자기를 속이고 거짓말을 했다고 원망했다. 그녀의 말이 전적으로 옳았고, 나는 난생처음 친구 하나 없이 혼자가 되었다. 그 어느 때보다 친구가 절실하게 필요한 때였는데. 나에게는 어쭙잖은 남자 친구만이 남았고, 그래서 나는 내 목숨이라도 달린 듯 그를 꽉 움켜잡았다.

나는 마르틴과 사랑을 경험해 보고 싶었고, 나에게 있었던 일을 모두 잊고 싶었다. 나는 자신에게 그 일은 아무것도 아니었다고, 잠깐 실수였다고, 절대 더 이상은 반복되지 않을 실수였다고 말했다. 하지만 가끔 그 일이 떠오르면 눈앞이 뿌예지면서 죽고 싶었다. 공부에 집중할 수 없었고, 나 자신이 더럽게 느껴졌고, 에바가 그리웠다. 그리고 나는 마르틴을 사랑하면 나 자신이 깨끗해질 거라고 순진하게 믿었다. 아니, 그렇게 생각하지 않았는지도 모르겠다. 마르틴을 느끼고, 마르틴을 원했을 뿐, 그 이상은 아니었을 수도 있다. 나는 마르틴을 위해 옷을 입고, 마르틴을 위해 머리를 빗었지만 한 번, 마르틴이 은밀하게 등 뒤로 다가와 내 목에 키스했을 때는 마치 칼에 찔리기라도 한 듯 미친 여자처럼 소리를 질렀다. 본능적으로 일어난 일이라, 나 자신조차도 내 행동에 깜짝 놀랐다. 마르틴의 손이 처음으로 치마 밑으로 쑥 들어왔을 때, 나는 공포 그 자체를 느끼며 그의 손을 거칠게 뿌리쳤다. 당연히 마르틴은 머쓱해하며 화를 냈다. 너는 쉬운 아이가 아니야. 사람 좀 작작 골탕 먹여. 마르틴이 나에게 말했다. 그러면 나는 아무 말도 하지 않았다. 밤에는 마르틴의 꿈을 꾸고 마르틴에게 키스하지만, 마르틴이 가까이 있고, 마르틴의 손길이 내 살갗 위에서 느껴지고, 마르틴의 뜨거운, 흥분한 입김이 느껴지면 나는 소름이 돋으면서 온몸이 죽은 사람처럼 빳빳하게 굳었다. 나는 빙산처럼 차가워져, 얼른 달아나기 위해 갖은 변명거리를 갖다 붙였다. 긴장을 풀기가 어려웠다. 마르틴의 스킨십과, 내 귓가에 달콤한 말들을 속삭이며 내 목가에서 장난치며 내 귓불을 깨물고 간지럼을 태우는 마르틴의 입술에 익숙해지기가 힘들었다. 나는 마르틴이 뒤에서 껴안는 것을 참을 수가 없었다. 하지만 조금씩 조금씩 마르틴의 키스에 적응했고, 마르틴의 애무가 좋아졌다.

내가 사랑에 빠졌다는 것은 인정한다. 그럴 자격이 없지만 나는 사랑에 빠졌다. 아니면 사랑에 빠지고 싶었다. 그리고 사랑에 빠졌다고 믿었을 때, 모든 것이 순탄하게 돌아가고 있을 때, 나도 다른 여느 소녀들과 똑같다고 느끼고 있을 때, 다시 그 일이 터졌다. 그리고 이번에는 결정적이었다.

크리스마스 방학 때였고, 나는 무방비 상태로 있다가 당했다. 나는 마르틴에게 몽땅 정신이 팔려 방심하고 있었다. 그런데 그가 질투하고 있었던 것이다. 그의 눈에서 읽을 수 있었다. 그는 내가 모르는 사내와 뒤엉킨다며, 내가 발정 난 암캐 같다며, 내가 바람을 피운다며 원망했다. 나보고 모두 설명해 보라고 협박하며, 완전히 정신을 잃을 때까지 나를 때렸다. 학교도 지옥이었고, 집도 지옥이었고, 마르틴과의 관계도 지옥으로 변했고, 에바도 나를 지옥으로 몰아넣었다. 지옥에서 빠져나갈 수가 없었다. 나는 지옥의 불길에 휩싸였고, 그 불길이 나를 집어삼키도록 내버려 둘 수밖에 없었다. 그런데도 나는 마르틴의 손길이 나를 구원해 줄 거라고, 그와 함께 오토바이를 타고 얼굴에 바람을 맞으며 목적지도 없이 아주 멀리 도망칠 수 있을 거라는 희망을 잃지 않았다. 나는 세 차례에 걸쳐 마르틴과 관계를 가져 보려고 시도했지만, 세 번 모두 놀라서 도망쳤다. 그러다가 결국 부활절 방학 첫날, 세 번째 시도가 나의 희망을 모두 불살라 버렸다. 나는 마르틴의 집에 단둘이 있었고, 함께 밤을 보내겠다고 나 자신에게 다짐하고 또 다짐했다.

마르틴은 무대를 확실하게 준비해 두고, 미소를 머금은 채 나를 기다리고 있었다. 양탄자 주변으로 초들을 밝혀 두었고, 우연인 듯 자연스럽게 쿠션들을 사방에 흩뿌려 놓았으며, 도쿄 호텔의 〈러브 이즈 데드〉가 예고편처럼 흘러나왔다. '우리는 사랑이 끝나면 죽는다. 그것이 나를 괴롭힌다. 우리는 가지지 못했던 꿈을 잃어버렸다.' 마르틴은 직접 제조한 음료를 나에게 건네주었다. 그에 의하면, 폭발적인 음료였다. 나는 아무 질문도 하지 않고 들이켰다. 그러자 곧바로 온몸이 간질간질하면서 기분이 좋아져, 나 자신이 가볍고 사뿐해진 느낌이 들었다. 사물들이 다르게 느껴지고, 미친 듯이 웃고 춤추고 싶은 마음이 들던 그때의 느낌이 갑자기 떠오른다. 음악이 내 몸의 세포 하나하나로 물결처럼 퍼져 나갔다. 내 몸이 대나무 대처럼 휘는 느낌이었다.

하지만 마르틴의 손은 차가웠다. 내 블라우스의 단추들을 풀어 헤치는 그의 손길이 너무나도 차가웠다. 그래서 나는 마르틴에게 멈추라고, 싫다고, 잠깐 춤추게 내버려 달라고 말했지만, 마르틴은 내 말을 듣지 않고 막무가내로 옷을 벗기려고 했다. 추위가 역겨움으로 바뀌었기 때문에 나는 소리를 질렀다. 그러자 마르틴이 나를 바닥으로 내던지더니, 내 양다리와 양팔을 거칠게 붙잡고 나를 온몸으로 짓눌렀다. 그렇게 우리는 서로 심하게 몸싸움을 하며 양탄자 위를 굴렀다. 나는 깨물고 발버둥을 치며 온몸으로 거부하면서, 마르틴이 나와 관계를 맺고 싶어 한다는 걸 깨달았다. 나는 절망했다. 마르틴은 나를 사랑하는 게 아니었다. 그것은 러브스토리가 아니었다. 나는 절망에 빠져 울음을 터트렸다. 마르틴은 내 울음소리를 듣고는 몸이 경직되더니, 마치 악몽에서 깨어난 듯 행동했다. 그는 몸을 일으킨 후 얼굴에서 머리카락을 떼어 내며 나에게 가라고 했다. 나에게 옷과 가방을 아무렇게나 집어 던지며, 내 면전에 욕을 퍼부어 댔다. 너는 갈보년이야. 그새 문 앞에 이른 나는, 내가 처녀라고 그에게 거짓말을 했다.

나는 나쁜 년이고, 마르틴을 이용하려고만 했다. 분명 나는 마르틴을 사랑하지 않았다. 그는 내가 사랑이 뭔지 모른다고 한다. 나 같은 사람들은 사랑하는 법을 모른다고 한다. 그때 생각을 하면, 마르틴은 내가 저지른 가장 큰 실수 중 하나였다.

나는 사랑이 뭔지 알고 싶었고, 가장 친한 친구를 잃는 값비싼 대가를 치렀다.

13

살바도르
로사노

발길 닿는 대로 가다 보니 살바도르 로사노는 헤수스 로페스의 아파트까지 오게 되었다. 미리 생각하고 온 것은 아니지만 들르지 않은 지도 꽤 되었고, 수레다에게 업데이트된 자료를 넘겨주고 싶기도 해서 호기심 삼아 그곳까지 오게 되었다. 궁색한 변명이다.

그는 로페스가 매일 아침 식사하는 골목 카페로 들어선다. 옛날 학교 교복처럼 하얀 와이셔츠에 까만 리본을 맨 웨이터는 베티스 축구팀의 팬인 데다가 계속 축구 얘기로 시비를 걸어 와 마음에 들지는 않았지만, 개인적인 취향은 한쪽으로 밀어 둬야 하는 경찰에게는 문젯거리도 되지 않는다. 로사노가 웨이터에게 인사를 건네자, 웨이터가 그에게 소식을 전해 준다. 이제 헤수스 로페스에게 작은 일자리가 생겨, 훨씬 괜찮아 보인다고 설명한다. 심지어 어느 날 오후에는 여자와 함께 오기도 했다는 것이다. 여자요? 로사노가 커피를 마시다가 목이 막혀 질문한다. 어떻게 생겼습니까? 그리고 웨이터의 묘사는 그를 실망시키지 않았다. 끝내줘요. 남자들이 침을 질질 흘릴 정도로 까무잡잡한 여자예요. 두 사람은 여기, 이 테이블에 딱 붙어 앉아 있었어요. 여자들을 무슨 항아리라도 되는 듯 두루뭉술하게 그리는 정신 나간 화가들의 책과 사진들을 보면서 낄낄거리며 웃고 있었지요. 로사노는 속이 뒤집힌다. 또 다른 여자군. 로사노는 생각한다. 그리고 친절한 카페 웨이터에게 고맙다는 인사말을 전한다. 몇 년 전인가 그는 웨이터에게 조카 로페스의 근황에 대해 알려 달라며, 점잖게 부탁한 적이 있었다. 로사노는 자기가 그의 삼촌이라고, 젊은 조카 때문에 걱정인 친척이라고 거짓말을 둘러댔다. 조카가 지나치게 무뚝뚝해서 가족들에게 아무 얘기도 하지 않아, 좀 허약한 그의 건강과 고립을 마음 아파한다고 했다. 사실이 아니지만 사실일 수도 있었다.

로페스는 눈이 퀭하고 머리가 벗어져, 몰골이 말이 아니다. 그는 머리가 몇 움큼씩 많이 빠졌다. 뒤에서 보면, 두 창을 앓은 듯 머리가 밋밋해 마음이 짠하기도 하다. 그래서 카페 웨이터는 그런 남자가 젊은 여자를 웃게 하는 재주에 놀라워한다. 하지만 로페스 또한 늙은 여우라, 머리가 벗어지기 시작하긴 했어도 어수룩한 젊은 여자들의 마음을 얻으려면 어떻게 해야 하는지 잘 알고 있다. 로사노는 일어나 커피값을 내고는, 새로 알게 된 사실에 거북해하며 거리로 나선다.

막 가랑비가 내리기 시작해 수사를 접으려는 순간, 우르헬 거리에서 주차장 쪽을 향해 올라오는 먼지가 잔뜩 쌓인 로페스의 시트로앵 피카소 자동차가 지나가는 게 보인다. 정말, 로페스의 차다. 로사노는 하얀 목제 가구들을 파는 가구점의 쇼윈도를 구경하는 척하며 발코니 아래서 기다리고 있다가, 주차장에서 개를 데리고 나오는 로페스를 본다. 못생긴 복서 품종이다. 험악한 해군처럼 생긴 저런 개들을 사람들이 왜 예뻐하는지 로사노는 전혀 이해할 수가 없다. 로페스는 몇 달 전보다 훨씬 몸을 꼿꼿이 세우고 걷고 있지만 옷은 잘 입은 편이 아니다. 허름한 청바지와 탈색된 셔츠를 입고 있다. 여전히 캐주얼하고 편안한 옷차림이지만 지금은 좀 궁색해 보인다. 로사노는 그가 열쇠 구멍에 열쇠를 집어넣은 후 작고 답답한 원룸을 향해 좁디좁은 계단을 올라가는 모습을 지켜본다. 몇 분 후 유일하게 밖으로 난 창문에 방의 불이 비치자, 로사노는 위를 쳐다보는 일을 그만두고 주차장을 향해 천천히 걸어간다. 일하는 사람들이 자주 바뀌지 않아 다행이군. 로사노는 이미 안면이 있는 루마니아 청년의 손에 지폐를 쥐여 주며 생각한다. 그러고는 곧바로 근래 로페스가 차를 몇 시에 자주 꺼내 가는지 묻는다. 청년은 로페스가 요즘은 매일 아침 개와 나가는 습관이 있다고 설명한다. 꽤 장거리를 다니는 것 같습디까? 청년이 어깨를 으쓱한다. 세 시간이나 네 시간 정도. 가끔은 밤에 들어올 때도 있어요. 언젠가 청년이 모예루사에 있는 로페스의 아버지가 병들었는데, 이미 나이가 많아 언제 세상을 하직할지 모른다고 말한 적이 있었다. 로사노는 청년의 등을 토닥이며 고맙다고 말한 후 떠난다.

또 비가 내리기 시작한다. 카페로 다시 돌아가야 할지, 택시를 잡아타야 할지, 지하철이 있는 데까지 걸어가야 할지 망설이고 있는데, 휴대전화가 울려 로사노는 그렁그렁한 목소리로 점잖게 받는다. 그의 부탁을 받고 이미 마르틴의 가택수색을 마친 유능한 청년 야도다. 됐습니다! 야도가 소리 지른다. 그 순간 로사노의 심장이 잠시 멈춰 선다. 아이를 찾아냈어? 로사노는 목이 꽉 잠긴다. 예? 코카인요. 야도가 확실하게 해명한다. 술 저장 창고에 기차 한 량도 멈춰 세울 만한 코카인이 들어 있었어요. 로사노는 이미 그럴 줄 알았기 때문에 몸에서 긴장을 푼다. 늙은 여우들은 마르틴과 같은 유형들이 쉽게 버는 돈에 눈독을 들이다 결국 제 꾀에 넘어간다는 것을 잘 알고 있다. 또한 술 저장 창고에서 바르바라의 시신을 찾지 못할 거라는 것도 알고 있었다. 보건복지부의 마약 담당자들에게 연락해. 로사노가 간단명료하게 명한다. 그렇게 명령을 내린 후 그는 어쩌면 이게 그의 생애에서 내리는 마지막 명령일지도 모른다는 생각이 갑자기 든다. 로사노는 그런 갑작스러운 결말이 안타깝다. 더 명령하실 거 있습니까, 대장? 로사노는 없다고 말하려다가, 갑자기 머릿속에 불이 환하게 켜진다. 있어, 기다려 봐. 못 할 것도 없지. 그가 혼자 되묻는다. 부하들을 조금 더 부려 먹지 못할 이유도 없지 않은가? 로페스의 부친 건강 상태를 알아보고, 로페스가 지난 몇 년 동안 모예루사에 있는 가족들을 정기적으로 찾아갔는지 알아봐. 알았습니다, 대장. 야도가 대답한다. 그런데 내일까지는 알아보기 힘들 것 같은데요. 레리다의 경찰들에게 문의해 봐. 엎어지면 코 닿을 데 있잖아. 어디, 그들이 해결할 수 있는지 두고 보자고. 로사노가 그에게 제안한다. 네, 그러죠. 그런데 이미 늦었습니다. 로사노는 그 말이 사실이며 늦었다는 걸 안다. 그래서 달리 토는 달지 않는다. 알았네, 그러면 그 보고서는 완성되면 수레다에게 전해 주게, 알았나? 네, 알았습니다, 대장.

전화를 끊자 로사노의 입 안에 단어 한 개가 맴돈다. 레리다. 레리다. 그리고 자기가 방금 그 말을 입에 올렸다는 것을 깨닫는다. 모예루사에서 엎어지면 코 닿을 곳. 비가 내리고 있지만 그는 개의치 않는다. 그는 생각에 잠겼고,

비가 그의 생각을 분명하게 하고, 선입견을 깨끗이 씻어 준다. 모예루사는 레리다에서 삼십 분 떨어진 곳이다. 그가 숨을 들이쉰다. 로페스의 증언에 따르면, 그는 바르셀로나의 레스 코르츠에 있는 아파트에서 부활절을 보냈고, 그의 아내는 남편이 집에서 나가지 않았다고 증언했다. 하지만 로페스가 모예루사에 있는 부모님을 만나러 갔었다면? 그리고 그들이 거짓말을 했다면? 로페스의 차 안에서 바르바라의 머리카락이나 지문, 의심스러운 점이 전혀 발견되지 않았다는 게 오히려 더 많은 것을 의미한다. 로페스는 반평생을 옷장 안에서 꼭꼭 숨어 산 전문적인 거짓말쟁이다. 그는 주도면밀한 사람이다. 바르바라를 담요로 쌌을 수도 있다. 아이들과 함께 여행하는 차 안에는 혹시 추울 때를 대비해 항상 담요가 한 장 들어 있다. 다시 휴대전화 벨이 울려 로사노는 정신이 퍼뜩 든다. 네. 그가 대답한다. 이번에는 전화교환원 이사다. 죄송해요, 그런데 형사님이 너무 빨리 나가셔서 뵙지 못했어요. 형사님이 점심 식사하러 나갔을 때 형사님을 찾았던 여자아이의 전화번호가 누구 것인지 나왔어요. 에바 카라스코라는 아이예요. 번호 드릴까요? 아니, 고마워. 번호는 갖고 있어. 로사노는 공기를 들이마시고, 의아해하며 대답한다.

일이 지나치게 많군. 마지막 날치고는 일이 지나치게 많아. 설명되지 않는 일이야. 예를 들어, 세월은 유수와 같다고 할 수 있지. 그 사건은 4년 동안 절대적인 어둠 속에 잠겨 있었는데, 왜 이제야 사방 틈새로 빛이 쏟아져 들어오는 걸까? 로사노가 이런 생각을 하고 있는데, 저 멀리, 베소스 쪽에서 그의 손자가 보는 월트 디즈니 만화 영화에 나오는 제우스 신의 손에 새겨진 번개와 같은, 분명하고도 확실한 번개가 번쩍하고 일어난다. 번개는 성 가족 성당 근처에 떨어진다. 몇 초 후에 아이들이 학교에서 나와 고함을 지르며 달리고, 가방으로 머리를 가리고 처마 밑으로 숨어들게 할 천둥소리가 들려온다. 그리고 곧바로 굵고 차가운 빗방울들이 쏟아지기 시작한다.

마치 하늘과 그가 공모라도 한 듯.

14

에바 카라스코

에바는 필통과 책, 공책을 챙기고, 재킷을 입은 다음 일어나, '티처'에게 미안한 표정을 지으며 영어 수업에서 나간다. 등을 돌려 밖으로 나간다. 일 분도 더 앉아 있을 수가 없었다. 'should'와 'must'와 같은 멍청한 것에 집중할 수가 없었다. 에바는 비야로엘 거리에 발을 내딛는 순간, 비가 내린다는 걸 알았지만 개의치 않는다. 비에 젖은 채 마냥 걷기만 한다. 빗물이 이마와 볼을 타고 흘러내리고, 머리카락이 젖는다. 물을 보니 바르바라가 떠오른다. 바르바라는 물 없이는 살지 못했다. 수영장으로 뛰어들거나, 샤워기 아래로 들어가거나, 바다에서 헤엄쳐야 했다. 야, 너도 마이클 잭슨처럼 탈색되겠다. 물이 없으면 나 자신이 더럽게 느껴져. 바르바라가 변명했다. 그때 부자 동네의 날라리처럼 생긴 여자가 운전하는 닛산 패트롤이 지나치며 물을 튀긴다. 에바는 이건 해도 너무한다고 생각해 소리를 지른다. 조심해요! 하지만 머리를 금발로 염색한 여자는 눈썹 하나 까딱하지 않는다. 여자는 바르바라처럼 그녀를 완전히 무시한다.

왜 바르바라와 싸웠을까? 그들이 친구이기는 했던 걸까? 에바는 마르틴의 이야기가 많이 아프기는 했지만, 그게 싸우게 된 이유는 아니었다. 그들은 이미 훨씬 전부터 멀어져 있었다. 바르바라는 그녀를 신뢰하지 않았고, 로페스 선생이 끼어들었을 때는 더 이상 그녀를 믿고 마음을 터놓지 않았다. 그런데 로페스 선생에게는 마음을 터놓았고 그를 붙잡고 울었다. 친구들끼리는 서로 터놓고 얘기하는 법인데, 바르바라는 그해 여름에 있었던 일을 그녀에게 절대 얘기하지 않았다.

바르바라는 방학이 끝난 후 다른 사람이 되어 돌아왔으며, 평소의 바르바라가 아니었다. 웃지도 않았고, 같이 있으려고도 하지 않았고, 볼링장에도 가려고 하지 않았다. 유투를 듣는 데 관심도 없었고, 마이애미 잉크(미국의 리얼리티 티브이쇼: 옮긴이)의 셔츠도 빌려 달라고 하지 않았다. 에바는 바르바라에게 무슨 일이 있었는지 알아보려고 애썼지만, 바르바라는 죽은 사람처럼 입을 꼭 다물었다. 그러고는 제발 남의 일에 간섭하지 말라고 할 때나, 몰래 자기 부모님과 자기 얘기를 하지 말라고 주의를 주려고 협박조로 말할 때만 입을 열었다. 바르바라는 화가 나 있었다. 네 부모님은 좋은 분들이야, 그분들은 너를 걱정하고 있고, 그건 나도 마찬가지야. 에바는 걱정이 되어 계속 말했다. 그리고 그건 사실이었다. 페페와 누리아는 각자 자기 방식대로 바르바라 때문에 괴로워했다. 친구라면 문제를 해결하려고 노력하고, 친구의 부모님에게 도움을 청하는 게 당연했다. 하지만 바르바라는 처음으로 그 둘 사이에 장벽을 세웠다.

학기 첫날, 바르바라는 복도에서 그녀와 함께 로페스 선생의 셔츠에 달린 '자라' 상표를 보며 깔깔거리며 웃지 않고, 로페스 선생에게 딱 달라붙어 그를 황홀하게 바라보며 교실에서 나갔다. 그들은 에바는 본 척도 하지 않고 자기네끼리 수다를 떨며 멀어져 갔다. 알레시아 전투에 대한 얘기를 하고 있었다. 로페스 선생이 항상 신참들에게 잘난 척하려고 늘어놓는 얘기였다. 로페스 선생은 갈리아 정복과 율리우스 카이사르의 기발함에 얽힌 그 유명한 일화에 홀딱 빠진 3학년 멍청이들을 자기 호주머니에 집어넣고 조몰락거렸다. 절대 실패할 리 없는 비법이었다. 야, 너 로페스 선생하고 뭐 있어? 이제는 선생님을 꼬시려는 거야? 야, 우리는 역사 얘기했어. 그래, 보아하니, 네가 로마 공화국에 관심이 많더구나. 야, 나는 너처럼 마팔다(아르헨티나 작가 끼노의 풍자 만화: 옮긴이)나 보면서 혹하지는 않아. 나도 나름 지적 호기심이 있다고. 바르바라는 항상 공격적으로 자기방어를 했다.

바르바라는 로페스 선생에 대해 말하고 싶어 하지 않았고, 그해 여름에 대해서도 말하고 싶어 하지 않았으며, 완전히 다른 사람이 되어 있었다. 바르바라한테 무슨 일 있어? 안드레스가 화를 내며 에바에게 물은 적이 있다. 바르바라가 그에게 심하게 대들었던 것이다. 왜 사람들은 자기가 바르바라에 대해 전부 알고 있다고 생각하는 걸까? 사람들은 자기가 바르바라를 완벽하게 이해한다고 믿었다. 그래서 에바는 바르바라와 친한 것처럼 보이기 위해 성심껏 연극하며, 마치 자기가 바르바라의 일정까지 꿰뚫고 있는 듯 행동했다. 그래서 네가 무슨 상관인데? 어른들 일이니까 애들은 몰라도 돼. 한 방 먹었지? 넌 그래도 싸! 에바는 바르바라처럼 그에게 까칠하게 대답했다. 그게 문제였다. 바르바라가 절친인 자기가 아니라 늙은 멍청이에게 속말을 터놓는다는 게 문제였다. 로페스 선생님은 공정한 분이셔. 바르바라는 그의 역성을 들었다. 하지만 그녀의 목소리는 떨렸다. 너는 눈을 멋으로 달고 다니니? 로페스 선생이 열여섯 살 미만의 엉덩이만 봤다 하면 침을 질질 흘리는 변태인 거 안 보여? 아니.

바르바라는 로페스 선생을 맹목적으로 믿었고, 펠리니

와 피카소, 괴테에 대한 그의 궤변을 믿었다. 어린 소녀들을 혹하게 하려고 그럴듯하게 포장한 문화 궤변을. 그가 하는 얘기들은 매년 똑같았고, 농담이나 즉흥적으로 만들어 내는 이야기들도 마찬가지였다. 낙제한 선배들이 그렇게 말했다. 물론, 그렇게까지 얘기할 이유가 없었는데도 말이다. 로페스 선생이 사기꾼이라는 건 한눈에 봐도 알 수 있다. 하지만 그렇게 똑똑하고, 그렇게 영리한 바르바라가 맥없이 무너져 그의 감언이설에 넘어가다니! 바르바라, 말해 보렴. 네 얘기를 들을게. 너의 질문들은 가치가 있어, 나를 생각하게 만들거든. 바르바라는 항상 흥미로운 질문들만 하는구나……. 나는 두 사람 모두 구역질이 났다. 어쩌면 바르바라가 관심을 끌기 위해 슬픈 척하는 걸 수도 있다. 아니면 로페스 선생의 격려를 받고, 카이사포럼(바르셀로나 은행 '라 카이사'에서 지은 미술관: 옮긴이)에서 열리는 달리 전시회를 보러 가려고 우울한 척하는 걸 수도 있다. 에바는 속이 메스꺼웠다.

에바는 학교 앞을 지나간다. 비가 세차게 쏟아지는데도, 그대로 소낙비를 맞으며 굳게 닫힌 교문을 바라보며 멍하니 서 있다. 15년 동안 매일 아침 보았던 레반테 학교 현판을 바라보고 있다. 세 살 때, 에바는 그곳에서 처음 바르바라를 만났다. 머리를 두 갈래로 땋고 미키마우스 가방을 멘 바르바라가 그녀에게 맛있는 햄샌드위치를 같이 먹자고 해서, 둘이 한 입씩 사이좋게 나눠 먹었다. 첫날 수업이 끝나면서 그새 그들은 떨어질 수 없는 사이가 되었다. 아이들은 어떻게 서로 비슷한 건 알아서 금세 자기와 똑같은 쌍둥이 영혼을 찾아내는지, 거짓말처럼 신기했다.

바르바라와 에바는 밤과 낮 같은 사이였다. 하지만 아무것도 아닌 얘기에 똑같이 까르르 웃었고, 말이 없어도 서로 잘 통했다. 바르바라가 훨씬 과감하고 나서길 좋아했다. 바르바라는 말괄량이였고, 에바는 신중한 편이었다. 에바가 바르바라에게 제동을 걸어야 했다. 하지만 에바는 바르바라의 엉뚱한 면에 시동을 걸어 헛소리를 하게 만들고, 선생님의 의자에 껌을 붙이게 하고, 옷걸이에 걸린 아이들의 가운을 바꿔치기하게 하고, 식당에서 사이가 안 좋은 아이들의 테이블에 콩을 던지게 했다. 그들은 손톱과 손톱 밑의 살 같은 사이였다. 물론 서로 많이 달랐지만. 바르바라는 눈에 띄는 옷을 입는 걸 좋아했고, 칠판 앞으로 나가는 걸 좋아했고, 도발적인 걸 좋아했다. 사람들은 바르바라와 에바를 예쁜이와 못난이, 잔머리가 많은 아이와 지적인 아이, 외향적인 아이와 내성적인 아이, 섹시한 아이와 차가운 아이라며 찰떡궁합이라고 했다.

정말이지 바르바라는 무척 섹시했다. 바르바라는 어릴 때부터, 아주 어릴 때부터, 어른 아이 할 것 없이 모든 남자들의 시선을 받았다. 그녀가 엉덩이를 흔들며 걷는 모습이나 춤추는 모습, 사탕을 빠는 모습 등. 바르바라는 어린애답게 순진하게 애교를 피우며 그렇게 행동했지만, 섬뜩할 정도로 어른스러웠다. 요염하게 보이기 위해 손톱을 빨갛게 칠할 필요도, 짧은 치마를 입을 필요도 없었다. 바르바라는 도발적인 시선과 굴곡 있는 몸매, 윤기 있는 머리카락을 지녔고, 포옹과 애무, 키스를 안겨 주는 데 너그러웠다.

바르바라와 에바는 늘 껌처럼 붙어 다녔다. 서로의 은은한 향과 손의 열기, 심장박동을 느끼면서. 어렸을 때 에바와 바르바라는 서로 분간이 되지 않았다. 그들은 한 몸이었고, 한 영혼을 공유했다. 바르바라가 그녀에게서 멀어져 혼자가 되고 싶어 했을 때까지는. 아니, 더 끔찍하게도, 로페스의 제자가 되고자 했을 때까지는. 그때 에바는 팔 한쪽이나 다리 한쪽이 전기톱으로 잘려 나간 기분이었다. 끔찍했다. 에바는 그 충격에서 벗어나지 못했고, 몸의 일부가 잘려 나간 기분이었다. 그리고 난생처음, 고독이라는 슬픔을 맛보았다.

에바에게 바르바라는 열네 살 여름 이후 죽은 것과 다름없었다. 친구가 죽었다고 상상하는 건 너무나도 힘든 일이다. 더더군다나 바르바라가 삶에 대한 애착이 가장 강했을 때 죽인다는 것은 정말 힘든 일이다. 그런데도 에바는 그때 바르바라를 죽였다. 마르틴의 배신은 그렇게 중요하지 않았다. 물 한 방울이 더해진 것뿐이었고, 바르바라가 제멋대로 행동하며 그녀를 무시한다는 사실을 확인한 것뿐이었고, 목에 핏대를 세우고 바르바라가 못된 년이고 나쁜 친구라고 퍼부으며 확실하게 싸움을 걸어 복수하기 위한 핑계가 생겼을 뿐이었다. 바르바라가 로페스 선생과 친하며, 자기보다 그를 더 좋아한다는 사실을 알았을 때보다는 충격이 크지 않았다. 바르바라는 로페스 선생에게 윙크하고, 그의 팔에 매달리고, 그의 뒷덜미를 입김으로 간지럼 태우며 귓속말을 했다. 그들은 입이 서로 닿을 듯 말 듯 가까이 있으면서도, 비밀을 털어놓으며 더 가까이 있으려고 안간힘을 썼다. 그들이 함께 있는 모습을 보면 남자 선생에 대한 여학생의 존경, 그 이상의 뭔가가 있었다. 바르바라는 로페스 선생을 유혹했고, 로페스 선생은 자기의 지성으로 바르바라를 사랑에 빠뜨렸다고 바보처럼 믿고 있었다.

에바는 로페스 선생이 밉다. 지금 이렇게 된 상황에서도 여전히 그를 증오한다. 로페스 선생은 경솔한 친구처럼 행동하며, 십 대들을 이용하고, 종이 공예품으로 만들어진 듯 비겁하고 치졸한 사람이다. 사실, 로페스 선생은 자기 목소리를 사랑하는 나르키소스에 불과하다. 지금 에바는 바르바라를 어떻게 생각해야 할지, 어떻게 상상해야 할지 분간이 되지 않는다. 마르틴의 품에 안긴 바르바라는 상상이 되지 않는다. 모든 것이 가능하기는 하지만, 그게 가능하다고 보이지는 않는다. 어쩌면 마르틴도 자기처럼 고통받았고, 바르바라를 자기 혼자만 독차지하고 싶어 했는지도 모른다. 에바는 바르바라가 가까이 있으면 다른 즐거움을 찾지 않아도 된다는 것을 아주 잘 안다. 바르바라는 가득 채워 주고, 충족시켜 주는 아이다. 초콜릿처럼 중독성이 강한 아이다.

에바는 학교에 켜져 있는 불빛을 바라본다. 누군가 시험 채점을 위해 남아 있거나, 아니면 다음 날 쓸 시험지를 복사하고 있을 것이다. 로페스 선생은 이제 쓸데없는 잡담을 하기 위해 방과 후 시간에 여학생들을 불러 모으지 못한다. 결국 그는 학교에서 쫓겨났다. 어찌 됐든 모두 바르바라 덕분이다. 인정하는 게 가슴 아프기는 하지만, 바르바라의 죽음이 정의를 실현한 것이다. 그런데 이제 와서, 바르바라가 살아 있다니! 그러면서 다시 새로운 사실에 대한 두려움이 에바를 엄습해 온다. 지금 어디에 있는 걸까? 지금까지 어디에 있었던 걸까? 왜 사라진 거지? 그리고 에바는 자기가 마르틴과 그의 술 저장 창고에서 영화를 찍은 일이 점점 어처구니없게만 보인다. 멍청한 짓이었어. 땀이 목덜미를 타고 흘러내리는 가운데, 바르바라가 문 아래 쭈그리고 앉아 자기 전화번호를 누르고 있었던 바로 그곳에서! 어쩌면 지금이라도 운이 따라 준다면 어디에 있는지 말하지 않을까? 누가 알아? 에바는 기다리고, 또 기다린다. 하지만 휴대전화는 꺼져 있거나, 수신 가능 지역이 아니라는 메시지를 전하는 무덤덤한 전자음만 다시 흘러나올 뿐이다.

에바는 뒤를 돌아 자기 집으로 향한다. 비에 흠뻑 젖어 두 번이나 기침을 했다. 서둘러 걸으면서, 자기가 바르바라에게 부당했었다는 사실을 인정한다. 에바는 사랑 때문에 바르바라를 죽였다. 바르바라 없이는 사는 방법을 몰라서였다. 에바는 바르바라가 사라지기 전에 그녀를 자기 인생에서 지워 버렸다. 그래서 진짜 실종되었을 때는 별다른 트라우마를 겪지 않았다. 집에 도착하자 엄마가 문을 열어 주며, 비를 맞고 다닌다며 딸을 나무란다. 바르바라의 엄마는 나무라는 일도 못 한다고, 그나마 비를 맞고 다니다가 옷을 갈아입으려고 집으로 돌아온 딸이 있는 걸 행운으로 알라고, 엄마에게 톡 쏘아붙인다. 엄마를 할 말 잃게 만든 것이다. 그러고는 샤워를 하러 들어가, 자기 생각을 그대로 말로 내뱉었다는 것을 깨닫는다. 바르바라는 살아 있는데, 바르바라의 엄마는 그 사실조차 모른다. 어쩌면 바르바라는 바르셀로나 거리에서 비를 맞고 있을지도 모르는데, 바르바라 엄마는 딸이 죽어 매장되었다고 믿고 있다.

에바는 머리가 뒤숭숭하다. 바르바라 아빠에게 전화번호를 전해 주면 책임감에서 벗어날 줄 알았는데, 그렇지가 않다. 바르바라가 살아 있다고 말하고 싶어 입이 간질거린다. 에바는 창문을 활짝 열고, 목청껏 그 사실을 사방에 알리고, 거리로 뛰쳐나가 바르바라를 찾고 싶은 용기가 생기길 간절히 바란다. 그리고 바르바라는 자기에게 살아 있다는 사실을 알리기 위해 전화를 걸었다고 결론 내린다. 바르바라는 아빠에게도, 엄마에게도, 경찰에게도 전화를 걸지 않았다. 바로 그녀에게 전화를 걸었다. 왜? 이제는 친구가 아닌데. 왜 그녀에게 했을까?

에바가 방에서 옷을 갈아입고 있는데 전화기가 울리더니, 엄마가 무선전화기를 손으로 가리고 다가와 속삭인다. 경찰이다. 에바는 떨리는 손으로 얼른 전화기를 받는다. 여보세요? 전화선 너머에서 로사노 형사의 차분한 목소리가 대답한다. 에바 카라스코 양입니까? 잘 있었어요? 나 살바도르 로사노 형사인데. 안녕하세요? 잘 계셨어요? 에바는 형사가 바르바라를 찾아내서 자기에게 전화를 건 것인지, 아니면 자기한테 직접 더 많은 얘기를 듣고 싶어서 전화를 건 것인지 알아채려고 노력하며 대답한다. 참, 그런데 아까 나랑 통화하고 싶다고 전화했다던데. 그렇죠? 에바는 온몸이 얼어붙는다. 그러니까 로사노 형사는 아직 아무것도 모르는 거네. 바르바라 아빠가 형사님을 뵈러 가지 않았나요? 에바가 단도직입적으로 묻는다. 형사가 깜짝 놀란다. 아니. 내가 아는 한 만나러 오지 않았는데. 에바가 망설이며 주저한다. 어떻게 해야 하지? 알고 있는 얼마 되지 않는 사실을 얘기해 버려? 바르바라가 살아 있고, 휴대전화 번호가 있다고? 하지만 에바는 바르바라 아빠의 말을 떠올린다. 잊어버리고 나에게 맡겨라. 바르바라의 목숨이 달려 있어. 그리고 에바는 그가 바르바라의 아빠이며, 딸을 위해 가장 많은 일을 했고, 살아 있는 그녀를 찾아내는 데 가장 관심이 많은 사람이라고 확신한다. 그래서 에바는 얼른 말을 돌려 성공적으로 빠져나온다. 바르바라 아빠가 형사님께 하실 말씀이 있어 만나 뵈러 가신다고 했어요. 곧 얘기하실 거예요. 에바는 자기에게는 무슨 말을 할 권리가 없으며, 그건 자기 일이 아니라는 느낌을 확실하게 남기며 덧붙인다. 하지만 로사노 형사는 전화를 끊지 않고 자꾸 얘기를 한다. 잠깐 기다려요. 그가 에바에게 사정한다. 잠깐만 기다려요. 정말 나에게 아무 얘기도 하고 싶지 않아요? 네. 바르바라에 대한 무슨 정보라도 있나요? 에바가 숨을 들이마시고 변명한다. 바르바라 아빠가 곧 얘기하실 거예요. 하지만 형사는 계속 우긴다. 언제든지, 무슨 말이라도 하고 싶으면 바로 전화해요. 그러고는 그녀에게 휴대전화 번호를 남긴다. 에바는 말을 더듬으며 작별 인사를 한다. 아는 게 있으면 전화드릴게요. 그러고는 자신을 원망하며 전화를 끊는다.

그녀는 티셔츠를 입고 머리카락을 말리면서, 지나치게

말리면서, 지나치게 뻣뻣하게 말리면서 자기에게 화를 낸다. 그녀가 완전히 일을 망쳐 버린 것이다. 이제 로사노 형사가 사방을 들쑤시고 다니며 모든 것을 망쳐 놓을 것이다. 바르바라 아빠가 행동으로 옮기기 위해 신중해지고 싶었다 해도, 이제 더는 그럴 수 없을 것이다. 에바는 바르바라 아빠가 경찰을 절대 믿지 않는 게 이상하지 않았다. 경찰은 로페스의 잘못을 밝혀낼 증거 하나 찾지 못한 채 4년 동안 헛발질만 했다. 로페스 선생의 아내가 남편을 감싼 게 불 보듯 훤했다. 빌바오에서 바르바라를 찾아내 레리다까지 데려와 죽인 사람이 로페스 선생인 것도 불 보듯 훤했다. 참, 죽이지는 않았지. 에바는 정정한다. 하지만 바르바라를 사라지게 했지. 에바는 의심이 든다. 아니면 로페스 선생이 실수해서 바르바라가 도망쳤나? 에바는 즉흥적으로 상상해 본다. 어쩌면 로페스 선생에게서 도망쳐 마르틴에게 갔는지도 모른다. 로페스 선생에게는 딱 들어맞지 않는 점들이 있다. 어찌 됐든, 로페스 선생은 바르바라를 제멋대로 데리고 놀다가, 바르바라의 뒤통수를 쳤다. 목까지 물에 잠기는 기분이다. 거짓말을 해서라도 그를 잡아넣는 게 그렇게 어려운 일인가? 그의 입을 열게 하는 게?

경찰은 무용지물이다. 제대로 일을 할 줄 아는 사람은 바르바라 아빠 한 사람뿐이다. 그는 로페스를 완전히 개망신 주었다. 그 앞에서 그 장면을 보지 못했다는 게 안타까울 뿐이다. 바르바라 아빠가 로페스의 코를 박살 내고, 어금니 한 개를 나가게 했다. 당해도 쌌다. 누군가 그를 짓이기고, 변태라고 대 놓고 얘기하며 망신을 주어도 쌌다. 멍청한 놈들의 대머리에 침을 뱉어라! 시인 살바트 파파세이트가 혜안을 갖고 쓴 글이다. 세상은 멍청한 놈들로 가득 차 있지만, 아무도 그 사실을 인정할 줄을 모른다.

그런데 그 순간 에바는 갑자기 온몸이 얼어붙는다. 자기가 페페에게 마르틴에 대해 근거 없는 의심을 털어놓은 걸 떠올린다. 방금 갈아입은 옷이 식은땀으로 축축해진다. 무슨 짓을 한 거야? 왜 그런 말을 했을까? 그가 마르틴을 죽일 거야. 바르바라 아빠라면 충분히 그럴 수 있고, 더한 일도 할 수 있다. 이미 그는 로페스를 야수처럼 덮친 적이 있었다. 그리고 4년이 흐른 지금, 그동안 쌓인 분노가 더 클 테니, 마르틴을 갈기갈기 찢어 놓을 것이다. 왜 그런 멍청한 얘기를 했을까? 이제 에바는 그 장면이 훤하게, 확실하게 보인다. 아, 안 돼! 바르바라 아빠는 마르틴을 짓이겨 놓을 거야. 그래서 형사를 만나러 가지 않은 거야. 바르바라 아빠는 정의의 사도처럼 혼자 행동하고 싶은 거야. 복수하고 싶은 거야.

에바는 결심하고, 전화기를 들어 바르바라 집으로 전화한다. 얼른 페페와 통화해서, 그게 아니라고, 자기가 착각한 거라고, 자기가 경솔했다고, 어쩌면 로사노 형사와 연락하는 게 나을 것 같다고, 형사가 이미 눈치채고 있다고 말할 생각이다. 벨이 한 번, 두 번 울렸고, 세 번째에 자동 응답기가 작동한다. 집에 아무도 없을 수도 있다. 모두 외출했거나 통화 중일 수도 있다. 에바는 팔짱을 끼고 앉아서 무작정 기다릴 수가 없다. 그리고 조금 전 영어 수업 시간에 가만히 있을 수 없었다면, 지금 자기 집 소파에서는 더더욱 가만히 앉아 있을 수가 없다. 그녀는 안절부절못하며 일어나, 우산과 가방을 챙겨 들고 비옷을 입은 후 밖으로 나간다.

에바는 거리로 나서면서 비가 그쳤다는 사실을 확인하고는 화가 나서 우산을 바닥에 내동댕이친다. 현관문 열쇠 구멍에 열쇠를 집어넣던 옆집 아줌마가 이상하다는 듯 그녀를 바라본다. 무슨 일 있니, 에바? 에바는 쑥스러워하며 얼른 우산을 들고 똑같은 질문을 건넨다. 무슨 일 있으세요? 에바는 그런 아이가 아니다. 그녀는 초조해하는 법이 없으며, 소리를 지르지도, 발버둥을 치지도 않고, 바닥에 우산도 내동댕이치지 않는다.

그리고 그때 갑자기, 자기가 너무 초조해하고 있다는 사실을 깨닫는다. 그건 인생이 그녀에게 두 번째 기회를 줬기 때문이다. 이제 에바는 자기 자신의 일부를 되찾을 수 있다.

15

바르바라 몰리나

가슴이 너무 떨려, 절대 빼놓지 않고 늘 챙겨 보던 〈프렌즈〉도 보지 못했다. 나는 디브이디를 트는 대신, 우리 안에 갇힌 사자처럼 계속 원을 그리며 맴돌기만 한다. 내가 바로 그렇다. 미친 사람에게 붙잡혀 우리 안에 갇힌 짐승. 그리고 그 미친 사람은 내가 원하지 않는 것을 하도록 강요한 후 나중에 상이랍시고 자기 손으로 직접 먹이를 준다. 그러다가도 전혀 생각도 못 한 때 느닷없이 채찍을 꺼내 눈썹 하나 꿈쩍하지 않고, 눈곱만큼의 동정심도 없이 나를 때리기도 한다. 내가 도망친다면 사디즘의 쾌락을 느끼며 나에게 총을 쏴 댈 것이다. 쥐새끼를 짓이기듯이.

나는 냉장고를 열어, 음식을 먹다가 남겨 썩을 때까지 보관해 두는 플라스틱 통들을 뒤지며 이것저것 열어 본다.

나는 이 통들을 만지지 못하게 스스로 금지해 왔다. 몇 년 전, 며칠 동안 굶주린 후 내가 정해 놓은 규칙이다. 별로 소용은 없지만 그래도 마음의 위안은 된다. 다시는 굶주리지 않겠다고 나 자신에게 다짐했었다. 스칼렛 오하라가 고개를 꼿꼿이 세우고 타라의 붉은 흙을 한 줌 쥐고 나온 그 장면에서처럼. 하지만 나는 그렇게 사진발이 좋지도 않고, 그렇게 장엄한 상황도 아니다. 단지 남은 음식을 아껴서 모으려는 것뿐이다. 남은 음식들을 적은 양으로 나눠, 귀한 보물처럼 보관해 두는 것이다. 나는 샐러드 잎사귀와 토마토가 들어 있는 통을 열어, 허겁지겁 입에 쑤셔 넣은 후 바로 차가운 닭고기 한 조각이 들어 있는 다른 통을 열어 씹지도 않고 그냥 집어삼킨다. 떨떠름한 맛을 가라앉히고 괴로움을 지우고 싶지만, 배는 부르지 않고 오히려 더 허기만 진다.

지난 3년 동안 그는 사자를 길들이듯 먹을 것으로 나를 길들였다. 그는 음식이 막강한 무기라는 것을 알고는, 먹을 것으로 장난쳤다. 매질로도 이뤄 내지 못한 것을 그렇게 배고픔으로 이뤄 냈다. 그는 나를 굶겨서 고통받게 하다가, 갑자기 나타나 맛있는 음식 냄새를 맡게 했다. 그가 잠시 문을 열어 두면, 너무 맛있을 것 같아 기분 나쁘기까지 한 통닭 냄새가 지하실까지 스며들어 와 코를 찔렀다. 배는 고픈데 먹지 못하는 것은 일분 일초 조금씩 죽어 가는 것과 다름없었다. 그는 몸이 죽지 않으려면 싸워야 한다며 나에게 주의를 주었다. 양팔은 갈수록 가늘어지고, 양다리는 앙상해지고, 갈비뼈는 한 개씩 셀 수 있을 정도였고, 배는 골반뼈 아래로 푹 꺼졌다. 나는 해골이 되었다. 동료들의 피를 마신 조난자들과 죽은 시신의 내장을 먹은 군인들, 시신들로 연명한 난파선의 생존자들에 대한 이야기가 떠올랐다. 배고픔은 그 어떤 고통보다 더욱 강렬했기 때문에 나는 그런 이야기들이 전혀 이상하지 않다. 마카로니 한 접시 때문에 살인도 불사할 것 같았다. 음식이 내 삶의 중심으로 자리 잡으면서, 삶의 원동력, 삶의 이유가 되었고, 유일하게 병적인 집착이 되었다. 나는 일요일마다 엄마가 해 주던 밥과 목요일 저녁때마다 외갓집에서 먹던 수프, 매일 학교에 가지고 갔다가 가끔 쓰레기통에 버리기도 했던 햄샌드위치를 꿈꿨다. 우유가 가득 담긴 컵과 초콜릿 과자도 상상해 보았다.

한번은 절망에 허우적거리며 엉금엉금 기어가, 시커먼 풍뎅이를 잡은 적이 있었다. 풍뎅이가 놀라서 다리를 버둥거렸다. 어쩌면 풍뎅이가 나의 배고픔을 냄새 맡고, 내 입 속에서 자신의 사지가 뜯겨 나갈 거라는 걸 알았는지도 모르겠다. 그리고 실제로 그렇게 되었다. 나는 혐오감을 이겨 내고 풍뎅이를 입 속에 집어넣었다. 하지만 풍뎅이가 꿈틀거리며 허우적거리는 게 느껴지는 순간, 갑자기 역겨워져 뱉어 냈다. 구역질이 났고, 담즙까지, 텅 빈 위장 바닥에서부터 올라온 걸쭉하고 파란 액체까지 모두 토해 냈다. 풍뎅이까지 입에 집어넣을 정도라면, 언젠가는 내 다리도 잘라 먹을 수 있겠다는 생각이 들었다. 그리고 그때 나는 두 손 두 발을 번쩍 들었다.

더는 연한 스테이크와 푸짐한 감자 요리를 떠올리며 고통받고 싶지 않았다. 굶주림으로 다리가 후들거리고 현기증이 나는 것도 견딜 수 없었다. 고통을 덜고자 분노로 벌레를 죽이며 살고 싶지도 않았다. 배고픔이 분노한 벌레처럼 내 몸속에 자리 잡고 들어앉아, 발톱으로 나를 긁어 대고, 이빨로 물어뜯고, 한시도 쉬지 않고 나를 못살게 굴며 밤낮으로 자기 몫을 달라고 보채는 것 같았다. 그러고 나면 그 고통은, 그가 다시 나를 찾아오지 않으면 텅 빈 냉장고와 함께 그 시커먼 개구멍에 버려질지도 모른다는 두려움과 뒤섞였다.

나는 어서 그가 돌아와 나를 굶겨 죽지 않게 해 달라고, 부질없이, 조용히 빌었다. 그렇게 나는 콩요리 한 접시에 나를 팔았다. 더 이상 적절한 표현은 없다. 음식이 나를 고분고분하게 만들었고, 고통도 끝내 주었다. 매일 밥그릇을 채워 주는 손을 혀로 핥고, 꼬리를 살살 흔들며 뼈다귀 한 개에 애무를 받아들이는 말 잘 듣는 개가 되었다. 나는 짐승이다. 그런 생각을 하면 할수록 배가 더 고팠고, 나는 그렇게 보관해 두었던 음식들을 모두 꺼내 먹어 치운다. 일어선 채로 매시트포테이토와 잼, 강낭콩, 생선에 코를 박고, 양손으로, 셔츠까지 더럽히며 먹어 댄다. 허겁지겁 마구 섞어 먹은 음식 중에는 분명히 상한 음식도 있을 수 있다. 어쩌면 몇 주째 냉장고에 있었던 것일지도 모른다. 하지만 상관없다. 어차피 그가 돌아오면 나는 죽을 것이다. 차라리 배나 채우고 죽는 게 훨씬 낫다.

에바가 집에 전화를 걸었을 수도 있다. 에바에게 전화를 걸다니, 내가 어리석었다. 하지만 적어도 에바는 엄마처럼 울지는 않았다. 에바는 울 줄을 모른다. 우는 걸 창피해한다. 춤을 추거나 가슴을 보여 주는 것과 마찬가지로. 에바의 가슴처럼 풍만한 가슴을 보면 남자아이들이 얼마나 환장하는데, 정말 바보다. 나는 에바에게 자주 말했다. 에바, 꽉 끼는 셔츠를 입어 봐, 그러면 바로 남자들이 따라올 테니까. 하지만 에바는 귓등으로도 듣지 않았다. 에바는 투명인간이 되어 사람들의 눈에 띄지 않는 걸 좋아했다. 마르틴은 에바의 이름조차 몰랐다. 에바가 우리를 소개해 줬는데 그건 좀 심했다. 맞아, 말이 없는 네 친구, 이름이 뭐더라? 우리가 다짐했던 것처럼 에바는 신문방송학과에 다니고 있을까? 에바는 집요한 편이다. 생각이 분명하며, 성실하고, 책임감이 강한 개미 같은 아이다. 나보다 훨씬 생각이 분명하다. 에바는 틀림없이 전과목을 이수하고, 좋은 점수를 받아 지금쯤은 신문방송학과 2학년이 되었을 것이다. 그리고 운전면허증도 있을 테고, 틀림없이 에바네 엄마가 자기가 타고 다니던 검정색 닛산 마이크라 자동차를 물려줬을 것이다. 이제 에바는 날씬하고, 이에 끼고 다니던 보철기도 뺐을 것이다. 그리고 애인이 생겨, 데이트하며 극장에도 가고, 스킨십도 할지 누가 알겠는가. 사실, 에바가 밤에 나이트클럽에서 엉덩이를 흔들 거라고 보지는 않는다. 에바는 그런 아이가 아니다. 어쩌면 엑스쿠르시오니스타 클럽의 멘토가 되어, 학기가 끝난 후 꼼꼼하게 캠핑 준비를 하고 있을 수는 있다. 런던에는 가 봤을까? 베를린에는? 뉴욕은? 내가 놓친 것들이 너무나도 많다.

나는 대학이 어떤 곳인지도 모르고, 미국에는 발도 디뎌 보지 못했고, 자동차 핸들 앞에도 앉아 보지 못했고, 콘서트장에도 가 보지 못했다. 언젠가 그가 텔레비전 시청을 허락하는 날, 나는 텔레비전을 켜고, 도쿄에 특파원으로 가 있는 에바를 부러워하며 보게 될 것이다. 물론, 그러려면 에바는 자신의 수줍음을 이겨 내야만 할 것이다. 그녀는 사람들 앞에서 얘기하는 걸 부끄러워했다. 변했을까? 사람들은 가끔 변하기도 하니까. 에바는 나 없이도 혼자 잘 적응하고, 큰 소리로 겁 없이 의견을 얘기하고, 사람들의 눈을 똑바로 바라보는 법을 배웠을 것이다. 에바는 세 사람만 넘게 모이면 입을 다물었으며, 수업 시간에 질문받으면 얼굴이 홍당무가 되었다. 내가 큰 소리로 발표한 생각들 중 많은 것이 에바의 생각이라는 것은 반 친구들도 모르는 사실이다.

나는 부끄러움이 없었다. 생각은 에바가 했는데, 신나게 떠들어 댄 사람은 나였다. 나는 에바의 생각들을 도용했으며, 사기꾼이었다. 우리는 함께 공부했으며, 에바는 나에게 자연수의 공식을 그려 주며 수학을 설명하고, 역사를 설명해 줘야 했다. 에바는 개념이 매우 확실해 필기시험에서는 좋은 점수를 받았지만, 구두시험만 봤다 하면 말을 더듬고 말수가 줄어들어 바보처럼 굴었다.

우리 둘 중에서는 에바가 훨씬 머리가 좋고, 나는 잔머리가 좋았다. 그래서 로페스 선생님이 나와 단둘이 얘기할 때, 내가 호기심이 많고 똑똑하다며, 어떤 학생도 알레시아 전투에 대해 그토록 빛나는 질문들을 하지 않았다고 해서, 나는 스스로가 대단한 사람처럼 느껴져 에바를 한쪽으로 제쳐 두었다. 에바는 도스토옙스키를 읽고, 피아노로 바흐를 연주하고, 선거에는 참여하지 못해도 선거 전 정당들의 선거 공약들을 읽어 보는 아이였기 때문에 로페스 선생님이 공정한 건 아니었다. 에바는 기후변화에 대해 깊이 생각했고, 자기 가족에게 국제구호기구인 옥스팜에 회원으로 가입하고 공정무역 가게에서 물건을 구매하도록 설득했다. 에바는 극장에서 어떤 영화들이 상영되는지 꿰뚫고 있었고, 나에게는 지겹게만 보이는 우디 앨런과 코폴라 감독의 영화들도 좋아했다. 하지만 로페스 선생님은 그 사실을 잘 알면서도, 나를 더 예뻐했다. 그는 나에게 다이아몬드 원석처럼 다듬어지지 않은 지성을 간직하고 있다고 했다. 에바가 아파했다는 걸 나는 잘 안다. 에바가 내 자리를 간절히 바랐다는 것을, 로페스 선생님이 나에게 헤르만 헤세의 책들을 빌려줬을 때 부러워 죽으려고 했다는 것을 잘 안다. 에바는 도서관에서 우리를 감시하고 있다가 나에게 들킨 적도 여러 번 있었다. 우리가 시간 가는 줄 모르고 《싯다르타》에 대해 대화를 나누는 동안, 에바는 있지도 않은 책을 찾는 척하며 현대 소설들이 꽂힌 책장을 미친 사람처럼 뒤졌다. 그 뒤 에바는 앙심을 품고는 나에게 뭐 좀 이해한 게 있니, 하고 물었다. 그 시절 에바는 상당히 퉁명스러웠다. 항상 내 꼬투리를 잡으려고 호시탐탐 노렸다. 프루스트가 누군지, 그 유명한 마들렌(프루스트의 작품 《잃어버린 시간을 찾아서》에 나오는 빵으로 '마들렌'을 먹는 순간 그 빵에 얽힌 옛 기억들을 떠올리며 이야기가 진행된다.: 옮긴이)이 무슨 뜻인지 설명해 달라며 그에게 도움을 청하기를 바랐다. 하지만 나는 에바의 뜻대로 해 주지 않았다. 나는 에바를 실망시키기 위해 열심히 구글을 검색했다.

분명히 에바는 금요일마다 로페스 선생님이 자기를 초대해, 피카소 미술관에 걸린 〈라스 메니나스〉 앞에서 세 시간 동안 설명하며, 모든 관점으로 그 그림을 분석해 주기를 헛되이 기다렸을 것이다. 에바는 한 번도 간 적이 없었다. 그런데 나는 갔다. 나는 로페스 선생님과 함께 있으면 어른이 된 기분이었다. 그래서 우리는 라발 카페에서 몰래 만나, 코카콜라 대신 커피를 마시기도 했다. 너는 로페스 선생한테 푹 빠졌어. 에바가 질투하며 나를 질책했다. 그리고 나는 내가 중요 인물이라도 된 것 같은 착각이 들어, 그 말을 부인하지 않았다.

나는 로페스 선생님의 학식에 푹 빠져들었다. 그의 학식이 내가 모르고 지나쳤던 것들에 눈뜨게 해 주었다. 로페스 선생님이 이탈리아 영화를 좋아해서 우리는 비스콘티, 펠리니, 베르톨루치, 파솔리니의 영화를 함께 보러 다녔다. 어떤 영화들은 이해했고, 어떤 영화들은 잘 이해하지 못했지만 선생님은 우리가 영상의 아름다움이나 감정의 묘사, 세상에 대한 무자비한 사진에 주목할 때까지 인내심을 가졌다. 로셀리니 감독의 〈무방비도시〉와 비쩍 마른 동료가 체포되어 트럭에 오를 때 안나 마냐니가 지른 비명 소리가 떠오른다. 내가 보기에는 안나 마냐니가 뚱뚱한 속물 같았지만, 그녀의 비명 소리가 너무나도 느낌이 강하고, 너무나도 진짜 같고, 그녀의 사랑이 너무나도 위대하고, 그녀의 죽음이 너무나도 비극적이라, 마지막에 가서는 그녀가 섹시하게 느껴질 정도였다. 하지만 영원히 내 기억

속에 각인되어 남은 것은 〈엘 이노센트〉에 나온 주인공의 모습과 아이를 얼어 죽게 만든 그의 잔혹함이었다. 숨기려는 기색도 없이 대 놓고 바람을 피우던 한 남자가, 자기 아내가 다른 남자를 사랑하게 되자 강렬한 질투심에 사로잡혀 한시도 아내를 가만히 내버려 두지 않는다. 그때 남편은 아내의 임신 사실을 알고, 아이의 아버지가 누구냐고 캐물으며 병적으로 아내를 괴롭힌다. 아이가 태어나자, 남자는 아이를 증오하다가 결국 자기 손으로 아이를 죽이고 만다. 여자는 비로소 반항하며, 그의 얼굴에 대고 역겹다고 말할 용기를 얻는다. 그는 거짓말쟁이에, 자기 하고 싶은 대로 하고, 소유욕이 강한 남자였다. 그가 그녀를 유혹해 악마로 만든 것이다. 그리고 그녀는 눈을 가리고 있던 붕대가 벗겨질 때까지 그 사실을 알지 못한 것이다. 그 순간 나는 소름이 돋았다. 바로 그와 똑같았다!

로페스 선생님은 나에게 많은 사실을 깨닫게 해 주었다. 그래서 나는 그에게 전부 털어놓기로 결심했다.

나는 로페스 선생님은 믿을 수 있다고 생각했다. 로페스 선생님은 항상 복도에서 나를 붙잡아 세우고, 무슨 일이 있느냐며 걱정스럽게 물었다. 내가 왜 다른 과목들은 낙제를 받았는지, 왜 슬퍼하는지 알고 싶어 했다. 나의 담임 선생과도 얘기해 봤지만 아무 결론도 얻지 못했다고 했다. 로페스 선생님은 진지하고, 나를 걱정해 주는 사람이었다.

그리고 나는 생각이 분명한 사람이 필요한 절망적인 상태였다. 그는 정의에 대해 엄격한 생각을 가지고 있는 게 분명했고, 좋고 나쁜 것을 확실하게 가릴 수 있는 사람이었다. 반면에 나는 머릿속이 모두 뒤엉켜, 나에게 일어난 일들 때문에 골치가 아팠다. 로페스 선생님은 옛 로마의 부패와 투표함, 군대에 맞서 보기도 전에 칼로 율리우스 카이사르를 죽이려고 했던 카이사르 추종자들의 비겁함에 대해 우리에게 말한 적이 있었다. 역사를 분석해 기원전 1세기에 원로원들이 뭘 어떻게 해야 했는지 분명하게 볼 수 있는 사람이라면 나를 도와, 이 곤경에서 나를 꺼내 줄 수도 있을 것 같았다. 내 문제는 어떻게 그 이야기를 꺼내 이어 나가야 할지 모른다는 데 있었다.

나는 그 일에 이름을 붙이지 않았다. 단어들도 없었다. 말을 하지 않으면, 아예 존재조차 하지 않을 거라고 믿었다. 이름을 붙여 명명하지 않으면, 잊어버리거나 사라져 버릴 거라고 생각했다. 그래서 누군가에게 그 일을 설명한다는 게 너무 힘들었다. 로페스 선생님은 나에게 알았다고, 내 말을 기꺼이 들어 주겠다고 했다. 나는 그에게 제발 신중하게 처신해 달라고 부탁했고, 그는 밤에 학교에서 만나자고 했다. 나는 그 얘기를 어떻게 꺼내야 할지, 나에게 일어난 일들과 나를 숨 막히게 하고, 당혹스럽게 하고, 무섭게 하고, 어쩔 줄 모르게 만드는 두려움을 어떻게 얘기해야 할지 곰곰이 생각해 보았다. 그러고는 내 이야기를 들어 줄 준비가 되어 있는 선생님과 얼굴을 마주 보고 앉으면, 뭔가 생각이 나서 거침없이 이야기를 쏟아 낼 수 있을 거라고 믿었다.

그날 밤 우리는 단둘이 있었다. 학교는 어둠에 잠겨 텅 비어 있었다. 선생님의 뒤를 따라 걷는 동안 내 발소리가 복도에 울려 퍼졌다. 나는 두 배로 죄를 짓는 기분이라 뒤로 물러서고 싶었지만 때는 이미 너무 늦었다. 나는 미신을 믿지 않지만, 3층 B반 교실 창문에서 검은 고양이가 지붕 위에서 뛰어 내리는 것을 보았다고 맹세한다. 불길한 징조였고, 로페스 선생님이 등 뒤로 교실 문을 닫고 나를 바라보는 동안, 나는 뒤로 물러나 가만히 있었다. 나는 선생님의 몸에서 풍기는 땀 냄새가 싫었다. 교실의 불빛도 싫었다. 한밤중 그 시간의 학교가 싫었다. 기분이 너무 이상해 병원 응급실에 입원한 기분이었다. 나에게는 모든 게 낯설게 느껴졌다. 처음 보는 것 같고, 무시무시해 보였다. 선생님 역시 다른 사람 같았다.

선생님이 풀어진 눈동자에서 빛을 발하며 나를 바라보다가, 말도 안 되는 황당한 말들을 쏟아 내며 먼저 말문을 열었다. 자기는 유부남이며, 내가 자기를 사랑한다는 걸 알고 있다고 했다. 그러면서 그래서는 안 된다며, 자기는 나에게 아무것도 해 줄 수 없다며, 그 역시 나를 사랑하지만 나는 미성년자라고 말했다. 그때 나는 검은 고양이처럼 창문으로 뛰어내려, 지붕 위로 사라지고 싶었다. 그런데 그때, 선생님이 내 다리 위에 손을 얹더니, 나를 애무하기 시작했다. 선생님의 목소리와 말과는 너무나도 거리가 먼 행동이었다. 나는 부들부들 떨며 벌떡 일어나, 울음을 터트렸다. 울음을 그칠 수가 없었다. 나는 너무나도 커다란 좌절감을 느꼈다. 선생님은 나를 껴안고 위로해 주려고 했지만 나는 더욱더 큰 소리로 울었다. 나는 절망적이었다.

그런데 그때 최악의 상황이 벌어지고 말았다. 문이 벌컥 열리면서, 별명이 육군 중위인 담임 레메디오스 코마스 선생님이 나타난 것이었다. 로페스 선생님은 나를 갑자기 밀치며 떼어 놓았고, 나는 단번에 울음을 그쳤다. 그런데 그 위대한 로페스 선생님은 잔뜩 겁에 질려, 내가 개인적인 일을 얘기하고 싶다며 자기를 그곳으로 불러냈다는 말 이외에는 달리 아무 말도 하지 못하는 거였다. 충격 그 자체였다. 로페스 선생님이 고자질쟁이가 되어, 어린아이처럼 나를 고자질하며 손가락으로 가리키다니! 재예요! 재예요! 나는 벙어리가 되어, 로페스 선생님을 무시하기 시작했다. 담임은 절대 언성을 높이지 않았지만 나는 그녀의 무뚝뚝함이 이 세상 그 어떤 욕설보다 더 두려웠다. 그들이 나를 집까지 데려다주었다. 그 어느 길도 그렇게 길게 느껴진 적이 없었다. 골목을 돌아설 때마다, 신호등 앞에 설 때마다, 나는 얼른 초록색으로 바뀌기를, 그 고통이 어서 끝나기를 간절히 바랐다. 예수 그리스도의 고난과 사람들이 말하는 그 고통의 발걸음이 떠올랐다. 나는 로페스 선생님을 굳게 믿었다가, 그가 어떤 사람인지 발견했다는 부끄러움의 십자가를 짊어졌다. 그들은 다음 날 교무실에서 만나자는 협박과 함께, 나를 집 앞까지 데려다주었다. 그건 어떻게도 피할 수 없는 협박이었다.

그날 밤 나는 잠을 이루지 못했다. 머릿속으로 스캔들을 그려 보았고, 우리 가족의 반응을 상상해 보았다. 내 인생에 문제 하나를 더 첨가할 수는 없었다. 그걸 허용할 수가 없었다. 그래서 나는 다음 날 레메디오스 코마스 선생님 앞에서 울고 또 울었고, 결국에는 손목을 긋겠다는 말로 그녀를 협박했다. 효과가 있었고, 나는 살았다. 그리고 덤으로 로페스 선생님도 살려 주었다.

그 빌어먹을 선생님은 자기에게는 명예와 가족이 있으니 더 이상 말을 걸지 않으면 좋겠다며 단호하게 잘라 말했다. 그는 내게서 등을 돌렸고, 그 후 복도나 교실에서 마주쳐도 나에게 말 한마디 걸지 않았다. 두 번째 평가 때 나는 그의 과목에서 낙제했다. 예전에는 제일 좋은 점수를 따기 위해 열심히 노력했지만, 모든 동기를 잃어버렸으니 당연한 점수였다. 로페스 선생님은 내가 입을 열면 가만히 두지 않겠다고 확실하게 못 박았다. 그는 비겁한 사람이었다.

16

살바도르
로사노

로사노 형사는 옷을 갈아입으러 집에 들러야 했다. 그란 비아와 우르헬 거리쯤 왔을 때 갑자기 비가 쏟아졌지만, 그는 다른 사람들처럼 지붕 아래로 들어가 비를 피하지 않고, 꼭두각시 인형처럼 거리 한가운데 있는 바나나나무 아래에 가만히 서 있었다. 그는 에바의 전화와 페페가 찾아갈지도 모른다는 수수께끼 같은 말의 뉘앙스가 이상해, 곰곰이 생각에 잠겼다. 더군다나 에바가 자꾸 말을 피하려 해 더 당혹스러웠다는 것은 말할 필요도 없다. 처음에는 어리석게도, 에바가 바르바라네 가족에게 연락을 받고 자기에게 작별 인사를 건네며, 친구의 사건을 수사해줘서 고맙다는 말을 전하려는 줄 알았다. 어리석은 생각이었다. 그저 고맙다는 말은 아무도 하지 않는다. 로사노는 에바의 목소리와 말의 내용보다 뭔가 자꾸 숨기려고 하던 것이 계속 떠올랐고, 옷은 양쪽 옆으로 흠뻑 젖었다. 그란비아 거리의 바나나나무 잎사귀에 맺힌 빗방울의 무게가 두 배로 늘어나, 빗물이 마구 떨어진 것이다. 그렇게 로사노는 비를 맞으며 바보처럼 멍한 상태로 곰곰이 생각에 잠겨, 거리 한가운데에 한참 동안 서 있었다. 아들 결혼식 때 입었던 양복이 흠뻑 젖었고, 붉은빛이 감도는 넥타이가 하얀 와이셔츠를 물들였다.

로사노는 열쇠 구멍에 열쇠를 넣어 돌린 후 들키지 않고 조용히 들어가려다가 실패했다. 아내는 그보다 훨씬 훌륭한 경찰이다. 그는 아내의 경솔한 질문과 대화를 피하고 싶었다. 우산을 갖고 나갔어야지요. 아내가 보자마자 대뜸 야단부터 친다. 마지막 날은 어땠어요? 그녀가 느닷없이 질문을 던진다. 일이 많았어요? 그러고 나서 그에게 예정된 입맞춤을 해 준다. 대화가 시작된다는 신호이다. 아내는 부엌에서 입는 앞치마를 두르고 있었다. 그녀에게는 1인분이나 2인분이나 요리하는 건 매한가지다. 귀찮아하지도 않는다. 이미 습관이 되어 있다. 남편은 송별 파티에 가지만 자기는 초대받지 않아, 혼자 저녁 식사를 해야 한다는 것을 이미 알고 있다. 로사노는 아내와 함께 참석하고 싶지 않았다. 아내가 많이 좋아했을 것이며, 시간을 두고 미리 말해 줬다면 옷을 한 벌 사고, 아침 일찍부터 미장원에 갔을 거라는 걸 잘 안다. 카탈루냐 주 자치경찰서에 다니는 남편의 정년 퇴임 기념 만찬은 그 행사 전에도, 행사가 끝난 이후에도 아내에게 두고두고 얘깃거리를 주었을 것이다. 아내의 인생에서 적어도 한 달은 두고두고 얘기할 거리가 되었을 것이다. 일상적인 대화에 활기를 불어넣어 주고, 강낭콩 요리에 소금을 얼마나 뿌려야 하는지, 콜레스테롤 조절이나 손자의 이 같은 집안 얘기에서 빠져나올 수 있는 기회였다. 아내가 아들의 결혼식을 얼마나 즐겼던지! 1년은 얘기할 거리가 있었다.

하지만 그는 아내를 초대하지 않았고, 아직도 왜 그랬는지 모르겠다. 어쩌면 아내가 뭔가를 알아내려는 눈초리로 살피다가, 자기가 사관학교를 졸업한 어린 애송이한테 밀려나 쫓겨났다는 것을 알게 되는 게 싫었는지도 모른다. 자기를 위해 건배하는 사람들이 사실은 새로 부임한 상관에게 미소를 건네고 눈도장을 찍고 있으며, 이제 눈곱만큼도 중요하지 않은 자기한테는 시답지 않은 농담이나 던지려 한다는 것을 아내에게 보여 주고 싶지 않았는지도 모른다. 아니, 사실은 정년 퇴임을 하고 싶지 않은 데다가 만찬이 자기를 위한 자리라는 사실을 아직 받아들이지 못했기 때문에, 그리고 그날 밤 자신의 직장 생활이 끝나기 때문에 아내의 참석을 원치 않았는지도 모른다. 어찌 됐든 그는 혼자 참석할 생각이다.

하지만 내일 아침에 뭘 해야 할지는 아직 모른다. 헬스장에 발을 디딘 적도 없고, 카드를 쳐 본 적도 없고, 페탕크 놀이(쇠공을 굴리는 놀이로 지중해 연안 국가의 전통 놀이 중 하나: 옮긴이)를 해 본 적도 없고, 바비큐를 먹기 위해 주말에 어울려 놀러 다니는 친구들도 없다. 로사노는 지나치게 일만 열심히 했고, 헛되게 보낸 토요일이나 일요일도 없었다. 그걸 후회하지는 않지만 다음 날 아침을 생각하면 거대한 허공처럼 느껴지고, 젊었을 때 군경 대원 동료들과 어울려 가끔 다녔던 라메트야 델 바예스 시립 수영장의 다이빙대가 떠오른다. 그때 그는 마음이 매우 착잡했었다. 그는 계단을 올라가 다이빙대 끝까지 가서, 한참 아래에 있는, 끔찍할 정도로 아래에 있는 수영장을 바라보다가 다시 내려갔다. 그는 다이빙할 자신이 없었다. 그는 과거에도, 현재에도 절대 충동적이지 않다. 자신의 행동을 계획 세워 실천하는 사람이다. 하지만 정년 퇴임 다음 날에는 확실하게 아무것도 계획하고 싶지 않았다. 그리고 지금, 젊었을 때와 똑같은 현기증을 느낀다. 그는 은퇴자의 생활에 감히 발을 내딛지 못한 채, 수영장의 다이빙대 아래 심연으로 코만 내밀고 있는 셈이다.

내일 뛰어내리면 돼. 그는 혼잣말을 한다. 아니, 다시 말하자면, 사람들이 그를 밀어낼 테고, 그는 좋든 싫든 물에 젖을 것이다. 달리 무슨 뾰족한 수가 있겠는가. 아침나절에 외출하는 아내를 지켜보고, 응접실 시계의 똑딱 소리를 듣고, 식당의 텔레비전 앞에서 다시 데운 음식을 먹고, 밤에 쓰레기를 버리러 나가는 것을 배워야 할 것이다. 그리고 인생이 지나치게 빨리 흘러갔는데 자기는 아무 준비가 되어 있지 않다는 것을 깨닫자, 그는 목에 뭔가가 걸린 듯한 기분이다. 그건 아내도 마찬가지다. 그녀도 불안해 보인다. 곧 그가 그녀의 공간과 그녀의 시간, 그녀의 자유를 침범할 것이다. 그녀에게는 쓸데없는 그의 존재가 거치적거릴 테고, 그는 그녀를 방해하지 않으려 안절부절못할 것이다. 아내가 빗자루질을 할 때 계속 구석으로 밀려나다가, 결국에는 문을 열고 신문을 사러 밖으로 나가는 수밖에 없는 것처럼. 아내는 자기가 들어오고 나가는 것을 감시받는다고 느낄 것이고, 자기가 아는 사람들이 많다는 것이, 지나치게 많다는 것이 갑자기 미안해져, 전화할 때는 목소리가 들리지 않도록 나지막하게 말할 것이다. 아내는 노동법으로는 절대 정년이 없는 세상에서, 자기만의 작은 공간을 제대로 구축해 놓았다. 그녀는 아직 정년퇴직하지 않았으며, 4시까지 근무한다. 오후에는 아쿠아짐과 커피, 친구들과 가족들과 어울려 브리지 게임을 즐기느라 바쁘다.

아내는 자식들의 삶을 주도면밀하게 지배한다. 밤에는 손자의 재주에 대해 알을 품은 암탉처럼 꼬꼬댁거리느라 그를 현기증 나게 한다. 벌써 기어 다니느니, 엄마라고 말했다느니, 혼자 입에다가 숟가락을 집어넣었다느니 하면서. 그리고 그녀는 항상 사진들을 갖고 다니다가 그에게 보여 준다. 봐요, 봐, 당신 코를 빼닮았어. 불쌍하군. 그러지 말아요. 나는 당신을 처음 봤을 때 당신 코를 사랑했어요. 그때 나는 코 좀 봐, 성격이 정말 좋겠어, 하고 생각했어요. 아내는 그런 사람이다. 다정하고, 헌신적이고, 시키는 걸 좋아한다. 그녀는 도시락 통에 크로켓을 담아 자식들에게 가져다주는 걸 좋아한다. 자식들이 어떤 연속극을 보는지, 월급은 얼마나 받는지, 이번 시즌에는 어떤 옷을 샀는지, 자주 통화하는 친구들의 이름은 뭔지 알기 위해 갖다 붙이는 작은 핑겟거리이다. 하지만 진심에서 우러나 그러는 것이며, 그래서 자식들에게 어떤 선물이 적절한지 늘 알고 있다. 아내는 늘 지켜보다가 아무 말 없이 메모해 둔다. 훌륭한 경찰이 되었을 수도 있다. 걔들한테는 믹서기를 사 줘야 해요. 걔들한테 없거든요. 오래된 건 지저분해서 새 타월을 사 줘야 해요. 손자에게 장난감 차를 사 줘야 해요. 다른 거는 망가졌거든요……. 아내는 친구와 가족들과 늘 교류한다. 그리고 그것이 그녀를 불꽃처럼 항상 타오르게 한다. 그런데 그는 하룻밤 사이에 열기가 뚝 떨어져, 어둠 속에 얼어붙어 있다.

그는 잔뜩 겁먹었다. 그렇다. 겁먹었다는 말이 적절한 표현이다. 그리고 시간을 두고 예측해 전략을 세워 두지 못한 게 후회된다. 로사노 사건, 시간당 60분으로 채워진 24시간, 하루의 죽은 시간들을 어떻게 보내야 할 것인가. 의미가 없는 것에 어떻게 의미를 부여할 것인가. 모든 미제 사건에 대한 좌절감을 어떻게 극복할 것인가. 그리고 그는 세 번째에서 멈춰 선다. 그것이 그를 가장 아프게 한다. 그래서 그것 때문에, 아직 그의 일이 끝나지 않았기 때문에, 정년 퇴임을 맞이할 준비가 되어 있지 않은 것이다. 변명처럼 들릴지 모르겠지만 내 일은 절대 끝나지 않아. 그가 씁쓸하게 말한다. 그리고 그 모든 사건 중에서도 바르바라 몰리나 사건이 제일 마음에 걸린다. 그 사건이 갑자기 다른 각도에서 빛을 내뿜기 시작했기 때문이다. 예전에는 미처 하지 못한 질문들을 하게 되었고, 그 아이와 가장 친한 친구가 수상한 전화를 한 바람에 느닷없이 그 사건이 되살아났다.

기다리지도 않았는데, 놀랍게도 휴대전화가 다시 울린다. 로사노는 다음 날이면 더 울려 대지 않을 거라는 걸 알면서 얼른 받는다. 야도다. 착한 녀석. 네? 이미 해결했습니다, 대장님. 제가 직접 했습니다. 그냥 대 놓고 전화해서 아들을 채용하고 싶어 하는 학교 교장 행세를 했습니다. 그 집 식구들이 하나하나 자세히 설명해 주었습니다. 아버지는 자식을 제대로 교육했다며, 자식을 자랑스러워했습니다. 네? 그리고 모두 사실이에요. 아버지 라몬 로페스는 모예루사의 농부로 지금 일흔한 살인데 거의 죽어 가고 있고, 시간이 얼마 남지 않았습니다. 요즘 로페스가 밤에 학원에서 일하기 때문에 매일 오전에 아버지를 보러 간답니다. 로사노가 한숨을 내쉰다. 또 헛짚었군. 어쨌든, 고맙네. 아닙니다. 제가 당직이니까 원하시는 거 있으면 말씀하세요. 만찬에 참석하지 못해 죄송합니다. 대장님이 떠나게 돼서 속상하다고 말씀드리고 싶었습니다. 로사노 형사는 아무렇지 않은 척하며 괜찮다고 대답한다. 나는 새로운 삶을 시작하는 거야. 자네도 나를 축하해 주게. 네, 축하드립니다. 야도가 느닷없이 말을 내뱉는다. 어쩌면 감정이 치밀어 올랐을 수도 있다. 그러고는 그는 전화를 끊었다.

로사노 형사는 노란색 와이셔츠의 단추를 잠그며 한숨을 내쉰다. 야도 녀석, 괜찮은 놈이야. 야도는 그가 떠나고 싶어 하지 않는다는 걸 알고 있고, 그의 생각이 맞다. 그는 막판에 일거리를 찾으며, 어린아이처럼 굴고 있다. 게다가 그는 에바에게 수레다 형사와 연락하라고 하지 않고, 자기 휴대전화 번호를 알려 주었다. 그건 사기다. 정말이지 궁색한 짓이다. 로사노는 에바가 자기에게 뭔가를 얘기하고 싶어 한다는 냄새를 맡았지만 그녀를 강요하고 싶지는 않았다. 하지만 터놓고 얘기할 수 있는 문은 남겨 두고 평소처럼 행동했다. 문제는 그가 더 이상 그 문의 열쇠를 쥐고 있지 않으며, 속임수를 썼다는 데 있다. 그는 아직 그 사건을 포기하지 않았고, 계속 주도권을 쥐고 지휘하고 싶지만 내일이면 그는 경찰서에 있지 않을 것이다. 로사노는 에바가 괜히 전화한 게 아닐 것이며, 그 전화가 바로 그가 4년 동안 간절하게 기다리던 전화일 수도 있다는 생각이 든다. 그는 뭔가를 숨기는 목소리와 뭔가를 얘기하고 싶지만 감히 하지 못하는 목소리를 구별하는 법을 배웠다. 신중하게 처신해야 한다. 질문들을 퍼부어 대며 에바를 들쑤셔 놓았다면, 틀림없이 그녀는 주눅 들어 얼른 뒤로 물러났을 것이다. 로사노는 아까 지하철 입구에 들어서자마자 바로 페페에게 전화를 걸어 보았지만, 그의 휴대전화는 수신 가능 지역에 있지 않았다. 전화가 안 오면 나중에 다시 걸어 보지. 그가 혼잣말을 했다. 어쩌면 에바는 자기가 말한 것 이상을 알고 있을지도 모르며, 드디어 사건은 어떤 방향을 향해 움직이기 시작했다. 그리고 열기가 온몸을 타고 올라 양쪽 귀를 빨갛게 달군 것처럼, 그는 어떤 예감에 사로잡혀 온몸이 근질거렸다.

당신, 정말 노란 셔츠 입을 거예요? 아내가 눈썹을 찌푸리며 말한다. 노란색이 어때서? 재수가 옴 붙는대요. 배우들은 절대 노란색을 입지 않는다는 거 몰라요? 벌써 단추까지 다 채웠는데, 이제 와서 옷을 갈아입으라고 하니 로사노는 짜증이 난다. 나는 배우가 아니야. 그가 대답한다. 아내도 물러나지 않는다. 몰리에르(17세기 프랑스의 극작가이

자 배우: 옮긴이)는 노란색 때문에 죽었어요. 호락호락 물러날 기세가 아니다. 그래서 배우들은 가급적 노란색 옷을 입고 무대에 서지 않으려고 해요. 아내가 확실하게 못을 박는다.

로사노 형사는 가만히 거울을 들여다본다. 그는 혼자서 고집을 피우며, 노란색이 자기에게 잘 어울린다고 생각한다. 재킷을 입고 지갑을 살피는 동안, 그는 대체 아내가 어디서 〈리더스 다이제스트〉에나 나올 법한 그런 말도 안 되는 얘기를 들었다가 언제든 자기가 원할 때마다 불쑥 꺼내서 얘기하는지, 자기 자신에게 물어본다. 만찬에 초대하지 않은 복수일 수도 있어. 그는 외출하려고 문을 열고 아내에게 작별 키스를 하기 전에 혼잣말을 한다.

그는 미신을 믿지 않는다. 목숨을 걸고 일하는 경찰들은 그런 말도 안 되는 이야기들을 믿을 수 없다. 그런 얘기를 믿었다면 보도블록의 선을 밟지 않고, 검은 고양이가 지붕 위로 지나가는 것을 보지 않기 위해 창문도 쳐다보지 말아야 하니 하루 종일 신경이 쓰여 집 밖에도 나가지 못할 것이다. 그런데 이제 와서 노란 셔츠 가지고 신경을 있는 대로 건드리다니. 그는 엘리베이터 안에서 화를 내며 씩씩거린다. 지금 와서 이러니 더 그렇다. 이제 로사노는 자신의 완벽한 정장이 자기가 생각했던 것처럼 그렇게 완벽하지 않고, 자기가 직장에서 떠나는 마지막 날, 노란색을 입은 게 적절했는지에 대해 저녁 내내 계속 생각하고 있으리라는 걸 알기 때문에 화가 났다. 그는 이 일을 잊으려고 노력하며, 다시 바르바라 몰리나와 그 사건에 대한 예감을 떠올린다.

로사노는 개를 산책시키려고 나온, 막 바르셀로나에 도착한 빌바오 출신의 컴퓨터 전공자인 맨 위층에서 사는 청년과 엘리베이터에서 인사를 나누며 머리를 가동한다. 그러면서 갑자기 바르바라의 개가 궁금해진다. 2000년 여름, 바르바라가 열 살이 되었을 때 이냐키와 엘리자베스가 생일 선물로 사 준 것이다. 강아지였을 때 감격해하는 바르바라의 품에 안긴 개의 사진을 본 적이 있다. 로사노는 자기가 그 사진을 한참 동안 들여다보았던 걸 기억한다. 바르바라가 개를 쓰다듬는 모습이나 개에게 뽀뽀하는 모습, 그리고 바르바라의 즐거워하는 모습만큼이나 엘리자베스의 카메라에 정확하게 포착된 이냐키의 눈길이 신기했었다. 사람을 혼란스럽게 하는, 이상하게 혼란스럽게 하는 사진이었다. 대서양 바닷가에서 찍은 여자아이와 개, 이모부. 그들의 등 뒤에는 성난 파도가 일고 있었고, 수평선에는 위협적인 구름들이 몰려오고 있었다. 어쩌면 그들에게 일어날 일을 미리 예언한 것일지도 몰랐다. 그 사진은 아무 단서도 되지 않았지만 가끔 사진들은 말을 한다. 그리고 개를 쓰다듬는 바르바라의 부드러움과 섹시해 보이기까지 하는 사랑스러운 표정, 이모부의 솔직한 애정에는 절대 드러나지 않은 숨겨진 메시지가 담겨 있었다.

개 때문에 바르바라에 대한 추억들이 너무 많이 떠오른다고 누리아가 말해서, 페페가 그 개를 몬트세니 별장으로 데려다 놓았다고 했다. 그러자 곧바로 질문들이 쉬지 않고 꼬리에 꼬리를 물고 나온다. 왜 바르바라 몰리나는 빌바오에 갔을까? 이모부와 이모에게 뭘 기대했던 것일까? 여러 사람들이 한 증언들과 무슨 관계가 있는 것일까? 누가 엘리자베스 솔리스와 이냐키 술로아가에게 알렸을까? 그날 오후 수레다가 그에게 물었다. 휴대전화가 꺼져 있거나 수신 가능 지역이 아니었다면 누가, 어떻게 그들에게 연락했단 말인가? 그 뒤를 이어 과연 그들이 진짜 시에스섬까지 갔는지 질문들이 계속 이어졌다. 확인해 보지 않았기 때문에 솔직히 뭐라고 장담할 수도 없었다. 확인할 방법이 없었다. 그냥 그들의 말을 믿었고, 그걸로 끝이었다. 그리고 바로 그 순간, 누군가를 그렇게 오랫동안 찾지 못하는 일이 가능한지, 이상해지기 시작한다. 바르바라는 화요일에 가출해 버스를 탔고, 목요일에 빌바오에서 돈을 인출했고, 옆집 여자들이 술로아가의 아파트 앞에서 문을 두드리며 어쩔 줄 몰라 하던 그녀를 발견했다. 그건 바르바라가 이틀 동안이나 이모네와 연락을 취하려 했다는 의미이다. 그들은 엘리자베스와 이냐키의 휴대전화 통화 내역을 확인했었다. 하지만 수레다가 얘기한 것처럼 바르바라에게 또 다른 전화기가 있었다면? 경찰을 따돌린 것이다.

바르바라가 그들과 연락이 닿았을 가능성이 농후하다는 생각이 계속 그의 머릿속에서 맴돌았다. 그러지 못할 것도 없지 않나? 그것도 다른 여느 가능성과 똑같이 존재한다. 로사노는 하나둘 따져 본다. 아이가 그들에게 휴대전화로 전화를 건다. 그들이 빌바오로 돌아온다. 셋이 만나고, 그들은 아이를 차에 싣고 자기네 집으로 데리고 간다. 그러고 나니 그는 더 이상 어떻게 계속해야 할지 모르겠다. 이모와 이모부가 대체 뭐 때문에 그런 범죄를 저질렀는지, 범행 동기가 분명치 않다. 물론, 가장 흉악한 범죄들은 명문가에서 일어나기는 하지만. 로사노는 그 사실을 아주 잘 안다. 페페는 술로아가 부부를 안 좋게 생각하고 있고, 아버지는 자식들이 처한 위험을 예감한다. 로사노는 엘리베이터 문을 열고는, 그의 추리를 도와준 빌바오 출신의 이웃 청년이 먼저 나가도록 비켜 준다. 그는 방금 떠오른 생각에 마음이 급하다. 그것은 이냐키와 엘리자베스, 아니면 둘 중의 한 명이 그 사건의 제3의 용의자일 수도 있다는 의미이다. 그리고 이번에는 레리다의 안개가 아침 첫 햇살에 말끔히 걷히며, 그에게 가야 할 길을 보여 주면서 피로 얼룩진 공중전화 부스와 버려진 가방, 분명한 폭행 증거들을 향해 걸어갈 수 있도록 이끌어 주는 것 같았다.

그들은 술로아가 부부를 수사했었다. 하지만 솔직히 말

해 자세히 하지는 않았다. 그들은 바르바라가 절대 가지 않았을 길의 마지막에 있었다. 바르바라의 가출 동기는 바르셀로나와 부모, 남자 친구, 선생님, 친구들이 있는 과거에 있었다. 그런데 그 순간, 로사노는 숨이 탁 막혀 온다. 몇 년 만에 처음으로 새로운 방향을 생각해 보고, 새로운 각도들로 사물들을 바라보았던 것이다. 정확히 말해 하나의 새로운 각도로. 바르바라는 빌바오의 친척들과 어떤 관계였던 것일까? 어린 시절 여름을 함께 보냈던 그 가족이 바르바라에게 어떤 의미일까? 왜 페페는 엘리자베스 솔리스와 다퉜을까? 그리고 왜 이냐키 술로아가와도? 왜 바르바라 몰리나는 열세 살 이후로 이모네와 더 이상 함께 여름 방학을 보내지 않았을까?

로사노는 신이 난다. 그는 달콤한 순간에 와 있다. 그는 이 멋진 순간을 안다. 그것은 마치 테이블 위로 기름이 한 방울 떨어져, 퍼즐의 녹슨 부분들이 기적적으로 돌아가며 맞춰지는 일과 같다. 인내심이 있으면, 그리고 부드럽게 여기저기 맞춰 나간다면, 모든 것이 의미를 얻어 밝혀질 수 있을 거라는 걸 안다. 로사노는 자기가 몇 시간 전보다 훨씬 진실에 가까이 왔다는 걸 예감한다. 그는 휴대전화를 꺼내, 미안한 기색 없이 야도에게 마지막 일을 부탁한다. 야도? 미안한데, 정말 마지막으로 확인 한 개만 해 주게. 술로아가 부부가 그들이 증언한 날에 빌바오 항구에 입항하고, 출항했는지 알아봐 줘. 그들의 항해 일정과 목요일부터 금요일까지 받은 전화 기록이 있다면 말일세. 반복해서 전화했는지, 모르는 번호가 있는지 알아봐 줘. 야도가 메모를 하면서 전화선 너머로 침묵을 지킨다. 더 있습니까, 대장? 로사노는 영감이 마구 떠오른다. 있네. 몰리나 가족의 수의사와 연락해서, 바르바라의 개에 대해 물어봐 주게. 개가 몇 살인지, 어떤 품종인지, 칩은 달려 있는지, 아이와 어떤 관계였는지, 개에 대해 알아볼 수 있는 건 전부 알아봐 주게. 야도가 휘파람을 분다. 너무 많은데요, 반장님, 애매하고요. 12시 전에 끝낼 수 있을지 모르겠습니다.

로사노는 이미 알고 있다. 상관없네. 다 알아보고 나서 전화 주게. 그러면 내가 수레다에게 전하겠네. 알겠습니다. 그러면 이제 전화 끊겠습니다. 야도가 힘을 내며 전화를 끊는다. 로사노는 터무니없는 예감을 논리적으로 설명하는 게 꽤 복잡하다고 생각하며 휴대전화를 집어넣는다. 개는 새롭게 등장한 단서지만, 술로아가 부부와 연결되어 있다. 왜 개와 연결된 끈을 잡아당기고 싶은지는 잘 모르겠다. 가끔 가장 터무니없이 어리석은 것들이 그를 진실로 안내해 주기도 한다. 이미 알다시피, 그는 늙은 여우다.

그리고 바로 거리로 나와 아스팔트를 밟는다. 시동을 거는 버스의 배기통에서 나오는 검은 연기가 얼굴에 훅 하고

와 닿는 순간, 그는 기운이 쫙 빠진다. 시간. 그에게는 시간이 없다. 이제 그에게는 더 이상 시간이 없고, 수레다는 개나 술로아가 부부에 대해 더는 신경을 쓰지 않을 것이다.

그는 계속되는 의문을 안고 여생을 보내야 할 운명이다.

17

누리아
솔리스

누리아 솔리스는 동생 엘리자베스와 한참 동안 전화 통화를 했다. 동생은 매일 그녀에게 전화한다. 그전에는 친정 엄마와 통화했었는데, 이제는 동생과 통화하는 게 일상이 되었다. 누리아는 7년 전 암으로 세상을 떠난 친정 엄마의 죽음을 완전히 받아들이지 못했지만, 친정 엄마가 바르바라의 실종이라는 끔찍한 변을 보지 않은 걸 위안으로 삼는다. 그렇게 멀지 않은 시절에 그녀는 바르바라의 엄마인 동시에 테레사의 딸이었다. 그런데 지금은 엄마도 없고, 딸도 없다. 이제 누리아는 거의 말을 하지 않는다. 단지 동생 엘리자베스의 말을 듣기만 할 뿐이다.

엘리자베스는 그녀에게 충고와 교훈을 주고, 친구들과 도전, 사랑과 미래로 풍만한 자신의 삶을 그녀에게 들려준다. 누리아는 조용히 듣기만 한다. 엘리자베스의 목소리가 어린 시절의 맛이 나는 달콤한 물약 한 숟가락 같아서 누리아는 늘 듣기만 한다. 동생의 목소리에는 몬트세니산에 올라가, 별장의 포도 덩굴 아래서 수박을 먹던 여름의 메아리가 담겨 있다. 그때는 태양이 떡갈나무를 뜨겁게 달구고 가끔 귀뚜라미 우는 소리가 들리는 가운데, 할아버지가 냇 킹 콜의 노래들을 틀었다. 카치토, 카치토, 카치토 미오('내 아들'이라는 의미의 멕시코 전통 음악: 옮긴이). 동생이 사는 곳에는 태양이 강렬하지 않지만, 동생의 목소리는 누리아의 영혼을 뜨겁게 달궈 준다. 진짜야, 그게 내가 가장 그리워하는 거야. 누리아가 동생에게 고백한다. 엘리자베스는 수완이 좋아서, 그녀에게서 간단한 대답이라도 하나둘씩 끄집어 낸다. 옛날에 바르바라의 눈썹을 가지고 그랬던 것처럼. 이것만, 이것만 뽑으면 돼, 바르비. 그러고는 이마 한가운데로 모여 못생겨 보이는 바르바라의 눈썹을 엘리자베스가 속임수와 계책을 동원해 하나씩 뽑았다.

가끔 누리아는 마음을 접고 엘리자베스의 변덕스러운 질문들을 받아 준다. 오늘 밥 먹었어? 아직도 수면제 복용해? 내가 말한 대로 여섯 시간 잤어? 안대는 써 봤어? 하지만 엘리자베스는 가끔 지쳐서, 그녀를 들들 볶는다. 인내심이 부족한 오늘처럼. 언니, 언니는 자기 자신을 사랑하지 않아. 동생이 그녀를 나무란다. 언니는 거울을 좀 봐야

해, 언니도 언니 삶을 살아야지. 기분 좋아지는 뭔가를 생각해 봐. 쌍둥이들과 여행을 간다든지, 연극을 보러 간다든지. 모르겠어, 하여간 언니에게 뭔가 동기를 부여할 수 있는 거 말이야.

엘리자베스가 자기계발서에나 나올 법한 명령과 충고의 영역으로 들어가면, 누리아는 전화를 끊어 잔소리를 듣지 않을 핑곗거리를 찾는다. 엘리자베스는 그렇다. 단순하고 이성적이다. 누리아는 동생을 봐주기 위해 그렇게 말한다. 동생은 자기 삶의 공식이 절대 틀리지 않으며, 모든 게 일의 계획과 외국 여행, 저녁 식사로 해결된다고 믿는다. 누리아는 동생이 젊고, 순진하고, 순수하기 때문에 동생을 용서한다. 사실, 동생은 반대로 생각하고 있지만, 인생의 절반도 알지 못한다. 동생은 엄마의 병상을 지키며 엄마의 병을 지켜보지도 않았다. 동생은 항암 화학요법을 받아 황폐해지는 엄마의 모습과 정신을 점점 잃어 가는 모습, 임박한 죽음을 앞둔 엄마의 두 눈에 서려 있던 두려움도 겪지 않았다. 동생은 엄마가 의식이 없을 때 도착해 울음을 쏟아 내며, 자기는 그 고통을 참을 수 없다고 호소했다. 그리고 누리아가 엄마의 죽음과 동생의 고통을 양어깨에 짊어져야 했다. 이것을 '감정전이'라고 한다.

엘리자베스가 그녀에게 자신의 슬픔을 전이했고, 그녀는 그 슬픔을 받아 자신의 등에 짊어졌다. 어쩌면 축적

된 고통이 너무 무거워, 결국 아무 반항도 하지 못하게 되었을 수도 있다. 그래서 엘리자베스는 구름 위를 떠다니며 멀리 보이는 땅을 장난감처럼 보는 반면, 누리아는 땅에 두 발을 내딛고 울면서 땅 밑으로 꺼져 들어간다. 엘리자베스는 가급적 고통을 받지 않으며, 영원한 청춘이라는 계속된 무균상태에서 살고 있다. 자식도, 부모도, 책임감도 없이. 동생은 사랑에 빠진 애인 놀이와 몰려다니며 노는 어린아이 놀이, 친절한 이모 놀이, 장난꾸러기 학생 놀이, 여름의 모험 놀이를 즐긴다. 그리고 그걸 썩 잘 해내는 편이다. 그래서 동생은 말을 조심하지 않고 가끔은 말실수를 해서, 악성종양이 혈관을 타고 흘러 다니다가 심장에 도착해 결국 죽이는 것처럼 독설을 내뱉기도 한다. 그녀에게 바르바라의 일을 얘기했을 때처럼. 그 말이 칼에 찔린 것처럼 너무 아파, 그녀는 두 달 동안이나 울었고 동생과는 얘기하고 싶지가 않았었다. 그때는 동생의 전화도 받지 않았고, 아무에게도 그 얘기를 하지 않았다. 엘리자베스가 자기가 한 말을 후회하며 그녀의 집에 와서, 용서를 구하며 잊어 달라고 사정했을 때까지. 누리아는 동생을 반쯤 용서했지만 그 일은 잊지 않았다. 늘 그랬던 것처럼 그녀 혼자 삼켜야 했던 쓰디쓴 맛이었다.

누리아는 샤워실로 들어간다. 시원한 기분을 느끼고, 알약 때문에 혼미해진 상태에서 깨어나기 위해서는 물이 필요하다. 쌍둥이들에게 저녁을 차려 줘야 해. 그녀가 옷을 벗으며 생각한다. 페페가 없으니, 감자랑 강낭콩 줄기, 완두콩을 압력솥에 삶아 채소 요리를 해야겠어. 그리고 어젯밤 해동해 놓은 닭 가슴살을 튀겨 줘야지. 이제 그녀는 요리하지 않는다. 그냥 쉽고 빠른 음식만 한다. 셋이 부엌에서 텔레비전을 켜 놓은 채 저녁을 먹을 것이다. 그러면 침묵도 그렇게 짙지는 않을 것이다. 그러고 나서 그녀는 매일 밤 그러는 것처럼 재킷과 가방을 들고 병원으로 일하러 가서, 근무 시간 열 시간 동안 계속 스탠바이 상태로 대기하고 있을 것이다.

누리아가 샤워하는 동안, 물줄기가 몸을 타고 흘러내리며 슬픔을 씻어 주는 동안, 전화기가 울리는 것 같았다. 하지만 그녀는 미동도 하지 않는다. 상관없다. 나중에 누가 전화했는지 보면 될 것이다. 지금은 샤워기 아래에 있고, 시원한 사과 향이 나는 샴푸로 머리를 감고 있어 깨끗하고 살아 있는 기분이 든다. 바르바라도 나쁜 아이라고 욕을 먹으면 바로 욕실로 들어갔다. 샤워하면 착한 아이가 될 거라고 믿었다. 사람들은 항상 바르바라에게 나쁜 아이라고 했고, 아주 어렸을 때부터 그 수식어가 꼬리표처럼 붙어 다녔다. 누가, 어떻게 그 말을 시작했는지는 모르겠지만, 어릴 때의 바르바라는 절대 곧이곧대로 모두 믿는 엘리자베스처럼 순수하지도 않았고, 잘 믿지도 않았다. 바르바라는 꼬일 대로 꼬였고, 짜증을 잘 냈다. 그녀의 말 속에는 다른 의도가 담겨 있었고, 모든 사람들에게 별명을 붙여 주었고, 카드 칠 때는 속임수도 썼다. 그건 더러운 짓이야. 늘 지나치게 엄격한 페페가 바르바라에게 말했다. 너는 나쁜 아이야. 그러면 바르바라는 욕실로 들어가, 더러워지지 않기 위해 머리에 비누칠을 해 달라며 졸라 댔다.

바르바라는 아직 본질과 상태를 구분하지 못했다. 모두 한 상자 안에 들어 있었다. 훨씬 똑똑한 에바는 바르바라가 집착에 가까울 정도로 샤워를 좋아하는 것을 보고, 레이디 맥베스라고 불렀다. 사춘기 시절에는 거의 광적이었다. 실종되기 전인 마지막 해에는 몇 시간이고 샤워기를 틀어 놓고 있었으며, 하루에 세 번이나 옷을 갈아입기도 했다. 한번은 천문학적인 금액의 수도세 영수증이 나와, 페페가 이성을 잃은 적도 있었다. 바르바라! 얼른 샤워실에서 나와! 너는 더럽지 않아! 페페가 없을 때 누리아가 욕실 문 앞에서 그녀에게 소리를 지르기도 했었다. 엄마가 뭘 알아? 바르바라가 비꼬는 투로 대답했다. 엄마는 아무것도 몰라. 바르바라는 나쁜 아이였고, 누리아에게는 권위가 없었다.

바르바라가 나쁜 아이라는 데 동의하지 않는 유일한 사람들은 동생과 제부뿐이었다. 어쩌면 그래서 바르바라가 그들을 더 좋아했는지도 모른다. 그래, 누리아는 그 사실을 인정한다. 한동안 그녀는 엘리자베스와 이냐키를 질투했었다. 동생 때문에 기분이 상했다. 후덥지근한 6월에 쌍둥이가 태어났을 때, 그들은 누리아를 도우러 휴가 갈 때 바르바라를 데리고 떠났다. 그때 바르바라는 겨우 네 살이었다. 바르바라는 이모네와 사랑에 빠져 돌아왔고, 여름에 북쪽에 놀러 가는 게 습관처럼 되었다. 바르바라는 7월 한 달 내내 엘리자베스와 이냐키와 보냈다. 그들에게는 아이가 없었고, 훨씬 젊었고, 학교도 방학이었다. 그들에게는 이 세상의 모든 시간이 바르바라를 위해 있었고, 요트를 타고 항해하러 나가기도 했다. 이냐키는 바르바라에게 수영과 낚시, 키를 잡는 법을 가르쳐 주었고, 바르바라는 바다의 비밀들을 터득해 나갔다. 바다 아래에는 산도 있고, 아주아주 깊은 절벽도 있어. 바르바라가 돌아오면 그들에게 설명해 주었다. 해파리를 손으로 잡으면 물리지 않는다는 거 알아? 누리아는 입을 헤벌린 채 딸의 말을 들었다.

누리아는 항상 바다를 등지고 살았다. 그녀는 푸이그말산과 피카 데에스타츠, 아네토산에 오른 산사람이었다. 그녀는 아이젠을 신을 줄 알고, 피켈을 박을 줄 알고, 밧줄을 감을 줄 알고, 이중 자일로 하강할 줄도 알았다. 하지만 바다는 무서웠다. 바다가 지나치게 크게 느껴졌고, 낯선 벌레가 다리를 휘감아 공격할까 봐 무서워 심연에서 헤엄치기가 불안했다. 바르바라는 자기 엄마보다 훨씬 용감했으며, 각기 다른 세상에 양다리를 걸치고 있었다. 해마다 8월에는 바위산을 훨훨 날아다녔고, 7월에는 두 눈을 크게 뜨고 깊은 바닷속으로, 이냐키가 전해 준 호기심 속으로 풍덩 뛰어들었다. 바르바라가 혼자서 작살로 곰치를 잡아 바다에서 꺼낸 날, 그녀는 신이 나서 전화를 걸어 곰치의 삶에 대해 모든 텔레비전 다큐멘터리가 무색할 정도로 한 시간 동안 설명해 주었다. 누리아가 듣기에는 박사 논문을 쓸 수도 있을 것 같았다. 이냐키는 감격했다. 이 아이는 다이아몬드 원석이야!

그들은 자주 보지는 못했지만 서로 많이 좋아했다. 그건 분명했다. 비교는 혐오스러울 정도였으며, 바르바라는 자주 그들을 이모, 이모부와 비교했다. 그리고 이것이 조금씩 조금씩 관계를 멀어지게 했다. 완전히 수긍하고 싶지는 않았지만, 누리아는 자기가 동생처럼 신선하고, 재미있고, 젊지 못한 것에 대해, 그리고 멀지 않은 어느 날, 바르바라가 엄격하고 지겨운 엄마가 된 자기를 한쪽으로 제쳐 두고 엘리자베스에게 모든 비밀을 털어놓을지도 모른다는 두려움 때문에 질투를 느꼈다.

물론 페페는 바다에서 보내는 방학을 눈곱만큼도 마음에 들어 하지 않았고, 바르바라가 한 달 동안 집 밖에서 지낸다면 어떤 위험들이 따를지, 조목조목 열거했다. 당신 동생과 세부는 아이에게 수영복 하나 제대로 입히지 못해? 처음에는 페페가 까무잡잡하게 탄 딸아이의 전신을 보고 빈정이 상해 소리를 질렀다. 세상 사람 모두에게 엉덩이를 드러내 보이고 다녀야 해? 하지만 누리아가 엘리자베스에게 입혀 달라고 신중하게 부탁한 수영복으로는 아무것도 해결되지 않았다. 아이가 야만인이 되어 돌아왔어. 바르바라가 북쪽에서 돌아올 때마다 페페가 말했다. 바르바라는 그들이 요트를 타고 자주 방문하는 혁명적인 프랑스 정신에 감염되기라도 한 듯 말도 더 함부로 하고, 더 반항적이고, 더 즉흥적이 되어 돌아왔다.

그렇지만 폭풍우는 사춘기와 함께 찾아왔다. 바르바라는 열두 살 때부터 이미 누리아와 키가 비슷했고, 마른 편이기는 했지만 그새 가슴이 자그마하고 동그랗게 봉긋 솟아오르고 음부가 까매지기 시작했다. 페페도, 누리아도 그토록 갑작스럽고, 그토록 조숙한 변화에는 준비되어 있지 않았다. 바르바라의 호르몬이 폭발하면서 모든 것이 급물살을 타게 되었고, 그때까지는 페페가 어린아이라고 묵과했던 것들이 딸 위로 떨어진 폭발물처럼 끔찍한 대재난이 되었다. 모두 끝이야! 더 이상은 안 돼! 내 말 들려? 바르바라가 열두 살 여름, 빌바오에서 돌아오자 페페가 소리 질렀다. 내 딸이 난장판에 함께 있는 거 싫어. 누리아는 자기가 잘못 들었다고 믿었다. 난장판? 그녀가 믿기지 않아 다시 물었다. 대체 뭐가 난장판이라는 거예요? 그러자 페페는 세상에 종말이라도 온 듯 벌떡 일어나, 검지로 그녀를 가리키며 나무랐다. 당신 동생과 제부가 우리 딸을 마약하는 데 데리고 다니고, 바르바라는 타락한 말종들과 함께 술에 취한 채 바닷가를 벌거숭이로 돌아다닌단 말이야!

누리아는 지나치게 공들여 구사한 선동적인 표현처럼 들렸던 그 문장을 정확하게 기억하고 있다. 그 말이 그녀에게 깊이 각인되었기 때문에 기억하고 있는 것이다. 하지만 문장 그 자체의 가치 때문에 기억하는 것은 아니다. 그녀는 자기가 결혼한 남자가 그런 문장을 만들어 내고, 믿고, 말할 수 있다는 데 놀란 것이다. 누리아는 마음을 가라앉히고, 모든 것을 제자리로 돌려놓으려고 노력했다. 그런 뜻이 아니었는데도 말이란 결국 그 뜻이 되게 만들 수도 있기 때문에, 평소처럼 페페가 세상을 다시 명명하게 내버려 둘 수는 없었다. 타락한 말종들이란 동생네 친구이자 대학 동료들이고, 자식과 남편, 아내가 있는 가족이며, 교수들이에요. 그들은 벌거숭이로 돌아다니는 게 아니라, 누드 해수욕장에서 나체주의를 행하려고 옷을 벗었을 뿐이에요. 당신이 금지했기 때문에 바르바라를 제외한 모두가 말이에요! 그리고 그들은 당신과 나처럼 맥주를 마시는 거예요. 왜냐면 바닷가에 샌드위치를 싸 가지고 가서 함께 먹으니까요. 뭐 더 있어요? 누리아가 속사포처럼 그에게 퍼부어 댔다. 아, 그래! 마약요! 혹 누군가 해가 지면 대마초를 피울 수도 있어요. 이냐키도 피워요. 나도 그 사실은 부인하지 않겠어요. 그리고 나도 젊었을 때는 몇 번 피워 본 적이 있어요. 물론 당신은 싫어했지만 말이에요. 누리아가 덧붙였다.

페페가 분노에 눈이 멀어 바로 반격해 왔다. 나는 그들이 무슨 일을 하는지, 얼마나 버는지는 눈곱만큼도 관심 없어. 그들에게는 도덕이 없어, 윤리가 없고. 바르바라는 이제 여자야. 비록 바르바라도 그 사실을 모르고, 당신도 보고 싶어 하지 않지만 말이야! 어떻게 당신 얼굴에는 눈도 달려 있지 않아? 그들에게는 눈이 달려 있어. 그것도 제대로. 그래서 그 아이를 위아래로 훑어보고, 어쩌면 사진도 찍고 별의별 짓을 다 할 수 있어. 나는 내 딸이 몽땅 드러내 놓는 기분 나쁜 사람들이 득실대는 바닷가에 가는 것도 원치 않고, 마약을 하는 데다가 내 딸을 지나치게 많이 쳐다보는 벌거숭이 남자랑 단둘이 항해하는 것도 원치 않아. 도대체 믿을 수가 있어야지!

누리아는 당혹스러움이 얼굴을 타고 올라와, 그 자리에 주저앉아 손부채질을 해야 했다. 그녀 위로 쏟아지는 비난들이 너무 강해, 서서 맞고 있을 수가 없었다. 왜냐면 타락해 윤리 의식이 없다는 남자란 바로 제부였고, 기분 나쁘고 몽땅 드러내 놓는다는 여자는 바로 동생 엘리자베스였기 때문이다. 페페가 몇 년 전부터 자기 부모나 형제들과 왕래가 없었기 때문에, 그들에게는 이냐키와 엘리자베스가 유일한 친척이었다. 식구들이 나한테 너무 함부로 대해. 페페가 말했다. 그는 자기네 식구들을 무 자르듯이 자르고 영원히 멀어지기로 작정했다. 그런데 지금 내 가족들에게도 똑같이 하려는 건가? 절대 용납할 수 없어. 누리아가 갑자기 용기를 내서 페페에게 대들었다. 이냐키에 대해 그런 말도 안 되는 소리를 하다니 나한테 사과해요. 나는 하지 않을 거야. 페페가 노발대발했다. 이냐키는 당신이 생각하는 그런 사람이 아니야. 나는 그놈이 내 딸을 어떻게 바라보는지 봤어. 그리고 그놈이 내 딸을 어린아이로 보지 않는다고 당신에게 장담할 수도 있어. 누리아는 친정엄마를 땅에 묻은 지 채 넉 달도 지나지 않았지만, 그날 밤 그 일이 엄마의 죽음보다 훨씬 더 끔찍했다.

바르바라의 사춘기라는 기나긴 폭풍우와 남편과의 견해차가 꽤 깊다는 것을 예고하는 첫 번째 번개였다. 그 난리는 꽤 기분 나쁜 결말로 끝이 났다. 바르바라! 페페가 소리 질렀다. 얼른 여기로 와 봐! 권위 가득한 아버지의 목소리에 놀란 바르바라가 토씨도 달지 않고 바로 달려왔다. 그러자 페페가 평생 누리아의 가슴에 남을 일을 저지르고 말았다. 그가 바르바라의 잠옷을 찢은 거였다. 그는 딸의 작고 가무잡잡한 가슴과 음영이 드리운 음부를 드러내 놓으며 딸의 잠옷을 거칠게, 위에서 아래로 찢어 버렸다. 바르바라의 몸 전체가 위에서 아래까지 까무잡잡하게 그을려 있었다. 하지만 어디에도 수영복 자국은 보이지 않았다. 이 아이를 잘 보란 말이야! 이제 봤지? 당신도 알겠어? 바르바라는 부끄러워 얼굴을 가리고 울음을 터트렸다. 바르바라는 우는 게 힘들지 않았다. 모두 누드로 다녔어요. 내가 수영복을 입은 유일한 사람이라 화가 났어요. 바르바라가 울며 말했다. 이냐키와 몇 번이나 단둘이 항해하러 나갔니? 페페가 신랄하게 물었다. 모르겠어요, 기억이 나지 않아요. 바르바라는 자기가 무슨 말을 하는지, 어떤 죄목이 자기를 기다리고 있는지 모르는 채 흐느끼며 울었다. 파자마로 갈아입고 침대로 가거라! 페페가 세상에 종말이라도 온 듯 난리를 친 후 명했다.

그날 밤 누리아는 완전히 백기를 들고, 자기가 잘못 보았음을 인정했다. 그녀가 사물들에 초점을 잘못 맞췄고, 어쩌면 훨씬 편집증 경향이 강한 페페가 눈이 먼 그녀와 정반대일 수도 있었다. 누리아는 이냐키와 요트를 타고 항해 나가는 일이 그렇게까지 음탕한 일일 거라고는 전혀 생각도 하지 못했다. 하지만 부엌 한가운데서 찢겨 나간 하얀 잠옷을 걸치고, 꿀빛 두 눈에 이상한 기운이 느껴지는 벌거벗은 바르바라를 본 순간, 변태들을 유혹하는 아동 에로티시즘의 장면을 실제 눈으로 목격한 것 같았다. 그렇게 어리고, 그렇게 예쁘고, 그렇게 순진하던 딸이, 어느덧 그녀도 모르는 사이 여자가 되어 있었다.

누리아는 혼자 소파에서 울었다. 그리고 소파에서 혼자 잤다. 그러고는 다음 날 아침, 눈이 시뻘겋게 충혈되어 마음을 굳게 먹고, 바르바라는 이제 더 이상 북쪽에서 여름을 보내는 일이 없을 테지만, 절대 무슨 일이 있어도 동생네 가족과는 관계를 끊지 않을 거라고 페페에게 말했다. 자연스럽게 들릴 만한 핑곗거리를 자기가 둘러댈 거라고 했다. 동생네는 누리아에게 유일한 가족이며, 동생을 잃고 싶지 않았다. 그렇지만 그 후의 일은 그보다 훨씬 끔찍했다. 바르바라와 연관된 일들이 계속 어긋났으며, 그것을 바로잡을 용기가 자신에게 없다는 것을 누리아는 재차 확인해야만 했다.

그 이듬해 봄, 바르바라가 더 이상 그들과 함께 여름방학을 보내지 않을 거라고 동생에게 얘기하기로 결심했을 때 일어난 일이다. 누리아는 거짓말을 하고 싶지 않아 계속 그 순간을 미뤄 왔었다. 바르바라가 가족과 함께 방학을 지내야 하는 필요성에 대해 자기가 지어낸 이야기를 동생이 어떻게 받아들일지 알 수 없었다. 누리아는 시시콜콜한 얘기는 생략했다. 그런데 바르바라를 위해 다른 계획들이 있다는 얘기를 듣자 엘리자베스가 기분 나쁘게 반응하며, 수수께끼 같은 말을 내뱉었다. 그 일 때문에 그러는 거라면 우리는 이미 잊어버렸어. 무슨 일이 있었니? 누리아가 갑자기 궁금해하며 물었다. 그러지 마, 언니. 언니도 잘 알잖아. 엘리자베스가 발끈하며 대답했다. 내가 무슨 얘기 하는지 언니도 잘 알면서. 아니, 나는 네가 무슨 말 하는지 모르겠어. 누리아가 아주 분명하게 밝혔다. 바르바라가 언니랑 형부한테 얘기한 거잖아, 아니야? 바르바라는 우리한테 아무 말도 하지 않았어. 누리아는 결정적으로 궁금해하며 대답했다. 그러면 왜 생각이 바뀌었어? 엘리자베스가 따져 물었다. 누리아는 초조해졌다. 엘리자베스, 나는 대체 네가 무슨 얘기를 하는지 정말 모르겠어. 좀 분명히 말해 줄 수 없겠니? 정말, 바르바라가 아무 말도 안 했어? 정말이라니까. 그렇다면 나도 그 일에 대해 언니한테 말할 이유가 없어. 그러자 이번에는 누리아가 폭발했다. 제발 무슨 일이 있었는지 속 시원하게 털어놔 봐! 좋아. 마치 하고 싶지 않은 이야기를 누리아가 하도록 강요하는 것처럼, 엘리자베스가 항복하고 뜻을 굽혔다. 하지만 아주 오래전 일이야. 그러니까 괜히 흥분할 필요는 없어. 엘리자베스! 제발 속 시원하게 말하고, 더 이상 다른 얘기는 갖다 붙이지 마!

그러자 엘리자베스가 조심스럽고도 겁에 질린 작은 목소리로 말했다. 4년 전 어느 날 밤, 바르바라가 아홉 살이었을 때, 우리는 많이 피곤한 상태로 항해에서 돌아왔어. 이냐키가 나보다 먼저 샤워하고 침대로 들어갔어. 그리고 나는 바르바라가 벌써 잠들었을 거라고 생각하고는 천천히 머리를 감았어. 샤워실에서 나온 순간, 나는 온몸이 얼어붙었어. 바르바라가 우리 침대에 들어가 있었어. 그리고……. 그러고는……. 그리고 뭐? 누리아가 마음을 졸이며 동생의 말에 끼어들었다. 이상한 짓을 하고 있었어. 엘리자베스는 자기가 목격한 장면을 어떻게 설명해야 할지 갑자기 난감해하며 실낱같은 목소리로 말했다. 무슨 이상한 짓? 제발 확실하게 얘기해 봐, 엘리자베스. 네가 분명하게 얘기하지 않으면 우리는 네 말을 이해할 수가 없어. 누리아가 재촉했다. 누리아는 엘리자베스가 적당한 말을 찾지 못해 힘들어했던 것을 기억한다. 하지만 결국에는 그 말을 찾아냈다. 이냐키를 유혹하고 있었어. 뭐라고? 누리아가 소리 질렀다. 어떻게 아홉 살짜리 여자아이가 성인 남자를 유혹할 수 있단 말이니? 너 미쳤니? 엘리자베스가 전화선 너머에서 그녀에게 진정하라고 부탁한다. 제발, 진정해. 언니가 나한테 물어봐서, 나도 대답하려고 노력하고 있잖아. 하지만 쉽지는 않아. 바르바라가 정확히 뭘 하고 있었는데? 누리아가 거의 숨 막힐 듯한 목소리로 물었다. 뭘 하고 있었냐니까? 엘리자베스의 목소리가 터져 나왔다. 바르바라가 그를 많이 사랑한다며 그를 만지고 있었어. 그날 누리아는 다리가 부들부들 떨려, 그 자리에 털썩 주저앉고 말았다. 그러니까, 어린아이가 이모부를 껴안고 많이 사랑한다고 얘기하는 걸, 너는 유혹한다고 말하는 거니? 응. 엘리자베스가 단호하게 대답했다. 언니가 개를 못 봐서 그래. 엘리자베스는 더 이상 자세히 얘기할 마음은 없었지만, 자기 눈으로 본 사실을 제대로 말로 옮기기가 힘들다는 점을 분명히 하며 덧붙였다. 누리아가 침을 삼키고 감히 물었다. 그럼 이냐키는? 이냐키는 바르바라의 손을 잡고 안 된다고, 그러면 안 된다고 말했어. 누리아는 어떻게 생각해야 할지, 누구 말을 믿어야 할지, 어떤 상상을 해야 할지 몰라 당혹스러웠다. 그녀는 추접한 여러 장면을 상상하다가 즉시 머리에서 지웠다. 사실이 아니야! 그러고는 갑자기 말했다. 네가 한 말은 사실이 아니야. 엘리자베스는 바르바라를 두둔했다. 그 이상은 아니었어, 언니한테 맹세해. 바르바라가 영화에서 그런 장면을 봤을 거야. 그러고는 어떻게 사람을 좋아해야 하는지 잘못 해석한 게 분명해. 언니도 잘 알잖아. 섹스랑 사랑이랑 착각하는 거. 우리는 심각하게 생각하지 않았어, 정말이야. 그럼 왜 나한테 진작 말하지 않았니? 그러면 바르바라는 왜 언니한테 얘기하지 않았을까? 같은 이유야. 엘리자베스는 일을 더 이상 심각하게 만들지 않으려고 자신을 변론했다. 괜히 말도 안 되는 일 가지고 문제를 만들지 않기 위해서야. 말도 안 되는 일? 누리아가 폭발했다. 우리가 어땠는지 알기나 해? 엘리자베스는 궁지에 몰리자 더 털어놓았다. 우리는 그 일을 놓고 바르바라를 정신과 의사에게 데리고 가야 하나 고민했어. 하지만 그럴 것까지는 없다고 생각했어. 괜히 언니를 걱정시키고, 바르바라에게 죄책감을 심어 주고 싶지 않았어. 어린아이잖아. 누리아는 동생의 말에 생각이 오염되어 딸의 모습 아래 감춰진 여자를 발견했기 때문에, 며칠이 지난 후 두려움이 가득한 눈으로 바르바라를 바라보았던 기억이 난다. 바르바라는 엄마에게 뭔가를 감추고, 저 혼자만의 비밀을 가진, 낯설고 멀게만 느껴지는 섹시한 여자였다.

누리아는 자기가 마음의 평정을 잃고 미쳐 버릴까 봐 두려울 정도로 집착했다. 그녀는 바르바라가 아닌, 괴물을 보았다. 결국 그녀는 이제 그만하자며 자신을 타이르고, 그 일은 사실이 아니며, 엘리자베스가 복수하려고 그런 이야기를 꾸며 낸 거라고 자신을 설득했다. 누리아는 동생의 이야기와 동생이 하려다가 만 음탕한 이야기는 절대 듣지 않았으며, 자기가 보지 않은 일은 일어나지 않았다고 계속 자신에게 주입시켰다. 누리아는 동생네 부부와 바르바라의 관계를 끊겠다는 페페의 정확한 판단이 내심 기뻤다. 그래서 그 일은 절대 아무에게도 말하지 않았고, 로사노 형사에게도 하지 않았다. 하지만 지금까지도 그 일은 쉽게 받아들일 수가 없었다. 다른 수많은 일과 마찬가지로.

누리아는 살갗이 빨개질 때까지 타월로 몸을 닦는다. 그녀는 과거의 그 일들이 생각나면, 자해하고 싶을 정도로 화가 치밀어 오른다. 한번은 너무나도 절망감에 휩싸여, 문에 머리를 박은 적도 있었다. 페페가 말리지 않았더라면 계속 그랬을 것이다. 당신 미쳤어? 죽으려고 환장한 거야?

죽음은 확실히 달콤할 것 같아. 그녀는 가끔 생각에 잠긴다.

18

바르바라
몰리나

휴대전화가 애물단지다. 어떻게 해야 할지 모르겠다. 에바와의 통화 내역은 이미 지워 버렸다. 이제는 기록이 없다. 그리고 그가 오면 여기 있어요, 휴대전화를 놔두고 갔어요. 하지만 걱정 말아요. 수신 가능 지역이 아니라 전화 걸지는 못했어요. 이러면 된다. 못 믿겠으면 확인해 봐요. 그럴 필요가 없다. 거짓말할 필요가 없다는 생각이 그 뒤를 잇는다. 나는 저기 밖에서 일어나는 일을 모른다. 그가 누구와 얘기하는지, 어떻게 통제하고, 통제하지 않는지 모른다. 단지 내가 그의 수중에 있고, 그가 돌아오면 모든 것을 눈치채고 나를 죽일 거라는 것만 안다.

이제는 배고프지 않다. 나한테 어떤 일들이 닥칠지 생각하면 구역질이 나며 위가 뒤집어진다. 그게 죽음에 대한 두려움이라는 걸 잘 안다. 그리고 또한 그 두려움을 극복할 수 있는 유일한 방법은 고개를 꼿꼿이 들고 그의 얼굴을 마주 보는 것이라는 것도 잘 안다. 몸을 꼿꼿하게 세우고 사형대로 올라가 머리가 잘려 나가기 전에 "프랑스 만세!"라고 외친 사형수들처럼. 로페스 선생님은 가끔 머리들이 저 아래 바구니가 있는 데까지 말하며 굴러갔다고 했다. 아직 피가 흘러, 뇌가 내린 명령이 실행되기 때문이라는 거였다. 단두대는 늘 나에게 공포감을 조장했다. 물론, 그게 달콤하고 빠른 죽음을 안겨 주기 때문에 근대적이고, 아주 인간적인 발명품이라고는 하지만 말이다. 그건, 물론 이론적인 얘기다. 죽어 보지 않은 사람들이, 말로만 듣고 하는 얘기다. 사지가 잘려 나간 시신에게는 절대 의견도 묻지 않고 하는 말이다. 죽음이 어떤가요? 신속했습니까? 많이 고통스러웠나요? 눈이 계속 볼 수 있는지, 뇌가 계속 생각할 수 있는지, 똑똑한 사람들이 말하듯이 정말 아무 고통도 없었는지, 아니면 죽을 것처럼 아팠는지 알아봐야 하지 않나?

나는 온몸에 소름이 돋는다. 이곳에는 머리와 몸통을 단번에 분리해 줄 도끼나 단두대가 없다. 다행이다. 그는 브루크를 내 앞에서 죽였듯이 권총으로 나를 죽일 것이다. 잔머리를 쓰면 어떻게 되는지, 이제 곧 알게 될 거다…….

나는 그의 어조를 통해 그가 진지하게 말하고 있다는 것을 알았다. 나는 마지막으로 브루크를 껴안아 줄 수가 없었다. 브루크는 그의 손을 핥고 꼬리를 흔들기는 했지만, 브루크 역시 몇 초 후 자기에게 어떤 일이 닥칠지 냄새조차 맡지 못했다. 나는 두 눈을 감고 총성을 들었다. 나는 울지는 않았지만 그에게 브루크를 데려가 달라고, 브루크가 죽은 모습을 보고 싶지 않다고 애원했다. 나는 나 혼자만을 위해 브루크의 마지막 모습을 고이 간직한 채, 호들갑 떨지 않고 조용히 브루크와 작별하며 바닥에 떨어진 피를 닦았다. 그는 필요하다면 나 역시 개처럼 죽일 수 있다는 것을 보여 주기 위해, 스미스 앤드 웨슨 38구경 권총이 진짜라는 것을 보여 주기 위해 그런 짓을 했다. 어쩌면 총알들은 나를 해코지할 수 있지만, 나에게 막연한 공포감을 주지는 못할 것이다. 총살에 처한 용감한 사형수들 또한 자기네를 겨냥한 총구를 똑바로 바라보며, 심지어 어떤 사람들은 눈을 가린 안대를 벗겨 달라고 한 후 죽기 전에 뭔가 의미 있는 말을 외치기도 한다. 나는 고야가 남긴 그런 불멸의 죽음은 맞지 못할 것이다. 독립을 위해서도, 나라를 위해서도, 자유를 위해서도 죽지 못할 것이다. 내 죽음은 쓸모없는 죽음이 될 것이다.

좋아, 뭘 하든 나는 죽게 될 거야. 그렇다면 그 전에 그에게 복수해야지. 나는 자신에게 다짐한다. 위통이 점차 잦아들면서 더 이상 나를 괴롭히지 않는다. 좋은 생각이 떠올랐다. 그를 갖고 장난쳐야지. 그 역시 두려움에 떨고 있다. 나는 가끔 그의 눈에서 두려움을 읽는다. 나는 갑자기 신이 나서, 휴대전화를 들여다본다. 휴대전화를 숨겨 두고, 그가 그것을 찾을 때까지 마음고생을 시킬 생각이다. 써늘하게 했다가, 얼어붙게 했다가, 차갑게 했다가, 미지근하게 했다가, 다시 차갑게 하고, 뜨겁게 하고. 그러다가 확 태워 죽여 버려야지! 그래, 그렇게 하는 거야. 나는 생각한다. 그가 스타일을 구기며 더러워진 손으로 침대 밑을 더듬거리면서 네발로 기어 다니는 모습을 보는 게 나의 복수다. 나는 저세상으로 떠나기 전에 그렇게 잠깐 비웃을 것이다. 그런데 그때 갑자기 더 좋은 생각이 떠오른다. 바로 그거야! 거짓말로 경찰에 전화해 전부 얘기했다고, 곧 아무 때고 경찰이 들이닥칠 거라고 말하는 거야! 그러고는 순간순간 무슨 소리를 들은 척하며 속삭일 거야. 아유, 안 됐네! 너무 늦었어요. 이제 들켰네요. 이제는 정말 붙잡혔네요. 나를 죽이고 나면 당신 머리에도 총을 쏴야 할 거예요. 이건 효과가 있다. 나한테도 늘 효과가 있었다. 그의 두 눈을 쳐다보며, 나는 죽는 게 무섭지 않다고 말하면 효과가 있었다. 하지만 상관없다. 나는 한숨을 내쉰다. 그러면 그가 막판에 나를 골탕 먹이며, 내 죽음을 더 힘들게 할 방법을 찾아낼 것이다. 그는 그런 빌어먹을 인간이다. 늘 그랬다.

나는 좌절감을 느끼며 침대 위로 휴대전화를 내려놓는다. 완전히 낙담했다. 괜히 골머리를 앓을 필요가 없다. 나는 그의 수중에 있고, 도망칠 방법이 없다. 그래서 내가 아예 입을 다물었던 것이다. 그는 자기가 좋은 사람이라며 만물박사처럼 거짓 행세를 했다. 엄마는 내 말을 단 한마디도 믿지 않았을 것이다. 그래서 상황만 괜히 악화시킬 뿐이니까, 엄마에게는 얘기할 필요가 없다고 결정 내렸다. 그렇지만 그 전에 엄마를 시험해 보았다. 엄마 스스로 뭔가를 발견하도록 해 보았지만 내 생각대로 엄마는 바보처럼 굴었고, 다른 곳만 보았다.

엄마는 비겁했고, 나는 엄마를 믿을 수 없었다. 엄마는 내 피임약들을 발견했다. 딸이 피임약을 그렇게 아무렇게나 방치할 거라고 믿을 바보 엄마가 어디 있단 말인가? 아니다. 나는 엄마가 눈치챌 수 있도록, 은쟁반에 곱게 올려놓았다. 하지만 보고 싶어 하지 않는 사람에게는 보이지 않는 법이다. 내 몸에 든 멍과, 내가 그 고통을 줄이기 위해 직접 자해한 팔의 상처들을 본 날에도 엄마는 나를 자세히 보지 않았다. 그날 오후 나는 엄마가 들어올 수 있도록 욕실 문을 열어 두었다. 자리를 깔아 준 셈이었다. 하지만 엄마는 겁에 질려 끝까지 밀어붙이지 못했다. 엄마는 내가 오토바이에서 떨어졌다고 한 말을 곧이곧대로 믿었다. 그러고는 쌍둥이 동생들도 믿지 않을 정도로 뻔히 들여다보이는 그 거짓말을 엄마는 계속 캐묻지 않았다. 엄마는 비겁했다. 엄마는 나를 도와주지도 않았고, 그해 여름 나한테 있었던 일을 알려고도 하지 않았다. 그리고 나는 엉망진창이 되었다. 나의 비밀 때문에, 나의 당혹스러움 때문에, 내 주변을 에워싼 무관심 때문에.

그가 나를 애무하며 쓰다듬는 손길이 옳지 않다는 것을 나는 전혀 알지 못했다. 나에게는 포옹이나 뽀뽀, 손을 꽉 잡아 주는 것만큼이나 자연스러웠다. 나는 어린아이였고, 그는 어른이었다. 어른들은 본능적으로 자기네가 뭘 하는지 알고 있고, 우리 어린아이에게 뭐가 옳고 그른지 가르쳐 주었다. 그는 그게 나에 대한 사랑의 표시라고, 우리의 장난이라고, 그와 나 단둘이 비밀로 간직해야 할 순간이라고 말했다. 그건 우리의 비밀이었고, 절대 아무에게도 말해서는 안 되었다. 나는 가끔 그가 나에게 하는 짓이 싫었다. 그러면 두 눈을 꼭 감고 다른 생각을 했다. 에바와 놀고 있다고 생각하거나, 꿈을 꾸고 있다고 생각했다. 그러다가 학교에서 성(性)에 대해 듣게 되었다. 남자아이들이 농담하기 시작했고, 여자 친구들이 나에게 은밀한 이야기를 털어놓기도 했고, 잡지와 사진들을 이 아이, 저 아이 옮겨 가며 보기도 했다. 그때야 비로소 나는 그게 안 좋은 짓이라는 걸 이해하기 시작했고, 그가 나에게 가까이 다가오면 기분이 안 좋아져 슬슬 피하기 시작했다. 그는 나를 샤워실에 가두기도 하고, 방에 의자를 갖다 놓고 앉기도 했다. 그러고는 나를 자기 옆으로 부르거나, 나와 단둘이 있고 싶을 때면 핑곗거리를 만들었다.

우리는 고양이와 쥐 놀이를 했으며, 가끔은 그의 성질을 돋우지 않으려고 싫은 내색을 하지 말아야 했다. 하지만 내가 혼란스러워한다는 걸 눈치챘거나, 아니면 내가 이제는 어린아이가 아니라는 걸 한 해 두 해 지나면서 깨닫고, 그 역시 혼란스러웠을 수도 있다. 그렇게 우리는 멀어졌다. 그는 더 이상 나에게 관심을 보이지 않았다. 그럼에도 불구하고 나는 마음이 아팠다. 그것은 그가 이제는 나를 예전처럼 사랑하지 않는다는 의미였기 때문이었다. 이제는 나를 볼 때 미소를 짓지도 않았고, 나와 있고 싶어 하지도 않았고, 내 비위를 맞춰 주지도 않았고, 나에게 아이스크림을 사 주지도 않았고, 나에게 재밌는 얘기도 하지 않았고, 나에게 예쁘고 똑똑하다는 말도 해 주지 않았다. 나는 이제 눈에 넣어도 아프지 않은 딸이, 그가 사랑하는 딸이 아니었다.

그가 처음으로 폭력을 행사했을 때 나는 무방비 상태로 있다가 갑자기 당했다. 전혀 생각도 못 하고 있었다. 너무 갑작스러운 일이라 나한테 일어난 일과 그 결과들, 그리고 그 후에 일어날 일들을 이해하기 힘들었다. 열네 살 여름이었다. 할 일이 없어 많은 시간을 빈둥거리며 보내야 했던 길고도 지겨운 여름이었다. 친구들은 모두 떠나고 없었고, 에바는 시골에 놀러 갔는데, 나는 부모님이 허락하지 않았다. 그래서 여행을 가자는 말은 한줄기 시원한 바람과도 같았다. 이틀 정도 단둘이 차로 가는 거야. 엄마가 그 말을 했을 때 나는 도무지 믿을 수 없었다. 정말 아빠 생각이야? 엄마는 그 뜻밖의 제안에 너무나도 흡족해했다. 결속된 가족의 모습을 보고 싶어 했기 때문에 엄마도 나만큼이나 흥분했다. 내가 아빠의 비서도 하고, 조수도 하고, 다 할 거야. 아빠는 남쪽 지방에 볼일이 있었고, 나는 수업도, 특별히 할 일도 없었다. 그래서 바르셀로나를 떠나, 쌍둥이들과 싸우고 텔레비전을 보는 일상에서 벗어날 수 있을 거라고 생각했다.

우리는 단둘이서 지중해 연안을 따라 그라나다를 향해 떠났다. 밤에는 공기 중에 재스민 향이 떠돌아다녔고, 바람이 후덥지근했던 기억이 난다. 무척 재미있었다. 알메리아의 레스토랑 야외 테라스에서 가스파초와 생선 튀김을 먹었고, 아름다운 바닷가에도 갔다. 가타 만에 있는, 모래가 하얀 누드 해수욕장이었다. 우리는 함께 바다에서 수영하고, 나는 사진들도 많이 찍었다. 그날 밤 아빠는 다음 날 그라나다에 가서 알람브라 궁전도 보고, 헤네랄리페 정원도 보여 주겠다고 약속했다. 호텔에서는 우리 두 사람을 위해 예약한 방을 주었고, 나는 리셉션 종업원이 트렁크를 나르는 벨보이에게 윙크하는 것을 보았다. 어쩌면 그들은 내가 애인이라고 생각했을 수도 있다. 나는 혼란스러움을 느끼며 멋쩍게 웃었다. 나머지는 잘 기억이 나지 않는다. 방이 컸는지 작았는지, 벽이 하얬는지 꽃무늬 벽지가 발려 있었는지, 테이블이 있었는지, 소파가 있었는지 잘 모르겠다. 너무나도 많은 밤들이 있어, 이제는 어느 날 밤이 첫날 밤이었는지 기억이 나지 않는다. 기억에서 지워 버렸는지도 모르겠다. 자는데, 갑자기 침대, 내 옆으로 뭔가 묵직한 느낌이 들었다. 그러고는 내 몸을 더듬는 그의 손길이 느껴졌다. 아무 말도 하지 말거라. 나는 너를 많이 사랑한단다. 하지만 나는 자지러지게 놀랐고, 그러자 그의 양손에 경련이 일더니 나를 난폭하게 꽉 붙잡았다. 나는 꼼짝도 하지 못했다. 나는 싫었기 때문에 울음을 터트렸다. 울지 마, 이건 아주 아름다운 일이란다. 너도 보면 알게 될 거야. 그가 나를 아프게 했고, 침대는 피로 얼룩졌다. 다음 날 나는 감히 그를 쳐다보지 못했고, 내가 악몽을 꿨는지, 아니면 그 일을 지어냈는지 분간이 되지 않았다. 하지만 이불을 들추고 피 얼룩을 본 순간, 그 역시 안색이 창백해졌다. 생리가 시작됐다고 말해라. 그는 아무 일도 없었다는 듯이 무뚝뚝하게 명령했다.

나는 샤워실로 들어가 물줄기를 맞으며 몇 시간을 있었

다. 나 자신이 더럽게, 아주 더럽게 느껴졌고, 씻으면 씻을수록 자신이 더욱더 더럽다는 느낌이 들었다. 나는 모든 사람이 알게 될 거라고, 그 일이 내 얼굴에 고스란히 적혀 있다고, 방에서 나가면 사람들이 나에게 손가락질을 하며 나쁜 년이라고, 아주 나쁜 년이라고 비난할 거라고 확신했다. 하지만 아무도 눈치채지 못했고, 그는 아무도 나를 믿지 않을 테니 절대 얘기하지 말라고 나에게 맹세를 받아 냈다. 그리고 나는 아무 말도 하지 않았다. 다시는 그 일이 반복되지 않을 거라고 믿었고, 그 일을 잊고 싶어서였다. 그 이야기를 했더라면, 사방에 대고 그 일을 알렸더라면. 그랬다면 알메리아에서 시작된 그 일을 영원히 끝내 줄 총알을 기다리며, 지금, 여기, 이 안에 있지 않을 것이다.

나는 알람브라 궁전은 구경도 하지 못했고, 보지 못한 채 죽어 갈 것이다. 다 상관없다.

19

에바
카라스코

에바는 서둘러 문타네르 거리를 내려간다. 자기가 어디로 가는지 정확히 모르는 채 갈수록 점점 더 초조하고 불안해진다. 그녀는 자기 앞에 있는 불도그를 보며 짜증을 낸다. 불도그가 인도 한가운데 쭈그리고 앉아 볼일을 보고 있다. 크림색 외투를 입은 우아한 여자가 목줄에 묶어 데리고 있었는데, 그녀는 시치미를 떼고 다른 쪽을 보고 있다. 개가 볼일을 끝낸 후에도 여자는 몸을 숙여 비닐봉지에 오물을 담지 않고, 아무 일도 없었다는 듯 개를 데리고 계속 산책한다. 에바는 그들을 보지 않으려고 얼른 옆을 지나쳐 멀찌감치 바라본다. 바르셀로나의 안개가 끝나는 저 끝에 있을 거라고 생각되는, 보이지 않는 바다 쪽을 바라보며, 바르바라 아빠는 뭘 하고 있을까 생각한다. 에바는 그가 무모한 짓을 저질렀을까 봐 걱정이다. 하지만 마르틴에게 일어날 일만 걱정이 되는 것은 아니다. 사실, 에바는 남의 일처럼 구경만 하고 있을 수가 없었다. 바르바라가 바로 다름 아닌, 그녀에게 전화를 걸었다. 바르바라가 그녀를 선택했고, 바르바라를 다시 버려 둘 수는 없다. 페페에게 너무 서두르지 말라고, 자기가 잘못 전해 준 정보를 잊으라고 말하는 걸로 충분하지 않다. 에바는 친구를 찾았을 때 자기도 그곳에 있고 싶었다. 4년 전부터 계속 마음을 무겁게 짓누르고 있는 머리 아픈 일에서 벗어나기 위해 뭐라도 해야 했다. 그리고 바르바라는 분명히 "나 좀 도와줘."라고 그녀에게 말했다.

에바는 약간 마음을 진정시킨 후 발걸음을 멈추고 가방에서 휴대전화를 꺼내지만, 길거리에서 전화하는 건 싫다. 그래서 카페로 들어가, 에스프레소 마키아토를 주문하고 창문 옆 대리석 테이블로 가서 앉는다. 그녀는 틀리지 않으려고 조심스럽게, 전화번호 하나하나를 천천히 누른다. 그 점에 있어서, 그녀는 매우 조심스럽다. 그녀는 항상 실수할까 봐 걱정이며, 괜히 사과해야 하는 걸 못 견뎌 한다. 최소한 쌍둥이들은 집에 있을 거야. 에바는 첫 전화음이 들리자 스스로 기운을 내기 위해 자기 자신에게 말한다. 두 번째, 세 번째 전화음이 울리고, 그녀는 실망한다. 이제 또다시 자동응답기가 켜질 거라는 걸 안다. 하지만 아니다. 여보세요? 바르바라 엄마 누리아의 목소리다. 씻기라도 한 듯 약간 상큼하게 들린다. 안녕하세요, 저 에바예요. 흠칫 놀란 것 같더니 목소리가 대답한다. 그래, 에바야. 뭐 잊고 간 거 있니? 에바는 말을 더듬으며, 그렇다고, 딸이 살아 있다는 말을 잊었다고 얘기하고 싶은 유혹에 빠져든다. 하지만 에바는 입을 다물고, 대답 대신 바르바라 아빠를 찾는다. 아저씨 계세요? 아무 얘기도 하지 않자, 목소리에 실망한 기색이 역력하다. 누리아가 자기는 순전히 절차일 뿐이고, 남편과 딸의 친구를 이어 주는 다리일 뿐이라고 생각하는 것 같다. 아니, 볼일이 있어 나가셨다. 누리아가 대답한다. 에바는 가급적 자연스럽게 굴려고 노력한다. 아저씨 휴대전화 번호 좀 알려 주시겠어요? 아저씨하고 해결해야 할 문제가 있어서요. 말도 안 되는 얘기처럼 들린다. 심지어 망측하기까지 하다. 무슨 변명거리라도 생각해 뒀어야 했다.

그렇지만 누리아는 아무것도 묻지 않는다. 그녀는 이미 자기 주변에서 일어나는 수수께끼 같은 일들과 침묵을 받아들이고, 초대받지 않은 테이블의 한쪽 구석에 앉아 있는데 익숙하다. 잠깐만, 미안하구나. 내가 전화번호를 외우지 못해서. 그녀가 사과하며 말한다. 그리고 에바는 얼른 가방을 열어 볼펜을 찾는다. 종이는 아예 없고 수첩이 있지만, 수첩을 더럽히고 싶지는 않다. 얼굴에 여드름이 잔뜩 난 청년이 커피를 가져온다. 커피가 너무 시커멓다. 커피가 너무 진하다. 에바는 청년에게 메모할 종이 좀 갖다 달라고, 볼펜을 들어 표정으로 부탁한다. 청년은 그녀의 표정을 이해하지 못한다. 멍청한 것 같다. 종이요, 종이가 한 장 필요해요. 그녀가 구체적으로 말한다.

전화기에서 바르바라 엄마의 목소리가 들린다. 이제 번호를 찾았구나. 메모할래? 잠깐만요. 에바는 마음이 급해 사정한다. 그녀는 일어나서, 옆 테이블에 있던 냅킨을 직접 집어 든다. 그러고는 얼른 다시 자리에 앉는다. 네, 이제 말씀하세요. 그리고 바르바라 엄마의 목소리가 천천히 번호를 불러 준다. 마치 번호를 읽는 게 힘들기라도 한 듯. 마치 익숙하지 않은 듯. 에바는 번호를 적어 나가면서 왠지 그 번호가 익숙하다는, 이미 그 번호를 알고 있다는 의심이 든다. 다시 불러 주실 수 있어요? 에바는 확신을 갖기 위해 재차 요구한다. 그리고 누리아가 두 번째로 그 번호를 불러 주는 동안, 에바는 머릿속이 뒤죽박죽으로 뒤엉키는 기분이 들다가, 급기야 비명을 지른다. 에바는 허둥지둥 가방을 열고, 휴대전화를 땅바닥에 떨어뜨린다. 에바는 수첩을 열어, 바르바라가 전화한 휴대전화 번호를 적어 둔 페이지를 허겁지겁 찾는다. 그럴 리가 없어. 그녀는 이 번호와 저 번호를 비교하면서 혼자 중얼거린다. 내가 착각한 거야. 그럴 리가 없어. 그건 불가능해. 하지만 번호는 일치했다. 에바! 에바야! 괜찮니? 멀리서 누리아의 목소리가 들려온다. 누리아는 에바의 비명과 휴대전화가 바닥에 떨어지면서 튕겨 나가는 소리를 듣고 깜짝 놀랐다. 에바가 길을 가다가 사고를 당했을지도 모르는 일이었다. 에바가 몸을 숙여, 의자 밑에 떨어진 휴대전화를 주워 들고, 갈라지는 목소리로 누리아에게 애원한다. 제발 부탁인데, 아저씨 휴대전화 번호 좀 다시 불러 주세요. 에바는 숫자들이 정확하게 일치한다는 것을 한 개씩 확인하며, 자기 심장이 어떻게 발밑으로 쿵 하고 떨어지는지, 어떻게 얼굴이 새하얗게 질리는지 직접 느낀다. 에바는 현기증이 일어 정신을 잃고 쓰러질 뻔했다. 지금은 안 돼. 지금 정신을 잃으면 안 돼. 에바는 자신에게 계속 주입한다. 그리고 그녀는 자기 몸에 피가 조금씩 다시 도는 걸 느낀다. 그리고 제때 기운을 추슬러, 과격하게 소리 지른다. 오늘 아침, 바르바라가 이 번호로 저한테 전화했어요!

혼자 저절로 그 말이 흘러나왔다. 어떻게도 억누를 수가 없었다. 에바는 더 이상 입을 다물고 있을 수가 없었다. 그러고는 곧바로, 누리아의 놀라움을 상상하며 덧붙인다. 아줌마는 움직이지 마세요. 제가 곧바로 갈게요. 절대 움직이지 마세요! 에바가 계속 강조한다. 에바는 일어나, 커피값도 내지 않고 곧장 뛰쳐나간다. 그녀는 어느덧 문 앞에 이르러 잠깐 뒤돌아본 후 가방에서 1유로를 꺼내 멍청한 청년을 향해 던지고는 미친 여자처럼 정신없이 뛰어나간다. 뒷덜미에 눈이 달려 있지는 않지만, 그 청년이 동전을 받지 못했을 거라고 확신한다. 그 청년의 반사 신경이 좋지 않을 거라고 확신한다.

몰리에르의 악(惡)

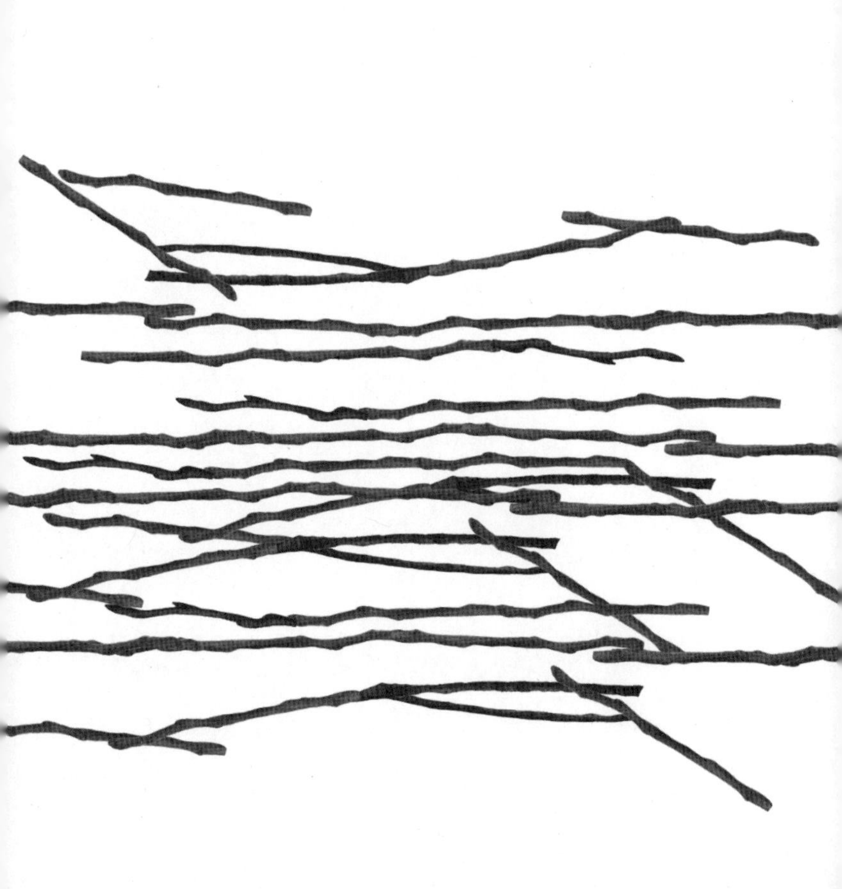

20

누리아
솔리스

누리아 솔리스의 머릿속에서는 계속 같은 문장만이 반복해서 울려 댄다. 바르바라가 살아 있어요, 바르바라가 살아 있어요, 바르바라가 살아 있어요. 누리아는 소리 지르고 싶고, 깡충깡충 뛰고 싶고, 웃고 싶고, 딸이 살아 있다는 것을 알리기 위해 페페에게 전화를 걸고 싶다. 그러다가 문득 멈춰 서, 에바가 말한 내용의 두 번째 부분이 믿기지 않아 반복한다. 바르바라가 아저씨 휴대전화로 전화했어요. 누리아는 처음에는 그 말을 이해하지 못했다. 이해가 되지 않았고, 겉으로 보기에는 그 간단한 말을 어떻게 해석해야 좋을지 몰라, 그 복잡한 뜻을 얼른 알아듣지 못했다. 그녀에게는 이 마지막 정보의 암호를 풀기 위한 비밀번호가 없다. 아저씨의 휴대전화로? 페페 휴대전화가 어떻게 바르바라의 수중에 있다는 거지? 누리아는 영문을 몰라 혼자 되묻는다. 바르바라는 어디에 있지? 페페는 어디에 있는 거야? 그들이 어떻게 연결된다는 거지? 농담인가? 페페가 바르바라를 찾아냈는데, 자기에게는 아무 말도 하지 않은 건가? 왜 바르바라는 자기에게 전화를 걸지 않고 에바에게 전화를 걸었을까? 이걸 어떻게 받아들여야 하지? 누리아는 단서들을 하나로 연결하지 못한 채, 잠시 동안 거의 미쳐 버릴 것만 같았다. 그러다가 갑자기, 마치 번개라도 맞은 듯 끔찍한 생각이 번뜩 든다. 페페! 페페! 페페! 누리아는 양손으로 머리를 감싸며, 절망적으로 머리를 뒤흔든다. 자신의 머리와 눈, 귀를 모두 도려내고 싶다. 삶 전체가 한순간 무너져 내리는 기분이다. 순식간에 모든 것이 바뀌었다. 그녀는 숨을 쉴 수가 없다. 숨이 막힐 것 같다. 공기가 폐로 들어오지 않아, 양손을 목으로 가져간다. 미친 듯이 날뛰는 혈관이 느껴진다. 그럴 리가 없어. 그럴 리가 없어. 누리아는 믿어지지 않아 계속 같은 말만 반복한다. 하지만 사실이다.

그러고는 갑자기 모든 것이 의미를 찾아가면서, 조금씩 기억의 불빛이 켜지면서 어두침침했던 구석들이 환하게 밝아진다. 그녀는 장님에 귀머거리였으며, 자기 앞에 있는 것도 보고 싶어 하지 않았다. 진정제. 진정제가 필요해. 누리아는 부들부들 떨며 욕실을 향해 뛰어가다가 벽에 부딪히고, 그렇게 약상자를 더듬거리며 말한다. 자신이 비겁해서 진실을 짜 맞추지 못했다는 사실을 받아들이기 위해 진정제가 필요한, 겁에 질린 여자의 모습이 거울에 반사된다. 그녀는 기운이 빠져 변기 뚜껑에 털썩 주저앉아, 울음을 터트린다. 그해 여름, 페페와 함께 그라나다에서 돌아온 후 바르바라의 슬픔과 침묵, 묵비권, 그녀의 코앞에 늘어놓은 피임약, 씻는 것에 대한 집착, 굳게 닫힌 문, 갑자기 화를 내던 일, "엄마는 아무것도 이해하지 못해."라고 했던 말, 팔에 난 상처, 온몸의 멍, 학교 성적 들을 떠올린다. 누리아는 대성통곡하며, 자신의 머리카락을 한 줌 쥐어뜯는다.

누리아는 페페의 질투와 바르바라의 몸과 영혼, 바르바라에 대한 그의 집착을 떠올린다. 사람들이 그 아이를 쳐다보고, 만지고, 원하고, 욕망한단 말이야! 사람들이 나에게서 그 아이를 뺏어 갈 거야, 그 아이는 내 거란 말이야! 누리아는 무기력해진다. 그 순간, 누리아는 욕실 선반에 놓인 가위를 보고, 자기 안에서 느껴지는 고통을 덜기 위해 자기 몸을 가위로 찌르고 싶다는 생각이 충동적으로 든다. 바르바라가 했던 것처럼. 바르바라! 바르바라가 살아 있어! 바르바라가 나를 필요로 하고, 나에게 속상한 마음을 속삭이고 있어. 하지만 나는 그 아이를 도울 수가 없어. 누리아는 진정제를 먹으면 늘 그러듯 바르바라를 쫓아내며 아픈 말을 한다. 너무 늦었어. 이젠 다 끝나서 아무 소용도 없어. 누리아는 늘 딸아이의 곁을 지켜 주지 못했다. 쌍둥이들이 태어났을 때 일찌감치 어린 바르바라를 잃었다. 나중에 어른이 되면 아빠랑 결혼할 거야. 바르바라는 이렇게 말했고, 그녀는 바보처럼 웃었다. 바르바라는 아빠에게 목욕시켜 달라고 밤마다 졸랐다. 아빠하고 자기는 엄마한테는 절대 얘기해 주지 못할 비밀들이 있다고, 어린 바르바라가 암시했었다.

누리아는 기억을 떠올리고, 또 떠올리면서 손톱으로 자기 살 밑을 파고든다. 그녀가 야간 근무를 마치고 피곤해져서 돌아와 침대, 남편 옆에서 잠들어 있는 딸아이를 발견한 때를 떠올린다. 너 무섭니? 난 겁쟁이야, 겁쟁이 그 이상이지. 누리아는 어리석게 해석했었다. 나 좀 내버려 둬! 엄마한테는 내가 하나도 중요하지 않잖아! 내가 어떤 기분이든 엄마는 상관없어! 딸은 몇 년이 흘러 가출하기 전에 그녀를 나무랐었다. 그런데 그녀는 그것을 이해하지 못했다. 절대 이해하지 못했다. 그녀는 관대한 바보이자 비겁한 바보이고, 페페에 의해 무용지물이 된 바보였다. 왜 가출했을까? 누리아는 수천 번도 넘게 혼자 되물었다. 내가 그 아이에게 뭘 잘못했다고? 내가 뭘 부족하게 해 줬다고? 내가 뭘 주지 않았다고? 누리아는 4년 내내 계속 자신에게 되물었다. 그런데, 지금에 와서야, 갑자기, 질문 한 개가 더욱 섬뜩하게 다가온다. 왜 나는 그 아이를 지켜 주지 못했을까?

바르바라야, 언제부터였니? 내 새끼, 왜 나한테 얘기하지 않았니? 왜 나한테 도움을 청하지 않았니? 누리아, 입 닥쳐. 누리아, 꺼져. 누리아, 참견하지 마. 누리아, 바보처럼 굴지 마. 누리아, 당신은 아무것도 몰라. 누리아, 당신은 엉망진창이야. 누리아, 당신을 보면 불쌍한 생각이 들어. 누리아, 당신 몰골을 봤어? 누리아, 당신은 처참해. 누리아, 그 아이를 내버려 둬. 누리아, 앉아. 누리아, 자. 누리아, 저리 꺼져. 누리아, 당신은 역겨워. 누리아, 당신은 병들었어. 누리아, 당신은 히스테릭해. 누리아, 당신은 바보야.

바르바라, 미안하구나! 누리아는 반응할 수도, 일어날 수도, 생각할 수 없을 정도로 허물어져 침묵 속에서 흐느낀다. 자신이 진정제를 먹어야 한다는 것만 인지하며, 약 이름도 보지 않고 아무 약병이나 집어 든다. 뭐 하려고? 그녀가 느끼는 고통이 너무나도 깊어, 약병 한 통이 통째로 필요하다. 누리아는 고통이 멈출 때까지 알약이란 알약은 모조리 집어삼킬 생각이다. 그녀는 조급해하며 약병 뚜껑을 연 후 입으로 가져가, 머리를 뒤로 젖히고 입 안을 알약들로 가득 채운다. 잠시 후면 슬픔이 영원히 사라질 거라는 걸 안다. 하지만 목구멍이 바짝 말라 약들을 삼킬 수가 없다. 약들이 목에 걸려 질식할 것 같아 두려움에 빠진다. 그때 구역질이 목구멍을 타고 올라와, 모두 토해 낸다. 거울이 그녀에게 되돌려 준 모습은 땀에 뒤범벅이 되어 이마에 머리카락이 붙어 있고, 입술은 바짝 마르고, 눈두덩은 시커메져 파랗게 질린 여자의 모습이다. 누리아는 천천히 고개를 들며, 깜짝 놀라 온몸에 전율을 느낀다. 나를 쳐다보고 있는 이 여자는 누구지? 그녀가 느닷없이 묻는다. 나는 누구지? 내 이름이 뭐지? 누리아는 어디 있지? 잘 웃던 소녀와 진취적인 여자, 꿈이 많던 엄마는 어디로 갔지? 어디에 있는 거지?

몇 초가 흐르고, 몇 분이 흐르고, 몇 시간이 흐른다. 누리아가 자기 앞에 있는 이상한 여자의 모습을 뚫어져라 바라보고, 자기를 보지 않으면서도 보고 있는 공허한 눈을 관찰하면서 벙어리가 되어 꼼짝도 하지 않는 동안 시간은 가차 없이 흐른다. 누리아는 자신을 알아보지 못한다. 자기가 누군지 모른다. 그러다가 앞이 뿌예지면서 바르바라의 눈과 바르바라의 코, 바르바라의 입이 언뜻 비친 것 같다. 바르바라! 누리아가 너무나도 세차게 거울을 때리며 괴성을 질러, 거울이 깨진다. 유리 조각들이 세면대 위로, 욕조 타일들 위로, 사방에 떨어지면서, 바르바라의 모습은 산산조각이 나 사라진다. 가지 마! 바르바라! 돌아와! 누리아는 정신이 나가, 소리 지른다.

엄마! 엄마! 무슨 일이에요? 누리아는 온몸이 얼어붙는다. 엄마, 다쳤어요? 그녀는 그들을 알아본다. 목소리들을 알아본다. 쌍둥이들이다. 그들은 와장창 유리가 깨지는 소리와 누리아의 비명을 듣고, 깜짝 놀라서 달려왔다. 누리아는 몸을 날리기 전의 야수처럼 갑자기 몸을 웅크리며 긴장한다. 그녀는 반응하지 못한 채 가쁘게 숨만 내쉰다. 엄마! 엄마! 누리아는 쌍둥이들의 소리를 듣고, 그들이 현실세계에서 자기를 부르고 있다는 걸 깨닫는다. 그리고 아이들의 목소리가 그녀를 끌고 나간다. 엄마! 의사한테 연락할까?

누리아는 현기증을 느끼며 어렵사리 몸을 일으킨 후, 거울이 깨졌고, 자기가 욕실에 있으며, 자기가 엄청난 짓을 저지를 뻔했으며, 자식들이 겁에 질려 있음을 발견한다. 아무것도 아니다! 거울이 깨졌지만 나는 다치지 않았단다. 어떤 목소리가 그녀를 깜짝 놀라게 하며 대답한다. 자기 목소리인데도 낯설게만 들린다. 그 목소리를 듣는 순간, 그녀는 깜짝 놀란다. 그녀는 자신의 목소리와 자기가 하는 말을 조절한다. 자기가 아이들을 지켜야 한다는 것을, 아이들이 어리기 때문에 이런 상태에 있는 자기를 보면 안 된다는 것을 깨닫는다. 그러고는 조금씩 자기가 존재한다는 사실을 깨닫기 시작한다. 금방 나갈게. 너희는 걱정하지 마. 그녀가 덧붙인다. 바르바라도 쌍둥이들처럼 살아 있어. 누리아가 생각한다. 살아 있어. 누리아는 그 사실을 믿지 못하며 되뇐다. 살아 있어. 딸이 살아 있고, 딸은 살아 있는 엄마가 필요하다.

누리아는 맨 밑바닥까지 내려간 후, 다시 어둠 속에서 나오고 싶다. 우물 바닥에서 몸을 웅크린 채 꼼짝하지 않을 수도 있지만, 억지로라도 손가락, 발가락, 눈동자, 양팔과 양다리를 움직여 본다. 어떻게 했는지는 모르겠지만 등산과 암벽등반을 좋아했던 젊었을 때의 의지를 되찾아 간다. 엘리자베스가 부러워하던 의지이다. 페페를 처음 만나 사랑에 빠지면서 잃어버렸다고 생각했던 의지이다. 이제는 일어날 거야. 누리아가 의욕에 차서 말한다. 세수하고, 쌍둥이들을 진정시킬 거야. 옷을 입고 바르바라를 찾으러 나가야지. 그리고 그녀는 오래 사용하지 않은 낡은 기어처럼 녹이 슨 자신의 의지에 시동을 건다. 누리아는 천천히 일어나 찬물로, 아주 찬물로 세수하고, 목으로 흘러내리는 물줄기를 조심해서 닦아 낸다. 누리아는 한 번, 두 번, 숨을 들이마신 후 진정제와 수면제, 항우울증 등 지난 4년 동안 복용했던 쓸데없는 약병들을 집어, 알약들을 변기 속으로 조심스럽게 내려보낸다. 색색가지 알약들이 서로 뒤엉킨 채 수북이 쌓여 둥둥 떠다닌다. 줄을 내리자 물이 하수관을 타고 흘러내리며 알약들을 모두 휩쓸어 간다. 마치 인생의 줄을 내려 그녀가 남편에게서 벗어나기 시작하는 것 같다. 진정제를 먹어, 다 당신을 위한 거야. 남편은 그녀를 이런 상태로, 쓸모없고, 고분고분하고, 폐기된 상태로 원했다. 남편이 그녀의 양 날개를 꺾고, 그녀의 자존심에 재를 뿌리고, 그녀의 영혼이 파괴될 때까지 그녀를 야금야금 갉아먹었다. 이제 그녀에게는 영혼이 없다. 그녀는 뼈만 앙상한 공허한 육신이다. 유령이다. 누리아는 힘이 달려, 문 손잡이를 돌리고 나가 자식들의 시선과 감히 맞서지도 못한다. 자, 힘내. 그녀가 자신에게 말한다. 이제는 네가 생각하고, 결정하고, 행동할 차례야.

누리아는 의지를 되찾았지만, 남편이 너무나도 망가뜨려 놓아 자신의 의지가 병들고, 쇠약해진 것처럼 느껴진다. 아니야. 그녀가 자신에게 말한다. 아니야, 모르겠어. 나는 할 수 없어. 이제는 욕망을 갖고, 꿈을 꾸고, 도전하고, 약속한다는 게 뭔지도 모르겠어. 그러고는 자신의 내면에서 착오 없이 확실하게 시동을 걸어 줄 수 있는 엔진을 절망적으로 찾아본다. 누리아는 남편에게서, 남편의 학대에서, 남편의 무시에서, 남편의 음흉한 계략에서 벗어나고 싶다. 그녀는 자신에 대한 믿음을 회복할 수 있는 동기가 절실하게 필요하다. 그녀에게는 시간이 없고, 악몽에서 얼른 깨어나, 삶 속으로 뛰어들어 혼자 걷고, 두려움 없이 그와 맞서야 한다. 그리고 누리아는 그것을 찾아낸다. 그녀는 자신의 구명보트를 힘껏 움켜잡는다.

바르바라가 살아 있어! 누리아가 갑자기 되뇐다. 딸이 살아 있고, 그녀를 필요로 한다.

21

바르바라 몰리나

'조국의 형제들'(1789년 프랑스대혁명 당시 민중들이 의용군으로 출정하면서 부른 군가로 현재 프랑스 국가이기도 한 '라 마르세예즈'의 가사에 등장하는 민중을 일컫는 말: 옮긴이)이 처단한 프랑스의 왕비, 마리 앙투아네트는 하룻밤 사이에 머리가 하얗게 세었다고 한다. 그리고 죽는 순간에는 영화 필름을 빨리 돌릴 때처럼 전 생애가 눈앞을 스치고 지나간다고 한다. 나는 거울도 없고 머리카락도 보지 못하지만 내 머리카락은 이미 오래전에 새하얗게 변했을 수도 있다. 그리고 내가 원한 것은 아니었지만 내가 직접 검열한 〈내 인생〉이라는 영화 한 편이 눈앞에 펼쳐진다. 죽음이 가까워져서 그럴 거다.

그해 크리스마스 때, 다시 일이 터졌다. 가까운 친척들과 함께 크리스마스 파티를 한참 즐기고 있었다. 작은 전구들이 잔뜩 달린 크리스마스트리도 있었고, 갖가지 색상의 포장지로 포장한 선물들도 있었다. 식사 중 그가 과음했다. 나는 알 수 있었다. 그는 식사는 거의 하지 않고 술을 많이 마셨다. 그러고는 나와 이냐키 이모부를 한 번씩 번갈아 보다가, 이모부에게 말했다. 바르바라는 정말 예쁘지 않아? 그러자 이냐키 이모부는 그렇다고, 이제는 완전히 여자가 되었다고 말했다. 그는 술을 많이 마셨고, 술 냄새가 진동했다. 그러고는 모두 떠났고, 엄마도 일하러 나가야 했기 때문에 엄마마저 나가면 또 그런 일이 있을 거라는 예감이 들었다. 엄마, 오늘도 일하러 가야만 해요? 그렇단다, 얘야, 어쩔 수 없단다. 내가 얼마나 가기 싫은지 네가 안다면……. 불길한 예감이 들었다. 내가 방으로 들어가 열쇠로 문을 잠그기 전에, 그가 복도에서 나를 붙잡았다. 그러고는 나를 자기 침실까지 끌고 갔다. 그 방이 쌍둥이들 방에서 가장 멀리 떨어지고 외진 곳이다.

너, 마르틴과 무슨 짓 한 거야? 그가 나를 벽으로 밀어붙이며 내뱉었다. 너한테 무슨 짓을 하도록 내버려 둔 거야? 그가 마르틴의 이름을 어떻게 알았는지, 내가 마르틴을 좋아하고, 우리가 자주 만난다는 사실을 어떻게 알았는지 모르겠다. 하지만 그는 모든 것을 꿰뚫고 있었다. 그리고 헤수스 로페스하고는? 너는 내가 손가락만 빨고 있는 줄 아니? 네가 어떤 아이인지 말해 줄까? 꼭 그 말을 듣고 싶니?

나한테도 눈이 있으니 네가 이냐키한테 어떻게 추파를 던지는지 다 봤다. 너는 이냐키한테도 몸을 내주고 싶니? 그는 나를 덮쳤고, 내가 싫다며 거부하고, 나를 내버려 두라고 애원하자 나를 때렸다. 나는 너무나도 심하게 맞아 의식을 잃었다가, 아주 고통스러워하며 멍한 상태로 침대에서 깨어났다. 온몸이 멍투성이였다. 그렇지만 그는 이미 나를 씻겨 주고, 나에게 약을 발라 주고, 전신을 탄툼과 가글액으로 뒤덮고, 우려낸 차로 나를 깨웠다. 그는 울면서 어쩔 줄 몰라 하고 있었으며, 그때는 이미 술이 깬 후였다. 미안해. 그가 나에게 말했다. 너무 미안하구나, 얘야, 너를 다치게 하고 싶지는 않았다. 하지만 내가 이성을 잃었구나. 엄마가 이 사실을 알면 나를 신고해 감옥에 집어넣고, 너는 절대 용서하지 않을 거다. 가족을 해치고 싶지는 않지? 정말 그걸 원하는 건 아니지? 그는 후회하며 허물어졌다. 너무나도 비참한 모습이라, 그가 불쌍해 보일 정도였다. 그래서 나는 망연자실해 혼란스러워하며 입을 다물었다.

한 달 후, 이제는 나도 어느 정도 회복되어 마음을 놓을 때 쯤 되자, 그는 엄마가 일하러 나가고 쌍둥이들이 침대로 자러 가기를 기다렸다가 내가 문을 채 닫기도 전에 얼른 발을 내 방 문틈에 끼워 넣었다. 소름이 돋을 정도로 끔찍했다. 바르바라, 얘야, 이 집에서 문을 잠그는 걸 난 원치 않는다. 내가 여전히 들어가고 싶어 한다는 거 모르겠니?

너는 나랑 같이 놀잖니, 그렇지? 내가 너를 얼마나 사랑하는지, 내가 너 때문에 미쳤다는 거 너도 잘 알지? 나는 단지 너를 지켜 주고 싶고, 너한테 아무 일도 일어나지 않기를 바랄 뿐이다. 너는 순진한 데다 그걸 좋아하기 때문에 너 자신을 억제하지 못한단다. 그는 나에게 계속 말을 걸며 나를 침대 쪽으로 몰았다. 나는 두려움에 꼼짝도 하지 못했고, 그는 나에게 엄마가 알게 된다면 자기가 엄마에게 사실을 말할 거라고, 내가 먼저 자기를 유혹했다고, 사실은 내가 자기를 원했고, 내가 나쁜 아이라 아주 어렸을 때부터 자기를 원했다고 말할 거라며 속삭였다. 그러면 엄마가 속상해 죽을 거라고 했다. 너는 엄마를 죽이고 싶지 않지? 그렇지?

그리고 그것이 끝의 시작이었다. 나는 내 뒤로 문을 굳게 닫고, 마음을 졸이며 살았다. 거짓말을 꾸며대고, 가능한 한 매번 집 밖에서 맴돌면서. 나는 마르틴 보라스의 품이나, 로페스의 박물관에서 나 자신을 구원받고자 했다. 나는 나 자신이 부끄러워 공부할 수도 없었고, 여자 친구들도 없었고, 속을 터놓고 얘기할 사람도 아무도 없었다. 그리고 에바가 아빠와 한편이라, 그녀를 쫓아내 내게서 멀어지게 했다. 에바는 아빠를 존경하고 아빠에게 감탄했으며, 그는 이미 에바를 세뇌시켜 자기편으로 만들었다. 에바는 절대 내 이야기를 믿지 않았을 것이다. 나는 로페스 선생님에게 솔직하게 털어놓으려고 했지만 실패했고, 마르틴 보라스와 관계를 가져 보려고 노력했지만 그럴 수가 없었다. 매번 나 자신이 더럽고 고립된 기분이었다. 너는 끝이 안 좋을 거야. 너는 타락한 아이야. 너는 나쁜 길로 가고 있어. 세상을 바꾸려는 메시아이자 예언자인 듯 그가 두 눈에 불을 뿜으며 나에게 말했다. 나는 아무 결정도 내리지 못한 채 계속 상황만 더 악화시키며, 자신을 끔찍한 재난을 향해 몰아가면서 참고, 또 참았다. 토요일 그날 밤까지.

마르틴이 내 얼굴에 옷을 집어 던지며 나에게 자기 집에서 나가라고 한 그 순간, 나는 출구를 찾을 수 있다는 마지막 가능성마저 잃었다고 느꼈다. 나는 그때까지도 마신 음료 때문에 어지러웠다. 마르틴이 그 잔에 뭘 탔는지는 모르겠지만 초점이 맞지 않아 모든 사물이 흐릿했고, 내 몸도 흐릿하게 보였다. 마룬파이브의 〈She will be loved〉가 흘러나오고 있었다. 삶이 커다란 거짓말 같아서, 나는 엉엉 울고 싶었다. 거리는 어두웠고, 나는 어디로 가야 할지 몰라 헤매고 다녔다. 그러고는 어느 카페 앞을 지나치다가 그 안으로 들어가, 스탠드바에 혼자 앉았다. 곧 몇몇 남자들이 다가왔다. 나는 그들의 초대를 받아들여, 그들과 어울려 술을 마시고, 음식을 먹다가 그 어두컴컴한 동굴과 같은 곳에서 함께 나왔고, 밤이 길고 재미있었다는 기억이 난다. 나는 정신없이 웃었고, 아무것도 억제하지 않았다. 무슨 일이 있었는지는 정확히 모르겠지만 산 안토니오 사거리의 한 골목에서 옷이 찢어지고 두 눈이 풀린 채 더러워진 몰골로 끝이 났다는 건 기억한다.

잠든 도시 위로 시청 트럭들이 물을 뿌리고 해가 수줍게 고개를 내밀기 시작하는 동안 나는 길을 잃은 채 비틀거리며 몇 시간이고 걸었다. 나는 내 도시의 이방인이고, 내 인생의 이방인이라는 느낌이 들었다. 집으로 돌아가려면 어느 방향으로 가야 할지를 몰랐다. 집으로 돌아가고 싶지 않았던 것이다. 나는 나 자신과, 억제하지 못하는 나의 한계가 두려웠다. 나는 단 하룻밤 사이에 절벽 아래까지 아주 멀리 굴러떨어졌다. 생선과 썩은 고기가 득실거리는 시장 쓰레기통처럼 내게서 끔찍한 악취가 났다. 나는 자신이 역겹고, 내 행동이 부끄러웠다. 나에게 한계를 정해 주고, 선과 악에 대해 말해 줄 누군가가 필요했다. 그런데 그는 나에게 주의를 주었고, 그의 말이 모두 옳았다. 나는 나쁜 아이다.

그래서 도망치기로 결심했다. 아무에게도 알리지 않고 집을 나가, 이모네 집으로 갈 생각이었다. 그들은 충분히 멀리 있고, 아빠 말을 믿지 않을 유일한 사람들이었다. 이모와 이모부는 내 말을 들어 줄 거라고 믿었다. 엄마는 그러지 못했고, 나는 이미 엄마를 믿지 않았다. 엄마는 너무 무기력했고, 그가 엄마를 지배하고 있었다. 나는 모든 것을 준비했다. 엄마와 아빠에게 성적표를 보여 준 후, 소낙비처럼 쏟아지는 잔소리를 모두 견뎌 내고, 다음 날 글을 몇 줄 써서 남기고 빌바오행 버스를 탔다. 나는 그가 방해하지 못하도록 이모네로 미리 전화하지 않았다. 이런 일들은 전화로 말할 수가 없었다. 그런데 이모네 집에 도착했을 때 그들은 집에 없었고, 휴대전화도 받지 않았다. 내가 어리석었다. 나는 몇 번이고 그 집에 다시 들렀다. 나는 풀이 죽은 채 길을 잃고 이틀 동안 빌바오를 헤매고 다녔다. 그러다가 사흘째 되는 날 밤, 이모네 집 현관에서 나오다가 그에게 붙잡혔다. 그에게 붙잡힌 침울했던 그 순간, 나는 어떻게도 피할 수 없다고, 그게 내 운명이라는 생각이 들었다. 미쳤니? 경찰이 너를 찾고 있다. 네가 무슨 난리를 피웠는지 알겠니? 어떻게 이런 짓을 저지를 생각을 했니?

그는 아주 심각한 얼굴로 나를 차에 밀어 넣었다. 이제 다 끝이다, 바르바라. 그가 나에게 통보했다. 나는 입을 열지 않았다. 그도 더 이상은 아무 말도 덧붙이지 않고 침묵을 지키며 운전했다. 그의 침묵은 그 어떤 고함과 주먹질보다 훨씬 위협적이었다. 레리다를 지나면서 그는 나에게 배고픈지 물었고, 나는 그렇다고 대답했다. 그러고는 그가 차에 지갑을 놔두고 왔다는 것을 알고 잠깐 방심한 사이, 나는 정신없이 달려가 공중전화 부스에서 엄마에게 전화를 걸었다. 하지만 동전이 걸렸고, 그는 노발대발 화를 내며 내 코를 부러뜨려 피가 심하게 났다. 가방을 놔둔 채 다시 국도로 접어들면서, 나는 손수건으로 피를 닦으며 실낱 같은 목소리로 그에게 물었다. 이제 어떻게 하실 거예요? 네가 원한 거다. 네가 대책도 없고, 조절도 하지 못하기 때문에, 네가 다른 사람들을 짓밟고 세상을 돌아다니게 내버려 둘 수는 없다. 바르바라야, 우리가 너를 제대로 교육시키지 못했어. 네 엄마는 너를 교육시킬 줄 모른다. 네 엄마는 네 멋대로, 네가 하고 싶은 대로 내버려 두었다. 너한테 필요한 것은 엄한 손길이다. 그가 말했다. 집으로 돌아가고 싶어요. 나는 그에게 애원했다. 그럴 수는 없다. 네가 직접 그 문을 닫아 버렸다. 경찰이 너에게 질문을 할 것이고, 그러면 너는 말하게 되겠지. 그러면 모두 알려질 거다.

바로 그 순간, 죄를 지은 사람은 그 사람이지, 내가 아니라는 것을 확실하게 보았다. 그렇다면? 내가 덧붙였다. 나도 모르겠다. 그가 거칠게 내 말을 잘랐다. 하지만 그에게서는 암울한 생각이 끓어오르고 있었다. 나는 그의 눈동자에서, 핸들을 꽉 붙잡은 모습에서, 이를 악다문 단호한 표정에서, 그것을 보았다. 나는 아니라고, 절대 입을 열지 않겠다고, 아무도 그 사실을 모를 거라고 그에게 맹세했다. 하지만 그는 내 말을 믿지 않았고, 내 코와 피, 놔두고 온 가방이 그 사실을 폭로하고 있다며 나를 야단쳤다. 네가 내 인생과 명예를 망가뜨렸다. 나를 신고하고 싶지? 응? 아니요. 나는 거짓말을 했다. 너는 나에게 다른 선택의 여지를 남겨 두지 않았어. 그가 멍해진 눈으로 중얼거렸다. 그가 심각하게 죽음에 대해 얘기하고 있다는 걸 나는 깨달았다. 확실히, 나 역시 다른 가능한 출구는 보지 못했다. 하지만 어떻게 그랬는지는 모르겠지만, 나는 차 안에서 사력을 다해 살려 달라고 매달리며 애원했다. 내 안에서 뿜어져 나온 절망적인 충동이었다. 그리고 그는 다시 생각에 잠겼다. 방법이 하나 있기는 한데……. 그가 수수께끼처럼 말했다. 어쩌면, 어쩌면 너를 사람으로 만들고, 너를 재교육하고, 네 안에 들어 있는 야수를 끄집어낼 수 있는 방법인데. 그때 나는 그가 어떤 생각을 하고 있는지 전혀 몰랐다. 내 관점에서 보면, 차라리 그때 죽는 게 훨씬 나았다.

파사트 엔진 소리가 들린다. 그 사람이다. 벌써 여기에 왔다. 이번에는 인정사정없을 것이다. 나는 두렵다. 너무 두렵다. 하지만 용기를 내서 죽음과 정면으로 맞설 생각이다.

22

살바도르
로사노

2005년 3월 25일, 금요일 오전 10시 12분에 술로아가 부부가 누리아 솔리스와 한참 통화를 했습니다. 야도가 아직 형사인 로사노에게 일상적으로 보고했다. 그렇다면 끝내 그들을 찾아내, 바르바라의 실종을 알려 준 건 누리아였다. 예측 가능하다. 그렇지만 몰리나 부부의 개에 대한 보고는 의아하다. 이제 아홉 살쯤 되었을 래브라도 품종인 브루크가 3년 반 전에 죽었다는 것이다. 야도가 수의사에게 들은 내용이다. 수의사는 시체를 보지 못했다. 페페가 개를 몬트세니로 데려가고 얼마 뒤 개가 차에 치여 죽어, 자기가 직접 시체를 처리했다고 수의사에게 말했다는 것이다. 페페가 개밥을 주러 몬트세니 별장에 가 있다고 누리아 솔리스가 여러 차례 말했기 때문에 이상한 일이었다.

왜 누리아는 개의 죽음을 몰랐을까? 그녀에게 충격을 주지 않으려고? 페페는 몬트세니 별장에서 아무 할 일도 없으면서 왜 개밥을 갖다 준다고 거짓말을 했을까? 그는 정말 그곳에 가는 것일까? 아니면 다른 곳에 가는 것일까? 애인이 있거나, 아니면 지저분한 일이 있거나, 무슨 비밀이 있는 걸까?

로사노는 야도가 고마워 감격하면서도, 얼른 생각에 잠긴다. 그는 자기 책상 앞에 바르바라 사건 파일을 놓고, 컴퓨터를 켜 놓고, 전화기를 옆에 두었으면 하고 바란다. 하지만 그는 송별 파티를 위한 레스토랑에 있으며, 더워서 죽을 것만 같다. 그는 눈도 쉴 겸, 사람들로부터 잠시나마 벗어나기 위해 북적거리는 식당에서 어디 도망칠 데 없나 찾는다. 오른쪽 끝으로 창문이 하나 있지만 굳게 닫혀 있어, 폐소공포증이 너무 강하게 느껴진다. 그는 질식하지 않으려고 맨 위 단추를 풀고 셔츠 목 부분을 느슨하게 한다. 옷이 꽉 끼고 땀이 이마 위로 줄줄 흘러내린다. 살이 너무 쪘군. 그가 생각한다. 그는 종이 냅킨으로 살짝 땀을 닦아 내고, 방금 도착한 형사의 인사에 답한다. 로사노는 그의 이름조차 알지 못한다. 평소 혼자 식사하거나, 아니면 아내와 함께 조용히 식사하는 데 익숙한 그는 서른 명이 넘는 사람들과 함께 식탁에 앉아 있는 게 낯설기만 하다. 그것도 그가 상석에 앉아 있다. 그런데 그의 머릿속은 바르바라 몰리나 사건의 수사에 대한 새로운 생각과 새로운 가능성들로 들끓고 있다. 하지만 동시에 모든 시선을 한몸에 받아야 하기 때문에 그는 여기저기로 애써 미소를 지어 보인다. 아들의 결혼식 날처럼. 하지만 그때는 그가 절대적인 주인공이 아니었고, 아내도 함께 있었다.

로사노는 많은 사람이 앞에 있고 자기를 위해 마련한 자리인 데다가, 정년 퇴임을 불과 몇 시간 앞둔 마지막 날 어울리는 의상과 우아함을 포기하면 좋지 않을 것 같아 재킷은 벗지 않았다. 그에 대한 정중한 기억은 사진을 통해 후대에 남을 것이다. 물론, 대부분의 사진은 잃어버리거나, 카메라 안에서 사라질 테지만, 그래도 그는 최선을 다하고 싶다. 다른 사람들에게는 격식이 눈곱만큼도 중요하지 않다. 많은 젊은이들이 출근할 때 입은 복장 그대로, 셔츠와 청바지 차림으로 만찬에 참석했다. 옷을 갈아입지도 않았을 것이다.

수레다는 갈아입었다. 수레다는 후임 형사다운 복장을 하고 왔다. 검정 셔츠 위에 밝은색 재킷을 입고 리바이스 청바지를 입고 있다. 조앙 마누엘 세라(스페인의 대표적인 가수 겸 작곡가: 옮긴이) 같은 옷차림이다. 아내라면 세련되고, 캐주얼하면서도 우아하다고 말했을 것이다. 수레다는 수학 선생과 함께 만찬에 참석했다. 대단한 여자는 아니다. 금발에 키가 작고 쾌활하며, 로사노의 취향으로 보면 약간 마른 편이다. 하지만 그녀는 모르는 사람들이 그렇게 많은 데도 금세 그 틈을 비집고 들어가, 아주 친한 사이라도 되는 듯 이 사람 저 사람과 아무렇지도 않게 대화를 나눈다. 그의 옆자리에 앉은 걸 보면 똑똑한 여자다. 그녀는 로사노에게 달콤하면서도 장난스러운 미소를 보내며, 아내의 안부를 묻는다. 그는 그녀에게 아내가 몸이 불편하다는 말로 변명을 한다.

조금 전, 초록색 이파리로 장식한 오렌지 빛깔의 퓌레가 한 접시 나왔다. 로사노는 그 부탄가스 통 색깔을 보자 접시를 바꿔 달라고 하고 싶은 마음이 굴뚝같았다. 하지만 수학 선생이 못된 장난을 치듯 숟가락 끝으로 살짝 찍어, 자기가 무슨 미식가라도 되는 듯 입 안에 넣고 과장되게 음미하더니, 무척이나 맛난 호박 수프라고 평한다. 호박 수프라니! 대체 누구 생각이야? 누가 그런 메뉴를 고른 거야? 로사노는 돌로레스 에스트라다의 목을 조르고 싶다. 틀림없이 그해 여름, 그녀가 마드리드에서 열린 브루스 스프링스틴의 콘서트에 가려고 신청한 이틀 휴가를 자기가 거절해, 복수하려고 그런 걸 거다. 그런데 갑자기 호주머니에서 진동이 느껴진다. 아내의 전화일 텐데, 굳이 수학 선생에게 설명해야 하나 싶어 불편해하며 손을 집어넣는다. 사적인 통화를 위한 자리가 아니라 특히 더 불편하다. 수학 선생이 모든 내용을 들을 것이고, 나중에 집에 가서 수레다 옆에 딱 달라붙어, 옛 상관이 아내가 아프지도 않은데 거짓말했다며 수군거릴 것이다. 하지만 에바 카라스코다. 느닷없이 중요한 전화일 것 같은 예감이 든다.

로사노는 얼른 일어나 홀 밖으로 나간다. 실제로도, 에바가 얘기하는 내용이 너무나도 중요했기 때문에 잘한 일이었다. 정말 중요한 내용이라, 그는 쓰러지지 않으려고 벽에 몸을 기대야 했다. 바르바라가 오늘 아침에 저한테 전화했어요. 하지만 바로 전화가 끊겼는데, 다시 연결되지 않았어요. 뭐라고 말했죠? 그는 도무지 믿어지지 않아 까무러치게 놀라며 소리 지른다. 몇 시에? 2시쯤에요. 그런데 왜 진작 나한테 말하지 않았어요? 맨 먼저 형사님께 전화드렸어요. 그런데 식사하러 나가셨다고 해서 바르바라의 집으로 갔어요. 그리고 바르바라 아빠가 자신이 알아서 해결할 테니, 아무에게도 말하지 말라고 했어요. 자기가 전부 알아서 할 테고, 경찰한테도 연락하겠다고 했어요. 에바는 매우 불안에 떨며, 그에게 끼어들 틈도 주지 않고, 숨도 쉬지 않은 채 속사포처럼 말한다. 하지만 조금 전에 바르바라가 전화한 휴대전화가 페페의 휴대전화라는 걸 알았어요. 로사노는 심장마비가 일어날 듯 화들짝 놀라, 그녀의 말을 가로막는다. 페페의 휴대전화? 확실해요? 네, 아주 확실해요. 에바가 실낱같은 목소리로 대답한다. 그 사실을 아는 사람이 더 있나요? 로사노는 훌륭한 형사들과 훌륭한 시나리오 작가들처럼 순식간에 사건의 향방을 틀어 버리며 서둘러 묻는다. 바르바라 엄마요. 지금 바르바라네 집에 와 있어요. 아줌마가 아저씨 전화번호를 불러 줬을 때 번호가 같다는 걸 알았어요. 페페는 지금 어디에 있죠? 로사노 형사가 빛의 속도로 생각하며 묻는다. 모르겠어요. 어디에 계신지 전혀 모르겠어요. 아저씨 휴대전화는 꺼져 있고, 아저씨가 오늘 밤, 일이 있다며 기다리지 말라고 하셨대요. 아줌마는 더 이상은 아무것도 몰라요.

로사노 형사가 땀을 닦아 낸다. 이젠 정말 제대로 된 땀이 그의 목덜미를 타고 흘러내려 셔츠를 적신다. 그러고는 웨이터들이 더 많은 호박 수프 접시와 다른 요리 접시들을 들고서 예약 테이블을 향해 가도록 한쪽으로 물러나며 결정을 내린다. 학생은 누리아와 함께 집에 있어요. 페페가 들어오면 뭔가 알고 있다는 내색은 절대 하지 말아요. 무슨 핑계라도 대고, 슬쩍 거리로 나와 나한테 바로 전화해요. 내 말 알아들었죠? 네, 알았어요. 아이가 대답한다. 에바. 로사노가 심각한 목소리로 말한다. 바르바라의 목숨이 위험에 처해 있어요. 그는 전화선 너머로 에바의 한숨 소리를 듣는다. 오늘 그 말을 두 번 들었어요. 바르바라 아빠도 똑같은 말씀을 하셨어요. 충분히 그럴 이유가 있지. 로사노가 초조해하며 대답한다. 특히 지금은 바르바라 엄마가 괜한 짓을 하지 못하도록 알아서 잘해 줘요. 누리아는 어때요? 로사노가 궁금해하며 덧붙인다. 아주 침착하세요. 생각했던 것보다 훨씬 침착하세요. 정말이에요. 로사노는 안도의 한숨을 내쉰다. 통화할 일이 있으면 전화해요.

로사노 형사는 놀란 사실을 음미할 겨를도 없다. 그의 주머니에는 구겨진 종이가 한 장 들어 있다. 연설을 위해 준비한, 의례적인 문구를 몇 줄 긁적거려 놓은 종이였지만 이제는 쓸 일이 없어졌다. 그는 홀로 들어가 모든 사람들에게 인사한다. 그가 갑자기 나타나 말을 하는 바람에, 좌중이 잠잠해진다. 그렇게 하면, 괜히 그에게 더 마이크를 잡으라고 할 일도 없다. 벌써 잡고 있으니. 신사 숙녀 여러분, 오늘 밤 모두들 이 자리를 빛내 주셔서 크나큰 영광입니다. 하지만 피치 못할 사정이 생겨, 곧 나가 봐야 한다는 말씀을 드리게 되어 정말 죄송합니다. 홀에서 사람들이 웅성거리는 소리 때문에 말소리가 들리지 않자, 그가 잠시 침묵을 지킨다. 몇 초 정도 기다렸다가 계속 말을 잇는다. 즉시 나가 봐야 하는 아주 민감한 일입니다. 후임인 수레다 형사가 즉시 일어난다. 제가 가 보겠습니다. 그가 의욕에 차서 말한다. 하지만 로사노 형사가 권위 있고 단호하게 "아닐세."라고 말해 그의 입을 다물게 한다. 자네가 필요하면 내가 바로 전화하겠네. 로사노 형사가 문 쪽으로 향하며 말을 마친다. 그때 갑자기, 로사노는 주머니에 다시 손을 집어넣고 종이를 찾아낸다. 그러고는 잠시 생각에 잠겼다가, 수레다에게 그 종이를 건네준다. 받아, 자네가 나를 도와주고 싶다면, 내 이름으로 이 송별사를 읽어 주게. 모든 사람이 지켜보는 앞에서 그가 수레다의 손에 직접 종이를 넘겨줘, 수레다는 다른 선택의 여지가 없었다. 거절하는 것도 예의가 아니다. 로사노는 한쪽 팔을 들고, 고개를 빳빳하게 세운 채 인사를 건넨다. 지금까지 여러분과 함께 일해서 무척 행복했습니다. 그러고는 나간다.

문을 닫고 밖으로 나오자마자, 그는 재킷과 넥타이를 벗은 후 셔츠의 두 번째 단추도 마저 푼다. 끝났어. 그가 말한다. 이젠 다 끝났어. 이미 엎질러진 물이야. 나는 목까지 똥물에 잠겼어. 모두가 내가 무시무시한 결정을 내리고, 나 혼자 욕심을 부려 행동하고, 내 후임자에게 계주를 넘겨주지 않은 것을 본 증인이 되었어. 하지만 자존심 때문에 그런 것만은 아니었다. 물론, 그럴 수도 있다. 그에게는 자존심이 중요하다. 그리고 최근 며칠 동안 자신이 질척거렸다는 것을 인정하는 것도 그는 부끄럽지 않다. 아니다, 그것 때문은 아니다. 그는 이 비극의 주인공들을 완벽하게 알고 있고, 그래서 신중하고도 정확하게 서둘러야 한다. 그가 그 일을 할 수 있는 유일한 사람이다. 물론 법은 이제 그에게 그 일을 허락하지 않지만. 그는 법을 무시할 생각이다. 한 소녀의 목숨이 훨씬 중요하다. 작전 팀 전원을 동원하기에는 지나치게 민감한 사건이다. 사활이 걸린 문제고, 사건을 매듭짓기 위해서는 두 시간밖에 남지 않았다. 그 후에는 사건을 넘겨줄 거야. 로사노는 이렇게 말하고는 거리로 나가 택시를 잡은 후 경찰서 주소를 알려 준다.

로사노는 택시 안의 어둠과 익명성에 몸을 맡기고 마음을 가라앉힌다. 다행히 택시 기사가 신중한 사람이라 라디오도 켜지 않고, 바르셀로나 시청에 대한 악담도 퍼붓지 않는다. 그 덕분에 그는 생각에 잠길 수 있다. 그래서 그는 생각한다. 마구잡이로 생각한다. 『죄와 벌』이 느닷없이 떠오른다. 빌어먹을 몰리나. 라스콜니코프와 똑같은 장난을 친 것이다. 4년 동안 바로 코앞에서 자기를 비웃으면서. 장난은 생각보다 훨씬 가까이 있었지만, 바르바라가 살아 있을 거라는 가능성에 대해서는 단 한 순간도 점쳐 보지 못했다. 로사노는 페페가 몇 시에 빌바오에서 출발했는지 자세히 조사하지 않은 것 때문에 자신에게 화가 난다. 혼란스러운 순간이었고, 수사망에 오를 만한 일들이 너무 많았다. 로사노는 분명히 페페의 출발 시간을 확인해 달라고 요청했지만, 바스코 경찰이 대충 얼버무려 답을 주었다. 페페가 그 지역 일대를 돌아다니고, 카페에 있는 사람들에게 물어보는 것을 보았다고 했지만, 아무도 그가 떠난 시간은 정확하게 입증하지 못했다. 페페가 증언한 것처럼 7시가 아니라, 새벽 2시쯤 빌바오를 출발했다면 나머지는 쉽다. 모두 딱 들어맞는다.

에바가 얘기하는 동안 로사노는 사건의 경위를 완벽하게 그려 보았고, 모든 것을 분명하게 이해하기 위해서는 로페스라는 이름을 페페라는 이름으로 바꾸기만 하면 된다는 것을 바로 깨달았다. 성폭행. 로사노는 불가능한 퍼즐 조각들을 다시 짜맞춰 보기 시작한다. 로사노는 페페가 누리아에게 취하는 강압적인 태도와 사람의 기를 죽이는 차가운 눈초리, 무조건 안 된다고만 하는 말투, 고집스러운 그의 권위주의를 떠올린다. 그리고 누리아도 떠올려 본다. 그녀는 피하는 듯한 눈길로 고개를 푹 숙인 채 계속된 자책감에 시달리며 진정제들을 복용했다. 로사노는 아이의 몸에 난 맞은 자국과 팔의 보이지 않는 부위에 있던 상처 자국들을 떠올린다. 그렇다. 모두 분명하다. 아주 분명해. 전에는 그것을 보지 못했다는 생각에 온몸에 소름이 돋는다. 그리고 어쩌면 개에 대해 수사했다면 같은 결론에 이르렀을 수도 있다. 시간이 모자라. 그는 안타깝다.

페페가 그들을 농락했다. 페페는 자신의 역할을 멋지게 해냈다. 누워서 떡 먹기였을 것이다. 로사노가 용의자 한두 명을 직접 은쟁반에 올려 서빙까지 해 주었으니. 게다가 페페는 정의를 실현하는 아버지 역할까지 톡톡히 해냈다. 매우 훌륭한 연기였다. 불빛과 속기사. 비탄에 빠진 아버지. 분노한 아버지. 격앙한 아버지. 페페는 시위를 주도했고, 법을 개정해 달라고 강력하게 요구했고, 텔레비전 프로그램에 출연해 로페스 선생을 공격했다. 연기하고는! 정말 대단한 개자식이다! 페페는 권위적인 아버지의 모습은 연기할 필요가 없었다. 실제로도 충분히 그랬으니까. 로사노 형사는 지금까지 페페가 바르바라를 어디에 가뒀을지 충분히 감이 왔다. 하지만 어떻게 비밀리에 그렇게 할 수 있었을까? 그는 자신에게 묻는다. 페페가 가족의 수입을 계속 걱정하며 여기저기 출장 다녔던 게 떠오른다. 로사노가 하얗게 질린다. 권총! 페페는 보석 판매상이라는 직업 때문에 무기 소유를 허락 받았지만, 헤수스와의 사건 때문에 페페의 스미스 앤드 웨슨 38구경 권총의 소유 허가증을 자기가 직접 취소시켰던 일을 기억해 낸다. 그렇지만 일정 기간이 지나고, 페페의 행동도 모범적이라 무기 소유 허가증을 되돌려 주었다. 로사노는 자료를 머릿속에 메모해 두고, 다른 자료들과 함께 기억해 둔다.

페페는 위험한 남자라, 굉장히 위험한 남자라 신중하게 처신해야 한다. 페페는 똑똑하고 가학적인 타입이다. 그리고 로사노는 아내에 대한 그의 엄격한 통제와 거만함을 떠올린다. 특히, 직접 연막을 피워 놓고 계속 장작들을 집어넣으며 연막을 유지한 페페의 전략을 떠올려 본다. 페페가 집착에 가까울 정도로 우겼기 때문에, 그들은 4년 동안 가짜 용의자 두 명만을 따라다녔다. 페페는 그들에 대한 감시를 멈추지 말라고, 항상 신경 쓰라고 끊임없이 요구했다. 페페는 경찰이 경계를 늦추면, 수사 방향이 다르게 흘러갈 수도 있다고 믿었는지도 모른다. 정말 제대로 믿었다. 멍청하기는! 로사노가 다시 소리 지른다. 개를 핑계 댄 것은 정말 훌륭한 이유였으며, 몬트세니 별장은 충분히 떨어져 있고, 고립되어 있기 때문에 이웃 사람들이 아무 냄새도 맡을 수 없었다. 바르바라가 사라지기 전 가족들이 여름을 보내던 누리아의 별장이었다. 로사노는 이제 경찰서 앞에 와 있다.

로사노는 액수가 큰 지폐로 돈을 내고, 나머지는 팁으로 가지라며 신중한 택시 기사에게 말한다. 그러고는 씩씩거리며 사무실을 향해 올라간다. 별장, 별장. 그가 되뇌며 올라간다. 그는 일개 부대를 이끌고 그곳에 가서, 근래에 땅을 갈아엎은 흔적이 있는지 보기 위해 정원을 주의 깊게 수색하라고 명령한 적이 있었다. 몰리나 부부가 그 사실을 알았을 때는 민망했지만, 그게 그의 의무였다. 혹 바르바라가 그때 이미 그곳에 있었을까? 어디에 있을까? 별장은 확실히 폐허 같았다. 먼지로 뒤덮여 있었다. 페페는 별장을 아주 자세히 보여 주었다. 침대들에는 시트가 씌워져 있지 않았고, 부엌은 거의 텅 비어 있었다. 개. 그는 계단을 네 칸씩 성큼성큼 올라가며 뒤늦게 누리아가 했던 말을 떠올린다. 그녀는 불쌍한 개에게는 너무 미안하지만, 도망치지 못하도록 개를 지하실의 술 저장 창고에 가둬 놨다고 했다. 거주가 가능한 술 저장 창고!

로사노는 사무실에 도착하자 바로 파일을 열고, 서둘러 별장 주소를 찾아 메모하고, 자신의 글록 9밀리미터 권총을 들어 장전한 후 당직인 마리오나 에스테베스에게 얼른 자동차를 한 대 수배해 별장 주소를 지피에스에 등록하라고 명령한다. 그리고 그는 요원 세 명으로 구성된 작전 부대를 준비해, 샌트 셀로니 쪽으로 출동한 다음, 그곳에 도착해 자기 명령을 기다리라고 명한다.

로사노는 시계를 들여다본다. 10시 18분. 시간이 얼마 없다. 하지만 불행하게도 바르바라에게는 그보다 더 시간이 없다.

23

바르바라
몰리나

에바는 한동안 셰익스피어의 비극을 좋아했다. 에바가 비극의 3막에서는 주인공들이 자기들을 파멸로 이끄는 낭떠러지로 떨어진다고 했다. 출구가 없어서 주인공들 스스로 출구를 막아 버렸다는 것이다, 나처럼. 지금 이 순간, 나는 〈내 인생〉이라는 비극의 마지막 장에 와 있다. 나는 확신한다. 전부 내가 생각한 대로 일어났다. 그는 내 앞에서 브루크를 죽인 날처럼 손에 권총을 들고 당당하게 들어와 나를 겨냥했다. 그는 나에게 살벌하게 얘기하는 내내, 계속 나를 향해 총을 겨눴다. 그리고 나는 검은 총구를 똑바로 바라보며, 그 어느 때보다 맑은 정신으로 그와 기싸움을 했다. 그 총구가 카메라의 목표물이라고 생각하며, 총구와 친해져 익숙해지려고 했다. 에바가 네가 전화했다고 하더구나. 인정사정없이 따귀를 때리듯, 그는 들어오자마자 바로 나에게 퍼부어 댔다. 자기가 모든 것을 통제하고 있고, 자기가 모르는 것은 아무것도 없고, 이곳 밖에서도 내가 자신의 인질이고, 내가 자유롭다고 믿는 세상은 나의 외침 소리를 가둬 놓는 거미줄에 불과하다고 확실하게 밝혀 두려는 것이다.

나는 침묵 속으로 몸을 숨겼다. 나는 희망도 없고, 두려움도 잃어버렸다. 그게 큰 장점이다. 아무 말도 안 해? 도발적인 나의 태도를 보고는 그가 소리를 질렀다. 나는 계속 입을 다물고 있었다. 그가 발끈해 자제심을 잃게 하기 위해, 그가 힘든 시간을 보내게 하기 위해서였다. 네가 또 다시 전부 망쳤다는 거 알겠니? 나는 다시 침묵을 지키며, 턱을 앞으로 내밀고 결투를 신청하듯 그를 바라본다. 나는 절대 눈물을 흘리지 않겠다고 맹세하며, 맞을 준비를 하고 있었다. 이제 우리는 함께 도망칠 수 없어! 그가 진실함을 쥐꼬리만큼 내비치며 절규한다. 지금 무슨 말이야? 나는 생각한다. 무슨 도망을 친다는 거지?

그가 나의 호기심을 눈치채고는 계속해서 말을 잇는다. 나는 우리 두 사람을 위한 계획이 있었다. 나는 당황한다. 아무 말도 듣고 싶지 않아요. 말은 그렇게 했지만 나는 계속 듣고 있다. 무슨 계획? 나는 완전히 초연해지지 못하는 나 자신에게 화를 내며 생각한다. 나는 모든 것을 준비해 뒀다. 돈도 모았단다. 가짜 신분증을 만들 수 있다는 걸 알고서, 나는 브라질 쪽에 계속 연락을 취하고 있었다. 브라질이 에프비아이의 손길이 닿지 않는 나라들 가운데 하나라는 거 아니? 브라질에는 해변이 있고, 바다가 있단다. 그곳에서 우리는 행복해질 수도 있었어. 그가 내 마음을 어지럽혔다. 그와 내가 브라질에? 자유롭게 산다고? 바닷가에서? 나에게 농담하는 거겠지? 나는 모든 일을 차곡차곡 준비하기 위해 로사노 형사의 정년 퇴임만을 기다렸다. 그가 계속 말을 잇는다. 후임자는 그 사건을 잊고 그냥 방치해 둘 게 뻔하니까. 그러면 로사노는 내가 차에 치여 죽어도 그다지 개의치 않을 거다. 그는 나에게 아무 신경도 쓰지 않을 테니까. 나는 진심으로 놀란다. 그러니까 그는 진지하게 말하고 있었다. 그는 누군가 우리 얘기를 듣기라도 할까 봐 비밀스럽게 목소리를 낮춘다. 내가 생각해 둔 계획은 바로 이렇다. 재를 잔뜩 준비해 치명적인 교통사고로 위장하고, 내 흔적을 완벽하게 지우는 것. 사건을 매듭짓고, 전도가 창창한 깨끗한 미래를 여는 것. 너와 내가.

나는 두 눈을 크게 떴다. 어쩌면 내가 그의 말을 잘못 알아들었을 수도 있다. 어쩌면 그는 미래에 대한 계획으로 내가 기대에 부풀었다고 믿었을지도 모르겠다. 죽음 이외에는 더 이상 아무것도 기다릴 게 없다는 냉소주의가 나에게 다른 눈을 뜨게 했고, 그 즉시 나는 어리석은 몽상가인 그를 보았다. 하지만 그는 자기가 나를 감동시킨 줄 알고, 계속해서 하소연을 늘어놓았다. 오늘 로사노 형사가 내일이면 정년 퇴임한다고 알려 주려고 나에게 전화를 했다. 내 계산이 잘못되었던 거야. 나는 아직 1년이 남았다고 믿었거든. 어쩌면 그래서 나는 괜히 서두르느라 충분한 주의를 기울이지 못했던 것 같아. 나는 전화를 받은 후 준비를 마치기 위해 서둘러 나갔다. 그렇지만……. 이 대목에서 그는 멈추더니, 갑자기 심각하고 진지해진다. 나는 휴대전화를 잃어버렸다. 잘 보이도록 테이블 위에 둔 휴대전화를 그가 서글프게 바라보며 말한다. 이제 우리에게는 미래가 없다. 그가 결론 내린다. 바로 이거야. 나는 만족스러워하며 나 자신에게 말한다. 내가 그의 계획을 망가뜨려 놓았고, 그는 나보다 더 깊은 절망에 빠져 있다. 그리고 나는 그에게도 아무런 희망이 없다는 걸 알게 되자 유치한 희열을 느낀다.

하지만 그는 나에게 총을 쏘지 않고, 양팔을 떨어뜨리고는 지친 모습으로 내 옆, 침대로 와서 앉는다. 얘야, 왜 나한테 이런 짓을 했니? 나는 그에게 대답하지 않았고, 대답할 생각도 없기 때문에 그는 혼잣말하며 한탄을 내뱉는다. 이제 사람들이 우리를 찾아낼 거야. 너와 나를. 어쩌면 몇 시간 후, 어쩌면 며칠 후, 어쩌면 한 달 후에. 언젠가는 우리를 찾아낼 거다. 나는 그를 뻔뻔하게 쳐다보며 계속 침묵을 지킨다. 나를 그렇게 보지 말란 말이야! 그가 소리 지른다. 내가 무슨 말을 하는지 알겠니? 우리가 죽어야 한다고 말하고 있는 거 알겠냐고? 나는 미소를 머금는다. 그의 말이 우습다. 4년 전부터 그는 나를 죽음으로 협박해 왔다. 그래서 나는 수백만 번도 더 넘게 죽음을 봐 왔는데, 그는 이제야 처음으로 죽음을 가까이에서 보고 겁에 질린 것이다. 나는 웃고 싶었지만 그가 권총으로 나를 후려치는 바람에 웃지 못했다. 그만해, 그만하란 말이야! 그가 소리 질렀다.

나는 내가 차분할수록 그가 더 이성을 잃는다는 걸 깨닫는다. 그는 내가 매달리기를, 애원하기를, 제발 살려 달라고 간청하기를 바랄 것이다. 나는 그에게 그런 기쁨을 주지 않을 작정이다. 너를 먼저 죽일 생각이다. 그가 거짓으로 허세를 부리며 천천히 말하지만 나는 상관없다. 그러고 나서 나는 자살할 거야. 그가 강조한다. 나는 눈썹 하나 꿈쩍하지 않다가 마침내 입을 연다. 그렇다면 뭘 기다리고 있어요? 내가 그를 나무란다. 그가 내 턱뼈를 내리쳐 잇몸에서 피가 나는 바람에 나는 말하기도 힘들다. 하지만 나는 이미 고통에, 피에, 죽음에 익숙하다. 그는 아니다. 그는 손을 부들부들 떨며 일어나 나를 겨눈다. 나는 너를 지나치게 사랑해서 이 모든 일을 저지른 거야. 너는 나쁜 아이다, 바르바라, 아주 나쁜 아이야. 나도 알아요, 어서 나를 죽여요. 나는 점점 더 비겁해지고, 점점 더 무감각해지고, 점점 더 3막의 결말을 향해 치닫는 그를 도발한다. 계속 질질 끄는 것에 질렸어. 나는 생각한다.

이제 죽음은 나를 겁주지 못한다. 나는 너무나도 오래전부터 죽음을 받아들였고, 어서 빨리 끝이 나서 더는 고통받지 않았으면 좋겠다. 내가 더 이상 존재할 수 없다는 기분 나쁜 논리만이 서글플 뿐이다. 흔히 말하듯 절차일 뿐이다. 그렇지만 그는 총을 쏘지 않는다. 그는 총을 쏘지 않고, 내가 몇 시간 전에 그랬던 것처럼, 우리에 갇힌 사자처럼 여기저기로 돌아다닌다. 내가 유리하다. 내가 그보다 먼저 그 길을 지나 끝까지 가 봤으니까. 지금 나는 평온하다. 그럼, 네 엄마는? 그가 갑자기 소리 지른다. 너는 전화기를 집어 들고 에바에게 전화할 때 네 엄마 생각은 안 해 봤니? 너는 심장이 없니? 감정이 없니? 죽은 우리 두 사람이 발견되어, 모든 망신살이 네 엄마에게 뻗치면 네 엄마는 어떻겠니? 그건 생각도 못 했겠지? 당연하지. 너는 네 행동이 미칠 결과에 대해서는 전혀 생각도 안 하지. 너는 그냥 행동하고, 그걸로 끝이야. 너는 이기적이고, 멍청하고, 사악하고, 평생 그럴 거야!

그의 목소리가 뒤에 깔리는 배경 소음처럼, 싸구려 라디오 연속극의 지지직거리는 소리처럼 들려온다. 이제 그는 뜻밖의 출구를 계획하고 있다. 나는 그를 잘 안다. 그는 무서워 죽을 것 같아 함정을 파려고 한다. 그는 자기 자신에게 함정을 파고 있다. 그리고 나는 그렇게 주눅 든 그를 보자, 웃고 싶은 마음만 든다. 만일 우리가 영영 발견되지 않는다면? 나는 그가 셰익스피어 비극의 배우처럼 말하고 표정 짓는 동안 갑자기 이런 생각이 든다. 어쩌면 별장의 술 저장 창고까지 내려와 볼 생각을 아무도 안 할 수도 있다. 그럴 경우, 후세에는 잘못된 기록이 남을 것이다. 나의 기일은, 신문 부고란에 나온 기일은 진짜가 아니다. 나는 이미 예전에 죽은 사람이기 때문에 아무도 나를 위해 울지 않을 것이다. 정말 짜증나는 일이다. 모든 사람들은 장례식장에서 다른 사람들의 통곡을 들을 권리가 있다.

자, 얼른 나를 죽여요! 나는 가식적으로 벌떡 일어나 소리 지르면서 가슴을 내민다. 나는 지겹도록 많이 본 연극과 질질 끄는 것에 질릴 대로 질려 있다. 하지만 그는 확연하게 초조해하며 권총을 내린다. 그렇게 쉽지가 않단다, 바르바라. 나는 너를 사랑하기 때문에 너를 죽일 수가 없다. 거짓말쟁이. 나는 혼자 속으로 말한다. 거짓말쟁이. 그는 거짓말쟁이보다 더 나쁘다. 혹 네가 협조한다면 아직은 우리에게 출구가 남아 있단다. 비겁해, 비겁한 것보다 더 나빠. 나는 자신에게 말한다. 아직 출구가 하나 있다. 나는 주먹을 쥐고 침묵을 지킨다. 그는 나에게 지금 이런 짓을 해서는 안 된다. 그에게는 이제 더 이상 나를 괴롭힐 권리가 없다. 나는 준비되어 있다. 나는 이 빌어먹을 모든 일을 끝내고 싶다. 지금! 나는 얼른 죽고 싶어요. 바르바라, 내 얘기를 들어 보렴. 나는 듣고 싶지 않아서 양쪽 귀를 덮는다. 바르바라, 내 말을 잘 들어 보렴, 얘야.

그리고 나는 더할 수 없이 깊은 절망에 빠져 울음을 터트린다.

24

에바
카라스코

에바는 조금 전 손에 열쇠를 들고 서재에서 나온, 베이지색 모직 바지와 암홍색 셔츠를 입은 여자를 알아보지 못했다. 그녀의 걸음걸이도, 전화번호를 누른 후 고개를 꼿꼿이 들고, 누군가 전화받기를 초조하게 기다리는 모습도 알아보지 못했다. 누리아 솔리스였다. 하지만 전화로 얘기하는 음색이 그녀 같지 않았다. 엘리자베스, 네가 필요해. 차를 타고 얼른 우리 집으로 와. 갈아입을 옷이랑 쌍둥이를 3층, 루르데스네 집에 맡겨 놓을게. 네가 와서 아이들을 빌바오로 데리고 가 줘. 아이들이 며칠 동안 멀리 있었으면 해서 그래. 나중에 설명할게. 그런 다음 누리아는 동생이 놀라움을 가라앉힐 시간도 주지 않고 바로 전화를 끊은 후, 즉시 아이들 방으로 갔다. 몇 분 후 그녀는 어깨에 두르는 스포츠 가방을 들고 쌍둥이와 함께 나와, 아파트에서 모습을 감춘다. 잠시 후 그녀가 돌아와 다시 전화 통화를 한다. 이번에는 훨씬 모호하고, 훨씬 간결했다. 안녕하세요. 저, 산부인과 층에 있는 누리아 솔리스예요. 오늘 제가 출근하지 못한다고 전해 주세요. 아무 변명도 없다. 그녀는 전화를 끊고는 깊이 심호흡을 하고, 조금 전에 사용한 열쇠가 있는지 확인한 후 허리까지 오는 밤색 점퍼를 입고, 가방을 어깨에 두르고 에바에게 말한다. 나랑 같이 가자. 에바는 깜짝 놀란다. 이 여자가 누리아일 리 없다는 생각이 바로 든다. 오늘 아침에 멍한 눈을 뜨고 갈라지는 목소리로 자기에게 문을 열어 준 여자일 리가 없다. 지금은 훨씬 키가 크고, 훨씬 강하고, 심지어 훨씬 젊어 보이기까지 한다. 미안해요, 하지만 우리는 나갈 수 없어요. 에바가 얼른 양해를 구한다. 로사노 형사가 아무것도 하지 말고 여기서 기다리라고 했어요. 새로운 누리아는 에바를 딱 한 번 쳐다본다. 마음대로 하렴. 네가 같이 가지 않겠다면 택시를 부르겠다. 그러고는 그녀는 에바를 기다리지도 않고 나가 버린다. 동생의 대답을 기다리지 않고, 그녀가 다니는 클리니코 병원 전화교환원의 대답도 기다리지 않았듯이.

에바는 누리아의 생리학적 기능이 바뀌었나 의심해 본다. 누리아는 이제 뼈와 살을 가진 인간이 아니다. 살아 있는 시체이거나, 자신의 재에서 다시 모습을 드러낸 좀비,

신(神)의 재질로 만들어져 고통과 감정이입, 난관에 무감각한 존재다. 유령과 같은 존재. 에바는 침을 삼킨다. 그렇다면 유령들은 벽을 뚫고 나가 자기네가 원하는 곳은 어디든지 가기 때문에 막을 수가 없어. 에바는 결론 내린다. 그리고 그럴 경우, 에바는 누리아의 편을 들고 싶다. 그래서 그녀를 강아지처럼 졸졸 쫓아간다. 너는 운전면허증과 차가 있지, 그렇지? 네. 에바가 얼른 대답한다. 내가 말하는 곳으로 나 좀 데려다줬으면 좋겠다. 가면서 알려 줄게.

에바는 한 시간 가까이 운전하면서, 단 한 번도 길을 잘못 들지 않았다. 누리아가 단 한 순간도 망설이지 않고, 모든 길을 정확하게 가리켜 주었다. 오른쪽으로. 커브를 틀어라. 다음 신호등에서 왼쪽으로 가자. 그들은 샌트 셀로니 방향으로 나가며 헤로나 고속도로를 벗어나, 누리아가 자기 손바닥처럼 잘 아는 시골길로 접어들었다. 에바는 아무 질문도 하지 않았지만, 자기네가 별장으로 가고 있다는 것을 안다. 그곳은 바르바라가 8월마다 여름방학을 보내러 가는 곳이었고, 그녀도 몇 번 초대받아 가 본 적이 있었다. 산 가운데 있는 19세기풍 별장으로, 탈곡장과 이제는 아무도 경작하지 않는 과수원, 듬성듬성 서 있는 아몬드나무 몇 그루와 100년 된 올리브나무가 한 그루 있었다. 에바가 침을 삼킨다. 그곳이 바르바라가 지금까지 갇혀 지낸 곳일 거라는 생각이 갑자기 든다. 별장으로 가는 거죠?

그렇죠? 누리아는 에바를 쳐다보지도 않고 로봇처럼 말한다. 고속도로 통행증들을 살펴보았단다. 그런데 페페가 몇 년 전부터 거의 매일 이곳을 드나들었더구나. 누리아가 아무 감정 없이 말한다. 에바는 가속기를 밟고, 일찌감치 로사노 형사와 연락을 취했어야 했다며 후회한다. 경찰에게 연락해야 해요. 에바가 큰 소리로 제안하지만 누리아는 들은 척도 하지 않는다. 내가 왜 운전을 못 하는지 아니? 누리아가 뜬금없이 묻는다. 그가 진정제를 복용할 때 운전하면 위험하다고, 운전면허증을 갱신할 필요가 없다고 해서 그래. 나를 절대 별장에 못 오게 하려는 거였어. 누리아가 갑자기 화를 버럭 내며 말한다. 너무 많은 기억이 떠오를 거라고 그가 첫 여름 때 말하더구나. 차라리 별장을 파는 게 낫겠다고 그가 별다른 확신 없이 말했지. 내가 절대 이 집을 팔지 않을 거라는 걸 알고 한 말이었어.

에바는 잠자코 들으며, 누리아가 울분을 토하도록 내버려 둔다. 그녀에게는 그게 필요하다. 너무나 오랜 세월 침묵 속에서만 있다가, 일단 한번 말문이 터지자 마치 봇물이, 분노의 봇물이 터진 것 같다. 당연히, 진정제도 그가 먹였지. 나를 정신과로 데려가, 자기가 알아서 의사가 쉽게 처방할 수 있도록 내 증상을 자세히 알려 주었어. 페페에 의하면, 나는 깊은 우울증을 앓고 있으며, 편집증 경향이 있단다. 그 덕분에 정신과 의사는 별로 할 일이 없었다. 그가 정신과 의사보다 앞서서 뭘 해야 할지 알려 주었지. 아프니까 숨을 들이마셨다가, 다시 숨을 깊이 내쉬어. 그리고 나는 그의 말을 믿었어. 누리아가 한숨을 내쉰다. 지금까지 내내 나는 그의 말을 곧이곧대로 믿었다. 그리고 그가 알아서 장도 봐 오고, 개와 별장, 내 건강을 돌봐 줘서 나는 그에게 고마워했다. 그리고 바르바라 사건도……. 에바는 누리아가 바르바라 이름을 얘기할 때, 그 이름을 아주 강하게 발음하고, 바르바라가 살아 있다고 확신하기 위해 목소리를 높이는 게 느껴진다.

중독자와 환자의 차이가 뭔지 아니? 누리아의 목소리에 또 다른 체념이 묻어난다. 누리아는 영원과도 같은 짧은 침묵을 지킨다. 중독자는 언제든지 그만둘 수 있지만, 환자는 그러지 못한단다. 너무 간단해서 손가락을 튕기고 이제 그만이라고 말하는 것과 같아. 그게 끝이야. 그렇게 나는 담배를 끊었지. 그런 말을 한 후, 바로 담배를 끊었어. 그러자 초점이 잘못 맞춰져 있던 모든 게 다시 초점이 바로 맞춰졌어. 내가 원해서 하는 거라고 믿었던 모든 것이 중독 때문이었던 거야. 누리아는 에바에게 길을 안내하기 위해 말을 끊는다. 오른쪽으로 돌아라. 여기, 그래, 똑바로 계속 가면 된다. 에바는 뛰어내리기 전의 고양이처럼 양쪽 다리에 힘을 주고 등을 구부리는 누리아의 모습을 조심스럽게 바라본다.

이제 그들은 별장 가까이 있다. 날씨가 제법 쌀쌀한데도 누리아는 차창을 내려, 바람에 머리카락이 뒤엉키도록 내버려 둔다. 그녀는 한참 동안 침묵을 지키다가, 비로소 다시 침묵을 깬다. 비밀은 드러난 순간, 모두 저절로 밝혀진단다. 누리아가 혼잣말을 하듯, 옥수수 알맹이를 까듯이 천천히 말을 잇는다. 해석할 필요가 없단다. 어두웠던 모든 부분이, 그림자 속에서 찌그러지고 숨어 있던 부분들이 모두 갑자기 보이는구나. 정확히 말하자면 현상하기 전까지는 아무 의미도 띠지 못하는 해묵은 사진 필름처럼 말이다. 저쪽으로. 얼룩이 진 줄 알았는데, 거기서 모습이 드러나는구나. 늘 있었는데도 사람의 눈에는 보이지 않았던 거지. 한순간 모든 게 명료해지고, 분명해지고, 알아볼 수 있게 되는 거지. 에바는 계속 신경 써서 운전하며 시선은 와이퍼에 고정하고, 양손으로는 핸들을 잡은 채 고개를 끄덕인다.

에바는 누리아의 말에 동의한다. 에바도 마침내 바르바라가 겪은 여름의 어두웠던 부분을 밝힐 수 있었고, 새로운 사실에 경악했다. 에바는 페페를 존경했다. 그가 존경할 만한, 진지한 사람이라고 알고 있었다. 바르바라가 자기에게 그 이야기를 했다 하더라도, 그녀는 믿지 않았을 것이다. 에바는 바르바라 아빠 편에 서서, 자기 친구를 충동적인 거짓말쟁이라고 생각했을 것이다. 페페는 이미 그녀를 자기 호주머니에 집어넣은 셈이었다. 불쌍한 바르바라. 페페가 에바에게 말했었다. 내 딸은 머리가 어떻게 되었다, 나는 그 아이의 정신 건강이 걱정이구나. 그가 이야기를 지어냈다. 에바는 친구와 속을 터놓고 얘기할 자리를 만들어 보려고 했지만, 바로 그 때문에 바르바라가 자기랑 멀어졌다는 것을 이제는 이해한다. 에바는 얼마나 많은 소녀들이 바르바라처럼 어둠 속에서 살며 침묵을 강요당할지 상상해 보려고 노력한다. 누리아가 한쪽 손을 든다. 멈춰, 여기서 멈춰! 그리고 에바는 차에 제동을 건다. 그들은 아직 담장이 있는 곳에도 오지 않았다. 양쪽으로 떡갈나무가 늘어선 길을 따라 200미터는 더 가야 별장이 나온다. 하지만 그들이 온 것을 모르게 하려면 차를 멀리 주차하는 게 훨씬 신중하다.

누리아가 차 문을 열고 밖으로 나간다. 이제 너는 돌아가거라. 누리아가 에바에게 명한다. 에바가 놀라서 두 눈을 크게 뜬다. 아줌마 혼자 가시면 안 돼요. 누리아는 그녀를 기다리지 않고, 결심한 듯 별장을 향해 걷기 시작한다. 에바는 차 문을 닫고 라이트를 끈 후 헉헉거리며 누리아의 뒤를 따른다. 기다려요! 기다려요! 누리아가 에바에게 입구의 쇠창살을 가리킨다. 젊은 여자의 몸을 휘감은 용을 모티브로 한 현대적인 세공이다. 비극의 전조인 셈이다. 대장장이였던 증조할아버지가 만든 거란다. 누리아가

끽 하는 소리가 들리지 않도록 조심하면서 문을 밀며 자랑스럽게 말한다. 이제 그녀는 더욱 조심스럽게 걷는다. 누리아는 상황을 인식하고 있으며, 탈곡장이 있는 곳으로 들어서자, 초승달 빛 아래 파사트 자동차가 희미하게 모습을 드러낸다. 지금까지는 모든 것이 추측이었지만, 이 순간 모든 것이 확신으로 바뀌었어. 에바가 누리아만큼이나, 아니면 더 충격을 받아 혼잣말을 한다.

그가 별장 안에 있다. 그리고 바르바라도. 에바는 바르바라를 생각하자 양다리가 부들부들 떨린다. 누리아는 주차된 자동차가 있는 곳까지 비틀거리며 걸어가, 거의 죽을 듯한 모습으로 차에 기댄다. 에바가 그녀를 부축하고, 얼음장같이 차가운 손을 잡는다. 두 여자는 방금 확인한 사실에 충격을 받았다. 그리고 그곳에서, 차에 기댄 채 별이 박힌 하늘을 바라보며 누리아가 낮게 중얼거린다. 나는 지나치게 오랜 세월, 나의 직감을 모른 척했어. 예전에는 직감대로 했는데. 행복은 꿈을 좇으며 성취한다고 직감했었다. 나는 의사가 되는 꿈을 꿨고, 여행하는 꿈을 꿨고, 딸이 자유롭고 독립적인 여자임을 자랑스러워하는 꿈을 꾸었다. 누리아가 한숨을 내쉰다. 나는 내 직감이 맞다는 걸 확인할 수 있을 정도로 충분히 오래 살았다. 누리아는 갑자기 일어나더니, 한 손으로 눈을, 어쩌면 젖어 있을 눈을 훔쳐 내고 입술을 깨문다. 물론, 그가 그 직감을 죽였지만. 그녀가 끝에 덧붙인다. 누리아는 가방을 열어 열쇠를 꺼낸 후 에바 쪽을 돌아본다. 에바, 너는 가거라. 그녀에게 명한다. 에바는 망설인다. 하지만 누리아의 말을 따른다. 에바는 누리아가 어떤 말을 해도 멈추지 않을 정도로 확고하다는 걸 잘 안다. 그녀는 도움을 청하는 것 이외에는 아무것도 할 수가 없다.

누리아는 에바가 돌아서서 자기 차로 향하기 전까지는 단 1밀리미터도 꼼짝하지 않는다. 에바는 누리아가 조금씩 발걸음을 떼어, 두려움 없이, 단호하면서도 부드럽게 열쇠를 열쇠 구멍에 집어넣는 모습을 바라본다. 결국 따지고 보면, 그곳은 그녀의 집이다. 그녀의 부모님에게 물려받은 집이고, 그녀가 어린 시절 여름을 보낸 집이고, 자기 손바닥처럼 잘 아는 집이고, 바르바라가 지나치게 많이 생각나 다시는 돌아오지 못한 집이다.

에바는 휴대전화를 꺼내, 살바도르 로사노의 전화번호를 누른다.

25

살바도르
로사노

로사노는 지피에스가 자기를 다시 고속도로로 돌려보내려는 것을 깨닫고는, 성질을 부리며 더 이상 지피에스가 하는 말을 듣지 않는다. 어쩌면 위성이 별장의 위치를 정확하게 잡지 못했을 수도 있다. 빌어먹을 지피에스. 그는 생각한다. 제발 입 닥쳐! 그 뒤에도 방향을 바꿔 고속도로로 돌아가라고 수도 없이 되뇌는 금속성의 목소리에 성질을 부린다. 다시 고속도로로 돌아갈 생각은 없어, 이 멍충아! 그가 대답한다. 그러고는 진작 했어야 할 일을 그제야 한다. 시동을 끄고 차를 멈춘 것이다. 고철 조각과 싸우다니, 그는 어처구니없다. 그리고 그게 자기 잘못이기 때문에 더더욱 성질이 난다. 옛날에도 지금과 똑같은 상황이었던 게 기억난다. 그때 그들은 계속 돌고 돌다가 결국 페페에게 전화를 걸어 그가 가르쳐 준 대로 갔던 게 기억난다. 어쩌면 그래서 그 빌어먹을 놈이 입가에 미소를 띤 채 모든 무대를 확실하게 준비해 두고 그들을 기다렸는지도 모른다. 로사노는 별장이 가까이 있다고 확신한다. 하지만 이번에는 그가 페페를 급습할 생각이다. 그는 자기가 가까이 있다는 예감은 들지만, 한밤중에 지도도 없이 제대로 갈 수 있을지, 혼자 자문해 본다.

그리고 그의 절박한 질문에 답이라도 하듯 휴대전화가 울렸고, 로사노는 에바가 설명한 내용이 믿어지지 않는다. 뭐라고? 누리아가 혼자 별장 안으로 들어갔고, 그도 안에 있다고? 미친 짓이다. 그는 제대로 생각하기 위해 양손으로 핸들을 꽉 붙잡는다. 그럼, 학생은 지금 어디 있지? 로사노는 집에서 200미터 떨어진 길에 있다는 얘기를 듣자 좋은 생각이 떠오른다. 차의 라이트를 켜요. 그가 차에서 내리며 에바에게 지시한다. 눈을 가늘게 뜨고 한참 동안 멀리 바라보자 라이트 불빛이 희미하게 보인다. 그래, 됐어. 그가 휴대전화에 대고 소리를 지른다. 차를 돌려 길을 되돌아와요. 곧 우리가 마주치게 될 테니까. 전화를 끊지 말아요. 내가 학생을 놓치면 알려 줄 테니, 바로 멈춰 서요. 알겠죠? 로사노 형사는 몬트세니 숲 사이로 힘겹게 차를 몰면서 신중하게 시계를 보고, 아직은 자기가 작전을 수행할 수 있다는 사실을 확인한다. 11시 24분. 두고 봐라, 수레다! 그가 중얼거린다.

26

누리아
솔리스

누리아 솔리스가 더듬거리며 걸어간다. 그녀는 불을 켜고 싶지 않았고, 집 안을 거의 외우다시피 했기 때문에 실제로도 켤 필요가 없었다. 어렸을 때 그녀는 어둠 속에서 위아래로 뛰어다녔다. 그때는 자기가 보일까, 보이지 않을까 걱정하지 않고 의자에 부딪히며 있는 대로 소리를 내고 다녔다. 그때는 전기가 없었지만 그녀는 어둠이 무섭지 않았다. 엘리자베스는 무서워했다. 그리고 단둘만 있는데 가스 불을 켜 줄 어른이 근처에 아무도 없이 해가 지평선 너머로 질 때면 언니의 다리를 꽉 붙잡고 징징거렸다. 누리아는 귀찮게 윙윙거리며 주변을 맴도는 경솔한 파리라도 되는 듯, 고개를 흔들며 옛 추억들을 쫓아낸다. 하지만 그녀는 제대로, 확실하게 쫓아내지 못한다. 놀랍게도, 오래

된 냄새들이 그녀에게 되돌아온다. 포도주와 설탕을 뿌린 빵 냄새, 라벤더 수프 냄새, 갓 수확한 복숭아 냄새, 구운 아몬드 냄새, 곰팡이 냄새. 냄새가 그녀의 감각을 무디게 만들며, 그녀를 과거로 되돌린다. 엄마 아빠와 피신처가 있던 과거로. 그때 그녀는 당당한 발걸음으로 걸어 다녔고, 언제든지 붙잡을 수 있는 든든한 손길이 있었다. 그 이후 그녀는 비틀거리고, 자신의 본능을 의심하고, 어둠을 두려워하기 시작했다. 그녀는 자기 자식들에게 도움이 되지 못했다. 바르바라도 그녀가 늘 가까이 내밀고 있었던 그 손길을 원했지만, 끝내 찾지 못했다. 바르바라에게는 용감한 엄마 대신, 손을 감추고 자기를 고아처럼 혼자 내동댕이친 겁쟁이 엄마가 있었다. 다시 죄책감이, 그녀를 짓이기는 빌어먹을 죄책감이 모습을 드러낸다.

누리아는 한탄한다. 그리고 자책만으로는 절대 아무것도 할 수 없다는 것을 안다. 죄책감이 그녀를 마비시키고 정당화한다는 것을, 죄책감이 자기 행동의 해독제라는 것을 안다. 누리아는 긍정적으로 생각하려고 노력하고, 남편이 매일매일 차곡차곡 채워 준 죄책감을 쫓아내려고 노력한다. 남편의 말 속에는 천천히 목숨을 앗아가는 독이 들어 있었다. 나는 병들지 않았어. 내 잘못이 아니야. 그녀가 자신에게 말한다. 누리아는 다른 것을 생각하고 싶어서, 붙잡을 수 있는 뭔가를 절망적으로 찾는다. 그러고는

4년이 지난 지금 바르바라가 어떻게 바뀌어 있을지, 얼마나 컸을지, 외모는 변했을지, 웃을 때 뺨에 쏙 들어가는 보조개가 그대로 있을지, 꿀빛 눈을 더욱 강조해 주는 달콤하고 짙은 속눈썹이 지금도 있을지 상상해 본다. 바르바라는 크고 총기가 반짝이는 눈으로 호기심 가득히 세상을 바라보았는데. 그런데 그 눈이 사방이 막힌 벽만 바라보았을 생각을 하니, 가슴이 미어진다. 어쩌면 여인이 되어 있을 수도 있고, 아직 준비가 되어 있지 않을 수도 있어. 누리아는 약간 불안에 떨며 생각한다. 하지만 그 아이는 바르바라이며, 여전히 바르바라이다, 그녀의 딸이다. 누리아는 바르바라가 지난 4년 동안 얼마나 고통을 받았을지 생각하는 것만으로도 억장이 무너진다. 그녀는 그 고통을 느낄 수 없고, 아무리 노력한다고 해도 자기가 바르바라의 고통을 손톱만큼도 나눠 가질 수 없다는 것을 안다.

누리아는 부엌 창고 뒤편 파이프가 있는 곳으로 향한다. 파이프가 지하실로 이어져 술 저장 창고까지 연결된다는 것을 알고 있다. 그녀는 멈춰 서서, 뺨을 납 파이프에 대고 가만히 듣는다. 파이프가 차가워 가슴이 얼어붙는다. 그래. 술 저장 창고에서 올라오는 목소리들이 들린다. 누리아는 신발을 벗어 대리석 바닥에 내려놓는다. 걸을 때 조그만 소리라도 나서 그들의 경계를 사게 될까 봐 걱정이 되었다. 어렸을 때 그녀는 모든 소리를 들었다. 할아버지의 발소리, 할머니가 절룩거리는 소리, 차바퀴 소리, 엄마의 경쾌한 구두 뒷굽 소리를 다 구분했다. 누리아는 여자 아이인지 여자 어른인지, 계속 들어 보려고 안간힘을 쓰다가, 피리 소리처럼 가느다란 소리를 구별하는 순간 다리가 휘청거리며 꺾인다. 바르바라일까? 틀림없다. 다른 사람일 리 없어. 그녀가 혼잣말을 한다. 바르바라가 살아 있는 게 분명하기 때문에 피가 더 빨리 흐른다. 꿈을 꾸는 게 아니다. 딸이 아직 살아 있다. 단지 몇 미터 떨어져 있을 뿐이다. 누리아는 딸의 목소리를 듣는 순간, 양팔로 딸을 꼭 감싸고 아주 강하게 끌어안고 싶은 마음이 간절하다.

누리아의 두 눈이 창문으로 들어오는 흐릿한 달빛에 조금씩 익숙해진다. 이제는 찬장 실루엣과 대리석 바닥 위에 놓인 물건들, 떡갈나무 의자 여섯 개, 체크무늬 테이블보가 깔린 테이블이 보인다. 그녀는 물건들 위로 손을 가져가 익숙한 물건들을 쓰다듬어 본다. 포도주 유리병, 나무 숟가락. 딸과 고독을 공유한 물건들이지만, 그녀에게 딸이 없던 그 4년을 절대 되돌려 주지는 못할 것이다. 도둑맞은 세월이다. 너무 길어서 끝이 보이지 않던 세월이다. 딸을 보듬어 주지도 못하고, 딸을 보지도 못하고, 딸의 목소리를 듣지도 못하고, 딸의 살냄새를 맡지도 못하고 지낸, 삶 속의 또 다른 삶이었다. 누리아는 그 시간 내내 한지붕 아래 살면서 당한 거짓말과 속임수, 위선, 연극을 생각한다.

분노가 그녀를 덮쳐 온다. 그녀도 그렇고, 아무도, 왜 페페가 쓰고 있던 가면을 눈치채지 못했을까? 얼마나 많은 남자들이 그처럼 존경스러운 가면 뒤에 숨어서 혐오스러운 삶을 살아가고 있는 걸까? 누리아는 식기 도구를 넣어 두는 서랍을 열고 더듬거리다가 칼을 움켜쥔다. 닭고기를 토막 낼 때 쓰는 커다란 식칼이다. 그녀에게는 요긴하다.

바르바라가 살아 있어. 누리아는 계속 되뇐다. 아직 살아 있어. 그리고 누리아는 그 마음으로 부엌의 작은 문을 열고 계단을 내려가기 시작한다.

27

바르바라
몰리나

내 인생은 양말 뒤집히듯이 몇 분 만에 뒤집혔다. 나는 지금 여행 가방을 싸고 있다. 이곳에서 나가 다시 평범한 사람이 될 것이다. 낯선 도시의 거리를 걷고, 피부에 와닿는 공기와 태양을 느끼고, 왁자지껄한 목소리도 듣고, 다른 사람들의 얼굴도 볼 것이다. 하지만 나를 아는 사람은 아무도 없기 때문에 아무도 나에게 손가락질을 하지 않을 것이다. 옷가게 쇼윈도 앞에 서서, 그 계절에 나온 옷들을 구경하고, 제일 요란하고, 제일 눈에 띄고, 제일 현란한 색깔의 옷을 고를 것이다. 원피스와 바지, 셔츠를 입어 보고, 구두를, 엄청나게 많은 구두를 신어 볼 것이다. 걷고, 달리고, 뛰기 위해. 나의 새로운 도시를 돌아다니다가 지치면 카페 테라스에 앉을 것이다. 바나나나무 그늘 아래, 빛이 드는 둥근 테이블에 앉아 바닐라와 초콜릿 아이스크림을 주문할 것이다. 아이스크림을 조금씩, 맛나게 핥아 먹을 것이다. 두 눈을 감고, 입 안에서 어떻게 부드럽게 녹아내리는지 음미하면서. 그러다가 늘 그러듯, 잠깐 방심하는 사이, 코끝에 아이스크림을 묻힐 것이다. 그러면 나는 웃을 것이다. 나는 다시 웃고, 극장에 가고, 서점에서 책들을 만지작거리고, 버스를 타고, 신문의 큰 제목들을 읽을 것이다. 그리고 차들과 소음으로 가득 찬 거리와 맞닿아 있는 창문을 열어 두고, 음악을 있는 대로 크게 틀어 놓은 채, 부엌에서 달걀 프라이를 만들 것이다. 지난 4년 동안 방영된 텔레비전 연속극을 모두 섭렵할 것이다. 해돋이를 보기 위해 산 정상에 올라, 불꽃놀이 때처럼 수평선이 붉게 물들 때까지 기다릴 것이다. 밤에는 하늘에 걸린 별들을 세고, 달빛에 목욕할 것이다.

그리고 바다를 볼 것이다.

그는 바닷가 해안 도시로 함께 떠나자고 약속했다. 어느 바다든 상관없다. 지중해, 대서양, 태평양. 나는 바다를 바라보며 살 것이고, 일어나자마자 짙푸른 바다색을 맨 먼저 보게 될 것이다. 새 비키니를, 제일 예쁜 비키니를 사서, 아직 쌀쌀할 새벽에는 셔츠를 껴입고 태양이 뜨겁게 달궈질 때까지 하얀 모래사장에서 뒹굴기 위해 바닷가로 나갈 것이다. 그때는 단숨에 벌떡 일어나 물을 향해 뛰어가, 파도가 하얀 물거품을 일으키며 가까이 밀려오는 순간 물속으로 뛰어들어, 두 눈을 크게 뜨고 물고기와 해조류, 바다에 둘러싸여 바닷속으로 사라질 것이다. 일요일이면 우리는 요트를 빌려 깊은 바다로 항해를 나갈 것이다. 내가 키를 잡을 것이다. 나를 아는 사람은 아무도 없을 것이다. 그는 더 이상 나를 아프게 하지 않겠다고, 더 이상 나에게 손을 대지 않겠다고 약속했다. 그는 내 방과 내 열쇠, 내 자유를 누릴 수 있게 해 주겠다고 약속했다. 그는 울면서 나에게 용서를 구했다. 그는 진심으로 후회하고 있고, 나를 사랑한다. 그는 내가 다치는 것을 원하지 않는다. 내가 살기를, 행복하기를 바란다. 그래서 나는 그에게 기회를 주었다. 마지막 기회.

사람들에게 발각되면 나는 그를 밀고하고, 그는 감옥에 갈 것이다. 그러고 나면 플래시 세례와 치욕의 지옥이 나를 기다릴 것이다. 이 사람 저 사람의 영원한 질책과 가족의 빈자리. 내가 도망치기로 결심했던 날 이후로 이 세상에는 나를 위한 공간이 없다. 그래서 우리는 우리의 방법을 찾을 것이다. 나는 살고 싶다. 지금은 정말, 새 신분을 갖고 새 인생을 살고 싶다. 나는 다른 기회를 얻고 싶고, 그가 나에게 그 기회를 줄 것이다. 그는 나에게 그럴 의무가 있고, 그는 변했고, 그는 다른 사람이 되었다. 내가 용감하게 그와 맞서, 폭력으로는 아무것도 해결되지 않는다고 가르쳐 준 것이다. 그리고 그는 그것을 이해했다. 그의 마음 속에서 뭔가가 박살 났다. 그는 내 발밑에 무릎을 꿇고, 고개를 내 무릎에 기댄 채 내 신발을 눈물범벅으로 만들며 어린아이처럼 울었다. 자기를 용서해 달라고, 그 어느 때보다 내가 필요한 지금, 자기를 버리지 말아 달라고 나에게 애원했다. 나는 이 세상에서 그에게 진정으로 필요한 유일한 사람이고, 그는 이 구렁텅이에서 나오도록 나를 도와줄 유일한 사람이다. 바르바라, 너는 강해, 아주 강해. 그리고 나는 네가 필요하다.

이번에는 내가 틀리지 않았다. 나는 한 줄기 빛을 찾아, 그곳으로 올라갈 수 있다는 것을 처음으로 알았다. 나를 이곳에서부터 멀리 데려가 어둠 속에서 꺼내 줄 수 있는, 잃어버렸다고 믿었던 희망이 되살아나는 기분이다. 그래서 나는 얼마 있지도 않은 옷가지를 서둘러 챙겨, 구깃구깃 아무렇게나 가방에 집어넣고, 샴푸와 칫솔, 빗, 헤어드라이어, 무스, 매니큐어, 영양크림을 모두 가방에 챙겨 넣으며, 이제는 자유라고, 아주 멀리 떠난다고 생각한다. 그리고 나는 너무 행복해, 그 사실을 믿을 수가 없다.

그런데 그때 갑자기 문이 열리며, 한 여자가 들어온다. 머리가 새하얗고 아주 말랐으며, 눈가에 깊은 주름이 패었고, 식칼을 두 손으로 꽉 움켜쥐고 있다. 그녀는 내가 유령이라도 되는 듯, 나를 바르바라라고 부르며 멍하니 바라보고 있다. 나는 아무 반응도 보이지 못한 채 가만히 있다. 엄마다. 하지만 나는 엄마를 알아보지 못한다. 엄마는 너무 많이 변했다. 양쪽 볼이 푹 꺼지고 피부가 싯누렇게 변했지만, 그럼에도 불구하고 엄마는 훨씬 크고, 훨씬 강하게 보인다. 그리고 그 순간 엄마가 미소를 띠며, 다시 바르바라라고 부른다. 엄마가 양팔을 활짝 벌리고, 나를 껴안으러 달려오고 싶어 한다. 하지만 그럴 수가 없다. 그가 우리 두 사람 사이에 있어, 엄마도, 나도 서로 닿을 수가 없다.

나는 수많은 밤, 그토록 꿈꾸던 엄마의 양팔을 눈으로 보며, 엄마에게 달려가고 싶다. 머리를 엄마 가슴에 파묻고 쿵쾅거리는 엄마의 심장 소리를 듣고 싶다. 내 이마 위로 흘러내린 머리카락을 거둬 주는 엄마의 뜨겁고, 차분하고, 사랑스러운 손길을 느끼고 싶다. 하지만 다리가 말을 듣지 않아 나는 움직일 수가 없다. 나는 겁에 질려, 엄마를 바라본다. 나는 엄마의 두 눈에서 경멸과 수치심, 거부감을 찾는다. 하지만 그런 것은 전혀 보이지 않는다. 나는 욕망과 두려움 사이에서 영원과도 같은 몇 초 동안 갈등한다. 그의 목소리가 침묵을 깰 때까지. 당신, 여기서 뭐 하는 거야? 그 칼 버려! 그렇지만 엄마는 그의 말을 듣지 않는다. 그가 말할 때 쳐다보지도 않는다. 엄마는 나만을 바라보고 있고, 그의 목소리보다 훨씬 강한 엄마의 목소리가 그의 목소리를 뒤덮는다. 바르바라야, 이리 와. 엄마가 말한다. 하지만 비아냥거리는 그의 목소리가 아이러니하게도 더 크게 들려온다. 이제 당신이 전부 망쳐 놨어. 우리가 방금 전부 해결했는데, 그렇지? 바르바라? 나는 둘 중 누구의 말을 들어야 할지 모르겠다. 그가 계속 주장한다. 이제, 네 엄마의 잘못으로 나에게는 다른 선택의 여지가 없다.

그때 나는 세상이 무너지는 느낌이 들었다. 이제 우리는 바닷가에도 가지 못할 것이다. 이제 바다도 보지 못하고, 해돋이 광경을 보기 위해 산 정상에도 오르지 못할 것이다. 자 가자, 바르바라. 엄마가 믿을 수 없을 정도로 확고하게 계속 고집을 피운다. 엄마는 우리가 어디로 가길 바랄까? 나는 혼자 속으로 묻는다. 나는 아무 데도 갈 데가 없다. 나는 침묵 속에서 흐느끼다 말한다. 엄마랑 가기 싫어. 봤지? 그가 신랄하게 반응한다. 그러고는 그가 나에게 다시 말하라고 요구한다. 네가 원해서 여기 있는 거라고 엄마에게 말해라. 나는 위가 뒤집힐 것 같다. 어떻게 해야 할지 모르겠다. 모든 것이 흔들린다. 나는 누구를 붙잡아야 할지 모르겠다. 엄마는 멀리 있고, 나약하며, 나를 이 개구멍에서 나갈 수 있게 도와주지 못한다. 가란 말이야! 나는 늘 그랬듯이 엄마에게 성질을 부리며 말한다. 나는 가지 않을 거야, 바르바라. 엄마가 단호하게 대답한다. 나는 화를 버럭 낸다. 엄마는 지금까지 어디 있다가 왔어? 왜 4년 전에 나를 꺼내 주지 않았어? 왜 내가 두들겨 맞고 강간당하게 내버려 뒀어? 왜 내가 굶어 죽게 내버려뒀어? 왜 내가 이렇게 짓밟히게 내버려 뒀냐고? 엄마가 다른 곳을 바라보며 무슨 일이 벌어지고 있는지 보지 않으려고 한다는 것을 알고, 엄마를 내 곁에서 쫓아내려고 했던 그때, 내 안에 들어 있었던 분노가 밖으로 터져 나온다. 나를 내버려 둬! 내가 소리 지른다. 엄마는 이해하지 못해! 얼른 가란 말이야!

하지만 엄마는 주눅 들지 않는다. 엄마는 고개를 떨어뜨리지도 않고, 내가 자기를 밀어낸다는 것을 알면서도 돌아서지 않는다. 오히려 엄마는 한 발짝 더 앞으로 나와, 내게 손을 내민다. 그래, 너를 이해한다. 너를 너무나도 많이 이해한다. 당연히 너를 이해하고말고! 나랑 같이 가자! 엄마가 진지하게 말한다. 엄마가 너무나도 진지하게 말해, 나도 모르게 엄마 쪽으로 한 발짝 다가서지만, 곧 그와 그의 경멸스러운 독설과 부딪친다. 누리아, 당신은 눈 뜨고 볼 수 없을 정도로 처참해. 불쌍할 정도야. 거울이라도 봤어? 당신은 실패하고 늙은 여자야. 나쁜 엄마고, 자식들은 당신을 존중하지 않아. 딸이 당신 보고 가라고 하는 말 안 들려? 자, 괜히 소란 피우지 마. 나한테 칼 주고, 위에 올라가서 기다려. 그는 자기 자신에 대한 확신으로, 자기 권위에 대한 확신으로, 그전까지 불쌍한 엄마에게 미쳤던 영향력에 대한 확신으로 명령한다.

엄마는 늘 시키는 대로 했다. 나는 수천 번도 더 넘게 들었던 그 말을 다시 듣게 되자, 괴로운 마음에 숨이 콱 막힌다. 모든 것을 망가뜨리고, 할퀴고, 깊은 상처를 남기며 엄마와 나를 조금씩 죽인 독설이다. 늘 엄마가 굴복했다. 엄마는 자신의 패배를 인정하고, 싸움을 시작하기도 전에 항복부터 했다. 나는 엄마가 침묵하고, 고개를 떨어뜨리고, 가만히 울고, 모욕에 굴복하는 모습을 수도 없이 봐 왔다. 아니다. 엄마는 그를 당해 낼 재간이 없다. 엄마는 약하다. 비켜, 페페, 얼른 옆으로 꺼지란 말이야! 그런데 엄마가 칼을 위협적으로 높이 치켜들며, 그의 말은 듣지도 않고, 그의 위협에 겁먹지도 않은 채 목소리를 높이고 한 발짝 앞으로 나오며 소리 지른다. 나처럼 그도 깜짝 놀라 떨고 있는 게 느껴진다. 미쳤어? 감히, 네가 나를 협박해? 나를 건드리지 마! 너, 대체 어떡할 생각이야? 혹시 칼로 나를 찌를 거야? 엄마는 그의 말은 듣지 않고, 나에게 왼손을 내민다. 그를 무시한 채. 그에게는 신경도 쓰지 않으며. 수도 없이 목격했지만, 이번 싸움은 엄마가 완벽하게 승리했다. 가자, 바르바라. 엄마가 차분하게 말한다. 그리고 나는 본능적으로 엄마의 손을 잡고, 이제 됐다고, 이제 모두 끝났다고, 내가 한쪽을 택했다고 생각한다.

그렇지만 그가 거칠게 반응하며, 나를 양손으로 꽉 붙잡아 벽 쪽으로 세게 밀쳐 낸 바람에, 나는 벽에 거세게 부딪힌다. 내 몸이 부딪힐 때, 뼈 부러지는 소리가 나며 허물어져 내리는 게 느껴진다. 엄마의 비명이 어둠 속으로 울려 퍼지는 동안 나는 두 눈을 감는다. 폭력, 또 폭력이다. 그는 나를 쥐새끼처럼 터트려 짓이기고 싶어 한다. 그의 구두가 내 갈비뼈와 배, 허벅지를 걷어차는 게 느껴진다. 나는 최선을 다해 양손으로 나를 보호하려고 안간힘을 쓴다. 다른 발길질보다 훨씬 강한 발길질이 내 가슴을 걷어차며, 칼처럼 내 살 속으로 파고들어 오기 전에. 또한 나를 내버려 두라며, 그를 덮치는 엄마의 고함도 들려온다. 그리고 고통으로 일그러진 아빠의 비명이, 상처 입은 짐승의 비명이 들려온다. 그래서 나는 그들이 싸우고 있다고 상상하며, 엄마가 나를 지켜 주기 때문에 미소를 머금는다. 나는 혼자가 아니야, 나를 위해 싸워 주는 사람이 있어, 내가 아파하는 걸 보고 싶어 하지 않는 사람이 있어. 나는 혼잣말을 한다. 그런데 갑자기 다시 침묵이 감돈다. 나는 침묵이 싫다. 이제 그는 나를 더 이상 때리지 않고, 더 이상 아무 소리도 들리지 않는다. 하지만 나는 온몸에 기운이 하나도 없고 가슴이 너무 아프다. 머릿속이 뒤죽박죽 흐려지고, 숨쉬기도 힘들다. 드디어 죽는구나 하는 생각이 든다. 그럼 엄마는? 엄마는 어디 있지? 나는 나 자신에게 묻는다. 그 순간 나를 꽉 붙잡는 손길이 느껴지며 가슴이 뜨거워진다.

안간힘을 쓰며 두 눈을 뜬 순간, 내 옆에서 몸을 웅크리고 있는 엄마를 본다. 엄마가 내 얼굴에 눈물을 쏟으며, 키스를 퍼붓는 게 느껴진다. 바르바라, 바르바라야, 무서워하지 마라, 아가야. 이제 다 끝났다. 그리고 이번에는 엄마 말을 믿는다. 엄마가 변했고, 주도권을 쥐고 있기 때문에 나는 엄마 말을 곧이곧대로 믿는다.

그렇지만 의식을 잃기 조금 전, 검은 그림자가 땅바닥에서 일어나 엄마 뒤로 드리우는 게 보인다. 그때 그가 침대 위에 두었던 권총이 떠오른다. 나는 엄마에게 알려 주고 싶다. 나는 엄마에게 주의를 주려고 한다. 입술을 움직이려고 안간힘을 쓴다. 소용없는 짓이다. 이제는 말도 할 수가 없다.

28

살바도르
로사노

살바도르 로사노 형사는 술 저장 창고로 내려가는 문지방을 넘어서는 순간, 첫 총성을 들었다. 너무 늦게 도착했군. 숙명론자인 그는 지피에스를 원망하며, 무기를 꺼내 들고 자책한다. 그는 굴러떨어질 수 있는 위험을 감수하고, 계단을 네 칸씩 서둘러 내려간다. 하지만 비좁은 계단과 100킬로그램이나 나가는 육중한 몸무게에도 불구하고, 그는 간신히 몸의 균형을 유지해, 두 번째 총성이 울리는 순간 정확히 도착할 수 있었다. 섬뜩한 침묵이 감돌았고, 그는 총을 맞은 희생자가 죽었을까 봐 두렵다. 바르바라? 누리아? 개구멍 같은 술 저장 창고의 문을 발길질로 걷어차 들어간 순간, 로사노는 자기 앞에 펼쳐진 단테풍의 무시무시한 풍경을 보고 온몸에 전율을 느낀다.

그는 한눈에 상황을 파악한다. 페페가 왼손으로 가슴에 박힌 식칼을 빼내려고 안간힘을 쓰면서 오른손으로 권총을 잡은 채, 벽 쪽에 놓인 책상 옆에 비틀거리며 서 있다. 바닥에는, 딸의 죽음을 자신의 몸으로 막으려고 안간힘을 쓰며, 총에 맞은 누리아가 피범벅이 되어 쓰러져 있다. 손 들어! 로사노는 자신의 경고에도 페페가 멈추지 않을 거라는 걸 알면서도, 양다리를 벌린 채 양손으로 권총을 꽉 움켜쥐고 소리 지른다. 그러고는 페페가 다시 방아쇠를 잡아당기기 직전, 그를 향해 동시에 총을 쏜다.

적중했군. 로사노는 생각한다. 페페는 총에 맞는 순간, 죽었는지, 크게 다쳤는지, 로사노 쪽을 돌아보며 고통으로 일그러진 외마디 비명을 지른다. 하지만 로사노는 쓰러지기 전 마지막 총알을 발사한 페페의 손이 향한 방향을 눈여겨보지 않았다. 페페는 로사노를 향해 총구를 돌리고, 진짜 마지막 총알을 발사했다.

로사노는 위 부분에 뜨끔한 고통을 느끼며 한 손으로 배를 부여잡고, 노란 셔츠가 피로 얼룩지고 있음을 깨닫는다. 피가 마구 뿜어져 나와 바닥이 피로 물든다. 그는 간신히 출혈을 막으며 페페를 향해 비틀거리며 걸어가, 페페의 권총을 정확히 발로 걷어차 멀찌감치 떨어뜨린다. 그러고 나서 그는 고통으로 일그러진 얼굴로 몸을 숙여 조심스럽게 권총을 집어 든다. 페페가 죽은 것 같기는 하지만 그는 절대 방심하지 않는다. 쓰러진 로사노는 자기가 늦게 도착했다고, 너무 늦게 도착했다고 생각하며 기어간다. 그러고는 팔에서 피가 흐르는 여자 옆에 간신히 다다른다. 그가 맥을 찾으며 목에 손가락을 대는 순간, 누리아가 그를 향해 고개를 돌리며 눈을 뜨고, 그를 바라보며 미소를 머금는다. 바르바라가 살았어요. 누리아는 고통에는 무심한 듯, 자신의 상처는 신경도 쓰지 않고 말한다. 로사노는 안도의 한숨을 내쉬고, 누리아의 용기를 축하하며 그녀의 뺨을 한 손으로 어루만진다. 용감했어요. 아주 많이 용감했어요. 그리고 어쩌면 당신이 비극을 막았어요. 칼이 혼자 저절로 페페의 몸에 가서 박혔을 리 없지요. 로사노는 마음의 짐을 벗어던진다. 두 사람 모두 살았어. 그는 계속 되뇐다. 몸에 힘이 빠지기 시작했지만 현장 상황을 점검해 본다. 누리아는 왼쪽 팔에 총알 두 발이 박혔고, 바르바라는 전신에 타박상을 입었고, 어쩌면 쓰러지면서 갈비뼈가 부러졌을 수도 있다. 로사노가 셔츠를 찢어, 누리아의 팔이 지혈되도록 도와준다. 그리고 누리아는 그가 절대 들어보지 못한 말을 하루에 두 번씩이나 한다. 고마워요.

그걸로 충분하다. 로사노는 그 전에 도착하지 못한 게 속상하지만, 충분히 보상받았다고 생각한다. 적어도 자기 일은 마칠 수 있었다. 그는 더 이상 서 있지 못하고, 피로 붉게 물든 배를 한 손으로 꽉 누르며 누리아와 바르바라 옆으로 쓰러진다. 그는 한순간 정신이 맑아지면서, 이젠 끝이라는 걸 깨닫는다. 그렇다. 치명적인 위천공이다. 아무 방법도 없고, 속수무책으로 피만 흘려야 할 것이다. 그는 순찰대에 알리라고 에바를 밖에 세워 두고 왔으며, 지금쯤이면 도착할 때가 되었다. 결과가 그렇게 썩 나쁘지만은 않아. 그는 혼자 말하며 흡족해한다. 바르바라는 살아 있고, 누리아도 살아 있다. 그리고 그는 사건을 종결지었다.

그때야 그는 심장에서 힘이 빠져나가는 걸 느끼며 미소를 머금는다. 그리고 그의 두 눈은 추억으로 가득 찬다. 어떻든 결말은 좋아, 한 번도 영웅이 되어 본 적은 없지만 영웅적인 결말을 맺었어. 그가 한숨을 내쉰다. 역겨운 호박수프를 먹지 않아도 되었고, 들을 마음도 없는 술에 취한 멍청이 서른 명을 앞에 두고 예의상 연설을 하지 않아도 되었기 때문에, 잘 생각해 보면 잃은 것도 없었다. 그들은 수레다가 진상 떤 것만 기억하겠지. 로사노가 재미있어하며 생각한다. 지금은 숨쉬기도 많이 힘들지만 이제 아무런 고통도 느껴지지 않는다.

삶이 스쳐 지나간다. 삶이 순식간에 스쳐 지나간다. 그는 자기가 원하는 대로, 열심히 살았다. 게다가 위안 삼아 말했듯이, 정년 퇴임을 하고 싶지 않았다. 이제 그는 시간을 죽이고, 흘러가는 시간을 지켜보기 위해 멍청한 취미를 찾느라 골머리를 썩지 않아도 된다. 아내는 소파에 쭈그리고 앉아 노인처럼 시들어 가는 그의 모습을 보지 않아도 될 것이다. 그리고 자식들과 손자들은 공공 임무를 수행하다가 현장에서 사망한 할아버지를 자랑스러워할 것이다. 그리고 그는 훈장을 받을 것이다. 그의 관 위에는 메달이 놓일 것이다. 그렇다. 그리고 유족연금과 그의 완벽한 노후 준비는 가족들에게 추억으로 남을 것이다. 가족들이 뭘 더 바랄 수 있겠는가?

누리아는 로사노가 죽어 가고 있다는 걸 알고, 출혈을 막기 위해 그의 옆에 무릎을 꿇고 앉는다. 곧 구급차가 도착할 거예요. 그러면 괜찮아지실 거예요. 누리아는 그에게 자비심 가득한 거짓말을 한다. 그는 그녀의 말을 반박하지 않는다. 상관없다. 구급차가 도착한다고 해도, 그는 이미 이 세상 사람이 아닐 것이다. 이 세상을 떠난다는 사실을 받아들이는 게 그렇게 어렵지는 않아. 그는 생각한다. 특히 의무를 다하고 미제 사건의 가시를 뽑아낸 후라 더욱 그렇다. 그는 누리아에게 바르바라를 보여 달라고 청한다. 누리아가 고개를 끄덕이며, 멍투성이지만 침착한 바르바라의 얼굴을 들어 보여 준다. 젊고, 예쁘고, 살아 있어. 그가 혼잣말을 한다. 바르바라는 정말 미래가 창창하며, 강하다면 딛고 일어나 모든 것을 잊을 수도 있을 것이다. 그는 한숨을 내쉬며, 자신의 양손이 부들부들 떨리고, 한쪽 다리에도 경련이 이는 것을 바라본다.

지금 몇 시죠? 그가 갑자기 누리아에게 묻는다. 이제 그의 팔은 말을 듣지 않고, 시곗바늘도 보이지 않아서이다. 12시 15분 전이에요. 누리아가 그에게 대답한다. 빙고! 그는 감격으로 가슴이 벅차올라, 소리 없이 외친다. 그는 아직 여력이 있어, 누리아에게 마지막 지시 사항을 나지막하게 얘기한다. 특히, 상황이 모두 수습되고 나면, 내가 12시 전에 여기, 술 저장 창고로 들어왔다고 말해 주세요. 기억하시겠어요? 아주 중요해요. 누리아가 그를 진정시키며 그의 손을 꽉 잡는다. 로사노는 여자의 손을 잡고 죽는 게 기분 좋다고 생각한다. 그는 그렇게 외롭지만은 않았다. 수레다의 손보다는 누리아의 손이 훨씬 낫지. 그는 인정한다. 그리고 로사노는 안색이 달라진 채 문을 열고 들어와, 전임자의 시신을 수습하며 첫 사건을 시작할 수레다를 상상해 본다. 빌어먹을 놈이 운은 엄청 좋군. 복도 많지. 서른한 살짜리 똑똑한 수학 선생도 있고. 수레다는 텔레비전 뉴스마다 인터뷰를 하며 형사 생활을 새롭게 시작하겠군. 게다가 4년 동안 나라를 떠들썩하게 했던 사건도 종결지으면서 말이야. 로사노는 자기가 은쟁반에 곱게 받쳐서 그에게 남겨 준다고 생각하니 안타깝다. 그리고 그 순간 로사노는 쿨럭거리며 기침을 한다, 아니 어쩌면 웃느라 작은 경련을 일으킨다. 하지만 메달은 자신의 시신을 위한 것일 테다. 빌어먹을. 물론 구더기들의 차지가 될 테지만.

빌어먹을, 수레다! 로사노는 마지막으로 아내를 생각하기 전에 장난기 어린 한숨을 내쉰다. 아내는 그토록 오랜 세월 그를 참아 줬으며, 늘 그랬듯이, 결국에는 그녀의 말대로 되었다. 그녀는 노란 셔츠가 그날 밤에 어울리지 않는다고 이미 그에게 주의를 주었다. 그는 사방을 둘러보며, 몰리에르처럼 노란 옷을 입고, 무대에서 죽을 것이다.

잘 알다시피, 늘 여자들의 말이 옳다.

소통과 대화를 원하는 『독이 서린 말』

『독이 서린 말』(Palabras Envenenadas)은 가슴 한편을 먹먹하게 하는 슬프고 아픈 스페인 소설이다. 어느 날 갑자기 땅으로 꺼진 듯 흔적도 없이 홀연히 사라진 열다섯 살 소녀 바르바라의 이야기는 현재, 우리 사회에서도 끊임없이 일어나고 있는 사건이기 때문에 더욱 섬뜩하게 다가온다. 『독이 서린 말』은 충격과 놀라움, 반전, 미스터리, 그 자체라 할 수 있다.

납치되어 8년 6개월 동안 감금된 소녀 나타샤 캄푸쉬의 일화를 바탕으로 한 이 소설은 스페인에서 가장 권위 있는 문학상인 에데베 청소년문학상을 비롯해 스페인 국립 아동청소년문학상, 세라 도르 비평상 등을 수상했으며, 아동 성폭력이라는 민감한 주제를 치밀한 구성과 탁월한 작품성으로 깊이 있게 담아냈다는 평을 받았다. 아동 성폭력 문제는 우리나라에서도 영화 〈도가니〉와 그 뒤를 이은 여러 사건으로 인해 심각한 사회문제로 이슈화되었기 때문에 외국 작품이라도 전혀 낯설게 느껴지지 않는다.

우리 독자들에게는 삼부작 『마녀들의 전쟁』의 작가로 익숙한 마이테 카란사가 작가 특유의 섬세한 필체와 구성력으로 한번 손에 들면 마칠 때까지 놓지 못하게 하는 중독성 강한 작품을 선사했다. 정년 퇴임식을 앞둔 살바도르 로사노 형사의 등장으로 이 작품은 추리 소설의 성격을 강하게 띠며 독자로 하여금, 과연 바르바라를 감금한 범인이 누굴까? 라는 궁금증을 계속 자아내게 한다.

게다가 이 작품은 대화체는 전혀 없이, 등장인물의 생각이나 말이 서술자의 말과 겹쳐져 이중적인 목소리로 진행되는 자유간접화법으로 서술하여 사건 전개를 입체적으로 엿볼 수 있게 했다. 납치당한 당사자인 바르바라만이 유일하게 1인칭으로 서술하여 자신의 처절하고 절박한 심경을 솔직하게 고백하고, 그녀의 주변 인물들인 엄마 누리아와 담당형사 살바도르 로사노, 바르바라의 친한 친구 에바는 모두 자유간접화법을 통해 다성적인 목소리를 내며 사건을 다양한 각도에서 바라보게 한다. 이 인물들은 바르바라 실종 사건을 바라보는 자신의 심경과 추측을 보여 주고, 우리 독자는 누리아와 살바도르 로사노, 에바의 시선을 따라가며 바르바라 실종 사건의 실체를 조금씩, 서서히 발견해 간다. 결정적으로는 그 사건의 진실을 알고 있는 유일한 사람인 바르바라에 의해 폭로되지만, 바르바라의 시선은 자주 등장하지 않는다.

대화체는 철저히 배제된 서술 기법을 통해 우리 독자는 바르바라라는 소녀가 누군가에게 납치되어 햇빛도 들어오지 않는 밀폐된 장소에 갇혀 있다는 사실을 알게 되지만 그 납치범이 누구인지, 바르바라와 어떤 관계에 있는지는 전혀 모른다. 바르바라는 고립되어 있고, 서술을 맡은 세 명의 인물 역시 자기네들 틀에 갇혀 고립되어 지낸다. 엄마는 딸을 지켜 주지 못했다는 무기력감에, 에바는 친구를 배신했다는 죄책감에, 형사는 미제 사건을 풀지 못했다는 자책감에서 헤어 나오지 못하고 괴로워한다. 그리고 우리는 이들을 통해 서로 대화 없이 소통하지 못하고 살아가는 현대인들의 모습을 목격하게 된다. 사실, 독자는 바르바라가 앞으로 어떻게 될지, 마지막 순간에 어떻게 될지보다는 대체 바르바라에게 무슨 일이 있어 현재의 이런 상태까지 오게 되었는지, 누가 바르바라를 납치했는지, 바르바라에게 정확히 어떤 일이 있었는지가 궁금하다. 그리고 그것을 알 수 있는 열쇠는 '말', '대화'이다.

하지만 그 말은 상대방의 가슴을 후벼 파며 가랑비에 옷 젖듯이 서서히 그 사람을 병들게 하는 '독이 서린 말'이 아닌, 서로를 이해하고, 끌어안고, 소통할 수 있는 '말', '대화'이다. 부모 자식 간의 소통, 스승과 제자 간의 소통, 부부간의 소통, 친구들과의 소통 등 성숙한 인간으로 발전할 수 있는 발판을 마련해 주는 소통과 대화가 무엇보다 중요한 것이다. 그래서 이 작품은 아동 성폭행이라는 무거운 주제와 함께 그런 엄청난 범죄를 유발하는 소통과 대화의 부재를 더욱 신랄하게 고발하고 있는지도 모르겠다.

권미선

독이 서린 말

Palabras Envenenadas

2017년 7월 3일 1판 1쇄

지은이 마이테 카란사
옮긴이 권미선
편집 김태희, 장슬기, 나고은, 김아름
디자인 기획 PaTI(파주타이포그라피학교)
아트디렉션 오진경, 디자인 강소이, 그림 강소이·윤성서
제작 박흥기
마케팅 이병규, 양현범, 박은희
인쇄 천일문화사
제책 J&D바이텍

펴낸이 강맑실
펴낸곳 (주)사계절출판사
등록 제406-2003-034호
주소 (10881) 경기도 파주시 회동길 252
전화 031)955-8588, 8558
전송 마케팅부 031)955-8595 편집부 031)955-8596
홈페이지 www.sakyejul.co.kr
전자우편 skj@sakyejul.co.kr
페이스북 facebook.com/sakyejul
인스타그램 www.instagram.com/yoloyolo_book

값은 뒤표지에 적혀 있습니다. 잘못 만든 책은 구입하신 서점에서 바꾸어 드립니다.
사계절출판사는 독자 여러분의 의견에 늘 귀 기울이고 있습니다.

ISBN 979-11-6094-056-5 04870
ISBN 979-11-0694-050-3 (세트)

이 도서의 국립중앙도서관 출판시도서목록(CIP)은 서지정보유통지원시스템 홈페이지 (http://www.nl.go.kr/cip.php)와 국가자료공동목록시스템(http://www.nl.go.kr/kolisnet)에서 이용하실 수 있습니다.(CIP제어번호: CIP2017013580)